JAMES
PATTERSON

WENN DIE MÄUSE KATZEN JAGEN

Aus dem Amerikanischen
von Dietlind Kaiser

BASTEI
LÜBBE

BASTEI LÜBBE TASCHENBUCH
Band 14342

1. Auflage: August 2000

Vollständige Taschenbuchausgabe
der im Ehrenwirth Verlag erschienenen Hardcoverausgabe

Bastei Lübbe Taschenbücher und Ehrenwirth Verlag sind Imprints der
Verlagsgruppe Lübbe

Titel der amerikanischen Originalausgabe: Cats & Mouse
bei Little, Brown and Company, Boston, New York, London Toronto.

Umschlaggestaltung: Stefan Hilden, München
Satz: hanseatenSatz-bremen, Bremen
Druck und Verarbeitung: Ebner Ulm
Printed in Germany
ISBN 3-404-14342-6

Für Suzie und Diamond Jack

Prolog

Spinnenjagd

Washington, D.C.

Das Haus von Alex Cross war zwanzig Schritte entfernt, und die Nähe und der Anblick brachten Gary Sonejis Haut zum Prickeln. Es war im viktorianischen Stil erbaut, mit weißen Schindeln gedeckt und äußerst gepflegt. Während Soneji über die Fifth Street hinwegschaute, entblößte er langsam die Zähne zu einem höhnischen Grinsen.

Alles war vollkommen. Er war hier, um Alex Cross und seine Familie zu ermorden.

Soneji ließ seinen Blick langsam von einem Fenster zum anderen wandern, nahm alles in sich auf, von den gestärkten weißen Spitzenvorhängen über das große Klavier auf der verglasten Veranda bis zu einem bunten Drachen mit Batman und Robin darauf, der sich in der Dachrinne verfangen hatte. Damons Drachen.

Zweimal bekam er Cross' alte Großmutter zu sehen, die an einem Erdgeschoßfenster vorbeischlurfte. Nana Mamas langes, sinnloses Leben würde bald ein Ende haben. Bei diesem Gedanken fühlte er sich unglaublich gut. Genieße jeden Augenblick – bleib stehen und atme den Rosenduft ein, ermahnte Soneji sich. Koste die Rosen, verschlinge Alex Cross' Rosen mit Blüten, Stielen und Dornen.

Schließlich überquerte er die Fifth Street, darauf achtend, im Schatten zu bleiben. Dann verschwand er zwischen den dichten Eiben und Forsythiensträuchern, die sich wie Wachen vor dem Haus aufbauten.

Er schlich zu der weißgetünchten Kellertür neben der Veranda, in der Nähe der Küche. Die Tür war mit einem

Vorhängeschloß gesichert, das er in Sekundenschnelle geknackt hatte.

Er war in Cross' Haus!

Er befand sich im Keller. Der Keller war eine wichtige Sache für diejenigen, die Indizien zusammentrugen. Der Keller gab zehn Seiten für das Protokoll her. Und auch jede Menge Fotos für die Spurensicherung.

Der Keller war sehr bedeutend für alles, was in naher Zukunft geschehen würde. Die Morde an der Familie Cross!

Es gab keine großen Fenster, aber Soneji beschloß, kein Risiko einzugehen, indem er das Licht einschaltete. Er benutzte eine Taschenlampe. Nur um sich umzuschauen, um noch mehr über Cross und seine Familie zu erfahren, um seinen Haß anzufachen, falls das noch möglich war.

Der Keller war sauber gefegt, wie er es erwartet hatte. Cross' Werkzeuge lagen wahllos durcheinander in einem Hängeregal. An einem Haken hing eine verfleckte Georgetown-Baseballmütze. Soneji konnte nicht widerstehen und setzte sie sich auf.

Er strich mit den Händen über zusammengefaltete Wäsche auf einem langen Holztisch. Er fühlte sich der zum Tod verurteilten Familie jetzt sehr nahe. Und verabscheute sie mehr denn je. Er befühlte die Wölbungen der BHs der alten Frau. Er faßte die Jockey-Unterwäsche des Jungen an. Er kam sich total pervers vor, und das begeisterte ihn.

Soneji hob einen kleinen roten Pullover mit Rentiermuster hoch. Er paßte vermutlich Cross' kleiner Tochter Jannie. Er hielt sich den Pullover an das Gesicht und versuchte, das Mädchen zu riechen. Er freute sich auf den Mord an Jannie und wünschte sich nur, Cross bekäme ihn ebenfalls zu sehen.

Er entdeckte an einem Haken neben einem ramponierten alten Sandsack ein Paar Boxhandschuhe und schwarze Sportschuhe. Sie gehörten Cross' Sohn Damon, der jetzt neun Jahre alt sein mußte. Gary Soneji nahm sich vor, dem Jungen das Herz aus dem Leib zu boxen.

Schließlich schaltete er die Taschenlampe aus und saß völlig ruhig in der Finsternis. Früher einmal war er ein berühmter Kidnapper und Mörder gewesen. Es würde wieder so sein. Er feierte ein triumphales Comeback, das aller Welt den Verstand rauben würde.

Soneji faltete die Hände im Schoß und seufzte. Er hatte ein vollkommenes Netz gesponnen.

Alex Cross würde bald tot sein, genau wie alle, die er liebte.

London

Der Mörder, der gegenwärtig Europa in Angst und Schrecken versetzte, wurde Mr. Smith genannt, ohne Vornamen. Die Bostoner Presse hatte ihn so getauft, und dann hatte die Polizei rund um den Globus den Namen freundlicherweise übernommen. Er akzeptierte ihn, wie Kinder den Namen akzeptieren, den ihre Eltern ihnen gegeben haben, ganz gleich, wie scheußlich, anstößig oder umständlich er auch sein mochte.

Mr. Smith – sei's drum.

Dabei hatte er eigentlich einen Namen-Tick. Er war von Namen geradezu besessen. Die Namen seiner Opfer hatten sich in seinen Verstand und auch in sein Herz eingebrannt.

Als erster und wichtigster Isabella Calais. Dann kamen Stephanie Michaela Apt, Ursula Davies, Robert Michael Neel und noch viele andere.

Er konnte die vollständigen Namen vorwärts und rückwärts aufsagen, als ob er sie sich für ein Geschichtsquiz oder für eine groteske Runde von Trivial Pursuit eingeprägt hätte. Das war's, diese Jagd war wie Trivial Pursuit!

Bis jetzt schien es niemand zu verstehen, niemand schien zu begreifen. Weder das fabelhafte FBI noch die legendäre Interpol, weder Scotland Yard noch irgendeine Polizeieinheit in einer der Großstädte, in denen er Morde begangen hatte.

Niemand begriff das geheime Muster, nach dem er seine Opfer auswählte, das Muster, das am 22. März 1993 in Cambridge, Massachusetts, mit Isabella Calais angefangen hatte und sich heute in London fortsetzte.

Das aktuelle Opfer war Drew Cabot. Er war Chief Inspector – das Schwachsinnigste, was jemand mit seinem Leben anfangen konnte. Er war in London gerade sehr populär, weil er kürzlich einen IRA-Killer gefaßt hatte. Seine Ermordung würde die Stadt elektrisieren, jeden ihrer Bewohner aufwühlen. Im kultivierten, weltläufigen London war ein grausiger Mord ebenso beliebt wie in irgendeinem Kaff.

An diesem Nachmittag operierte Mr. Smith im stinkfeinen, eleganten Stadtteil Knightsbridge. Er war dort, *um die menschliche Rasse zu erforschen* – jedenfalls nannten es die Zeitungen so. Die Presse in London und ganz Europa hatte noch einen anderen Namen für ihn parat: Außerirdischer. Nach der vorherrschenden Meinung kam Mr. Smith von einem anderen Stern. Kein Mensch könne die Taten verüben, die er beging. Auf alle Fälle behaupteten sie das.

Mr. Smith mußte sich tief bücken, damit er in Drew Cabots Ohr sprechen, eine größere Intimität zu seiner Beute schaffen konnte. Er ließ bei der Arbeit immer Musik laufen, verschiedene Arten von Musik. Heute hatte er die Ouvertüre zu *Don Giovanni* ausgewählt. Er hatte das Gefühl, diese tragikomische Oper sei genau das richtige.

Opernmusik war das richtige für diese Autopsie bei lebendigem Leib.

»Etwa zehn Minuten nach Ihrem Tod«, sagte Mr. Smith, »werden die Fliegen schon den Verwesungsgeruch Ihres Körpergewebes wittern. Grüne Fliegen werden ganz winzige Eier in Ihre Körperöffnungen legen. Ironischerweise erinnert mich diese Ausdrucksweise an den Kinderbuchautor Dr. Seuss, an sein ›Grüne Fliegen und Speck‹. Was mag das wohl bedeuten? Ich weiß es nicht. Es ist jedoch eine merkwürdige Assoziation.«

Drew Cabot hatte eine Menge Blut verloren, aber er gab nicht auf. Er war ein großer, markanter Typ mit hellblondem Haar. Ein Mann, der niemals nie sagt. Der Inspector warf den Kopf vor und zurück, bis Smith schließlich den Knebel entfernte.

»Was gibt's, Drew?« fragte er. »Sprechen Sie!«

»Ich habe eine Frau und zwei Kinder. Warum tun Sie mir das an? Warum mir?« flüsterte er.

»Oh, sagen wir mal, weil Sie *Drew* sind. Schlicht und unsentimental. Sie, Drew, sind ein Puzzleteil.«

Er stopfte dem Inspector den Knebel wieder in den Mund. Schluß mit dem Geplauder.

Während er die nächsten chirurgischen Schnitte durchführte und weiterhin *Don Giovanni* erklang, fuhr Mr. Smith mit seinen Belehrungen fort.

»Kurz vor dem Eintreten des Todes wird die Atmung mühsam und unregelmäßig. Genau so, wie Sie es jetzt spüren. Als ob jeder Atemzug Ihr letzter sein könnte. Der Stillstand wird innerhalb von zwei bis drei Minuten eintreten«, flüsterte Mr. Smith, alias der gefürchtete »Außerirdische«. »Ihr Leben wird enden. Gestatten Sie mir, Ihnen als erster dazu zu gratulieren. Das meine ich aufrichtig, Drew. Ob Sie es glauben oder nicht, ich beneide Sie. Ich wünschte, ich wäre Drew.«

Erster Teil
Bahnhofsmorde

1.

»Ich bin der große Cornholio! Willst du dich etwa mit mir anlegen? Ich bin Cornholio!« riefen die Kinder sehr laut im Chor und kicherten. Beavis und Butthead schlugen wieder zu, und das in meiner Gegenwart.

Ich biß mir auf die Lippe und ließ es durchgehen. Wozu dagegen ankämpfen? Wozu das Feuer der frühen Pubertät ersticken?

Damon, Jannie und ich drängten uns auf dem Vordersitz meines alten schwarzen Porsche. Wir hätten längst ein neues Auto kaufen sollen, aber keiner von uns wollte sich von dem Porsche trennen. Wir liebten das alte Auto, das wir »Sardinenbüchse« und »alte Rostlaube« getauft hatten.

Es war zwanzig vor acht Uhr morgens. Und ich war mit den Gedanken ganz woanders. Kein guter Tagesanfang.

In der Nacht zuvor war ein dreizehnjähriges Mädchen von der Ballou High School im Anacostia River gefunden worden – erschossen und dann ins Wasser geworfen. Man hatte ihr in den Mund geschossen. Die Gerichtsmediziner nannten das »einlochen«.

Eine furchtbare Statistik brachte mein zentrales Nervensystem durcheinander und sorgte für ein übles Gefühl in meinem Magen. Inzwischen gab es über einhundert unaufgeklärte Morde an jungen Frauen aus der Innenstadt, die in den letzten drei Jahren begangen worden waren. Niemand hatte bisher eine umfassende Ermittlung angeordnet. Keiner von den Mächtigen schien sich um tote schwarze und lateinamerikanische junge Mädchen zu scheren.

Als wir an der Sojourner-Truth-Schule vorfuhren, entdeckte ich Christine Johnson. Sie begrüßte gerade eintreffende Kinder und ihre Eltern.

Ich erinnerte mich an unsere erste Begegnung. Es war im Herbst des Vorjahres gewesen, und die Umstände hätten für keinen von uns beiden schlimmer sein können.

Wir waren am Tatort des Mordes an einem kleinen Mädchen namens Shanelle Green aufeinandergetroffen. Christine war die Rektorin der Schule, die Shanelle besucht hatte und zu der ich jetzt meine Kinder brachte. Jannie war gerade im ersten Schuljahr, Damon hingegen bereits ein ehrenvoller Veteran der Truth-Schule, ein Viertkläßler.

»Was habt ihr beiden Racker denn zu gaffen?« Ich wandte mich den Kindern zu, die zwischen Christine und mir hin und her sahen, als schauten sie bei einem Meisterschaftsmatch im Tennis zu.

»Wir gaffen dich an, Daddy, und du gaffst Christine an«, sagte Jannie und lachte wie die kleine Hexe, die sie manchmal sein kann.

»Für dich ist sie immer noch Mrs. Johnson«, stellte ich klar und bedachte Jannie aus zusammengekniffenen Augen mit meinem besten strafenden Blick.

Jannie tat meine vorwurfsvolle Miene jedoch achselzuckend ab und sah mich stirnrunzelnd an.

»Das weiß ich, Daddy. Sie ist die Rektorin meiner Schule. Ich weiß genau, wer sie ist.«

Meine Tochter begriff schon viel von den wichtigen Zusammenhängen und Rätseln des Lebens. Ich hoffte, sie würde sie mir vielleicht eines Tages erklären.

»Und du, Damon, hast du dazu auch eine Meinung, die wir unbedingt hören sollten?« fragte ich. »Möchtest du vielleicht noch etwas hinzufügen? Irgendeine gute, witzige Bemerkung?«

Mein Sohn schüttelte den Kopf, aber er grinste. Er mochte Christine Johnson furchtbar gern. Alle mochten sie. Sogar Nana Mama war von ihr angetan, was unglaublich war und mir leichte Sorgen machte. Nana und ich scheinen so gut wie nie einer Meinung zu sein und mit zunehmendem Alter sogar noch seltener.

Die Kinder stiegen aus dem Auto, und Jannie gab mir einen Abschiedskuß. Christine winkte und kam näher.

»Was für ein guter, vorbildlicher Vater Sie sind!« sagte sie. Ihre braunen Augen funkelten. »Irgendwann werden Sie eine Frau hier in der Gegend bestimmt sehr glücklich machen. Sie können gut mit Kindern umgehen, sind einigermaßen attraktiv und fahren einen Luxussportwagen. Du liebe Güte!«

»Ganz meinerseits ›du liebe Güte‹«, sagte ich. Daß es ein schöner Morgen Anfang Juni war, setzte dem Ganzen die Krone auf. Ein schimmernder blauer Himmel, mit Temperaturen um die zwanzig Grad, die Luft frisch und relativ sauber. Christine trug ein beigefarbenes Kostüm mit einer blauen Bluse und Schuhe mit flachen Absätzen. Sei still, mein Herz!

Ein Lächeln ging über mein Gesicht. Es ließ sich nicht unterdrücken – und ich wollte das auch gar nicht. Es paßte zu dem schönen Tag, der gerade erst begann.

»Ich hoffe, Sie bringen meinen Kindern in Ihrer Nobelschule nicht diese Art von Zynismus und Ironie bei.«

»Selbstverständlich bringe ich ihnen genau das bei, genau wie alle meine Lehrer. Mit den besten reden wir Tacheles. Wir sind alle in Zynismus ausgebildet und Experten in Ironie. Noch wichtiger ist, daß wir alle hervorragende Skeptiker sind. Ich muß hinein, damit uns kein kostbarer Augenblick der Indoktrinationszeit entgeht.«

»Nun, für Damon und Jannie kommt es eh zu spät. Ich habe sie bereits programmiert. Ein Kind wird mit Milch und Lob ernährt. Meine Sprößlinge haben die sonnigsten Gemüter in der Gegend, vermutlich in ganz Southeast, vielleicht sogar in ganz Washington.«

»Oh, das ist uns schon aufgefallen, aber wir stellen uns der Herausforderung. Ich muß mich beeilen. Junge Köpfe formen und beeinflussen!«

»Sehen wir uns heute abend?« fragte ich, als Christine bereits im Begriff war, sich abzuwenden und auf das Schulgebäude zuzugehen.

»Attraktiv wie die Sünde, noch dazu Porschefahrer. Selbstverständlich sehen wir uns heute abend.« Dann drehte sie sich endgültig um.

An jenem Abend hatten wir unsere erste offizielle Verabredung. Ihr Mann George war im letzten Winter gestorben, aber jetzt hatte Christine das Gefühl, sie sei bereit, mit mir zum Abendessen auszugehen. Ich hatte sie nicht gedrängt, obwohl ich es kaum erwarten konnte. Sechs Jahre nach dem Tod meiner Frau Maria fühlte ich mich, als verließe ich einen tiefen Graben, vielleicht sogar eine Depression. Das Leben war fast wieder so gut wie vor langer, langer Zeit.

Aber wie Nana Mama mich oft gewarnt hatte: »Verwechsle niemals einen Grabenrand mit dem Horizont!«

2.

Alex Cross war ein toter Mann. Ein Fehlschlag kam nicht in Frage.

Gary Soneji sah mit zusammengekniffenen Augen durch ein Zielfernrohr, das er von einem automatischen Browning-Gewehr abmontiert hatte. Das Fernrohr war von erlesener Schönheit. Er beobachtete die rührende Szene. Er sah, wie Alex Cross seine beiden Bälger absetzte und dann vor der Sojourner-Truth-Schule mit seiner hübschen Freundin plauderte.

Denk das Undenkbare, soufflierte er sich selber.

Soneji knirschte mit den Zähnen, während er sich auf dem Fahrersitz eines Jeep Cherokee duckte. Er beobachtete, wie Damon und Jannie auf den Schulhof rannten, wie sie ihre Spielkameraden begrüßten. Vor Jahren wäre er fast berühmt geworden, weil er direkt hier in Washington zwei Schulbälger entführt hatte. Das war seine Glanzzeit gewesen, du lieber Himmel! Die absolute Glanzzeit!

Eine Zeitlang war er im ganzen Land im Fernsehen und in den Zeitungen der düstere Star gewesen. Jetzt würde es wieder dazu kommen, dessen war er sich sicher. Schließlich war es nur gerecht, daß er als der Beste anerkannt wurde.

Er richtete das Fadenkreuz des Zielfernrohrs behutsam auf Christine Johnsons Stirn. Sieh an, sieh an, sie war wirklich hübsch.

Sie hatte sehr ausdrucksvolle braune Augen und ein sympathisches Lächeln, das zumindest aus dieser Entfernung echt wirkte. Sie war groß, attraktiv, von dominanter Präsenz. Die Rektorin. Ein paar lose Haare ringelten sich neben ihrer Wange. Es war leicht nachzuvollziehen, was Cross an ihr fand.

Was für ein hübsches Paar sie abgaben, und was für eine Tragödie würde es werden, wirklich schade! Trotz seines anstrengenden Berufs sah Cross immer noch gut aus, ein bißchen wie Muhammad Ali in seinen besten Zeiten. Und sein Lächeln faszinierte.

Als Christine Johnson auf das Schulgebäude aus rotem Backstein zuging, schaute Alex Cross plötzlich in die Richtung von Sonejis Jeep.

Der großgewachsene Detective schaute direkt durch die Windschutzscheibe. Direkt in Sonejis Augen.

Das war in Ordnung. Kein Grund zur Sorge, kein Grund zur Angst, er wußte, was er tat. Er ging keinerlei Risiken ein. Nicht hier. Noch nicht.

In wenigen Minuten sollte alles anfangen, aber in seinem Kopf war es schon geschehen. Es war hundertmal geschehen. Er kannte jeden Schritt von diesem Punkt an bis zum Ende ganz genau.

Gary Soneji ließ den Jeep an und machte sich auf den Weg Richtung Union Station. Zum Tatort, zur Kulisse seiner meisterhaften Theatervorstellung.

»Denk das Undenkbare«, murmelte er, »und dann tu es.«

3.

Nach dem letzten Klingeln, als die meisten Kinder in den Klassenzimmern waren, ging Christine Johnson langsam über die nun verlassenen langen Flure der Sojourner-Truth-Schule. Das machte sie fast jeden Morgen, und sie empfand das als besonderen Luxus. Manchmal mußte man sich verwöhnen, und das hier war besser als ein Milchkaffee bei Starbucks.

Die Flure waren leer, angenehm ruhig und immer blitzsauber, wie es ihrer Meinung nach in einer guten Schule zu sein hatte.

Es hatte Zeiten gegeben, in denen sie und einige Lehrer die Böden sogar selbst gescheuert hatten, aber jetzt erledigten das Mr. Gomez und der Hausmeister Lonnie Walker an zwei Abenden in jeder Woche.

An den Korridorwänden hingen fröhliche, bunte Kinderarbeiten, die Hoffnung und Energie ausstrahlten. Christine warf jeden Morgen einen Blick auf die Zeichnungen und Plakate, und immer war es etwas anderes, die Perspektive eines anderen Kindes, die ihr ins Auge stach und sie innerlich erfreute.

Ihr fiel eine schlichte, aber eindrucksvolle Bleistiftzeichnung auf, die ein kleines Mädchen zeigte, das vor einem neuen Haus seine Eltern an den Händen hielt. Alle drei hatten runde Gesichter, lächelten glücklich und wirkten sehr zielstrebig.

Doch heute wanderte Christine aus einem anderen Grund durch die stillen Korridore. Sie dachte an ihren Mann George, daran, wie er gestorben war und warum. Sie wünschte sich, sie könnte ihn noch einmal zurückholen und mit ihm reden. Sie wollte George ein letztes Mal in den Armen halten. O Gott, sie mußte mit ihm sprechen.

Sie ging bis zum Ende des Flurs, zu Zimmer 111, das leuchtendgelb gestrichen war und *Butterblume* hieß. Die Kinder hatten sich die Namen der Zimmer selbst ausgedacht und änderten sie jedes Jahr im Herbst. Schließlich war es *ihre* Schule.

Christine machte die Tür behutsam und leise einen Spalt weit auf. Bobbie Shaw, die Lehrerin der ersten Klasse, wischte gerade ein Tafelbild weg. Christine betrachtete Reihen überwiegend aufmerksamer Gesichter, unter ihnen Jannie Cross.

Sie ertappte sich bei einem Lächeln, als sie Jannie beobachtete, die zufällig eben mit ihrer Lehrerin sprach. Jannie Cross war lebhaft und intelligent, und sie sah die Welt mit eigenen Augen. Sie hatte große Ähnlichkeit mit ihrem Vater. Klug, sensibel, schön anzuschauen.

Schließlich ging Christine weiter und stieg geistesabwesend die Treppe in den ersten Stock hinauf. Auch die Treppenhauswände waren mit Projekten und bunten Bildern geschmückt, ein weiterer Grund, warum die meisten Kinder das Gefühl hatten, das hier sei »ihre Schule«. Sobald man verinnerlichte, daß einem etwas gehörte, schützte man es, empfand sich als Teil davon. Es war ein ganz einfacher Gedanke, aber einer, den Regierung und Verwaltungsbehörden in Washington nicht zu kapieren schienen.

Sie kam sich ein bißchen töricht vor, aber sie wollte auch einen Blick auf Damon werfen.

Unter allen Jungen und Mädchen in der Truth-Schule war Damon vermutlich ihr Liebling. Schon bevor sie Alex kennengelernt hatte. Es lag nicht nur daran, daß Damon intelligent und wortgewandt war und charmant sein konnte – er hatte außerdem einen sehr guten Charakter. Das bewies er immer wieder anderen Kindern und Lehrern gegenüber, und es hatte sich auch bei der Einschulung seiner kleinen Schwester in diesem Halbjahr bewahrheitet. Er hatte sie wie seinen besten Freund behandelt – und vielleicht verstand er bereits, daß sie das auch war.

Schließlich machte sich Christine auf den Rückweg zu ihrem Büro, wo sie der übliche Zehn- bis Zwölfstundentag erwartete. Jetzt dachte sie an Alex, und insgeheim wußte sie, daß er der wahre Grund war, warum sie nach seinen Kindern geschaut hatte.

Sie wußte nicht, ob sie sich auf ihr gemeinsames Essen am Abend freuen sollte. Sie hatte Angst davor, empfand leichte Panik, und sie glaubte zu wissen, warum.

4.

Gary Soneji schlenderte in die Union Station, als ob der Bahnhof ihm gehörte. Er fühlte sich ungeheuer gut. Sein Schritt beschleunigte sich, und seine Lebensgeister schienen sich bis zum hohen Bahnhofsdach zu erheben.

Er wußte alles, was es über den berühmten Bahnhof der Hauptstadt zu wissen gab. Er hatte lange die neoklassizistische Fassade bewundert, die an die Caracalla-Thermen im alten Rom erinnerte. Er hatte sich als Junge stundenlang mit der Bahnhofsarchitektur beschäftigt. Er war auch im Great Train Store gewesen, in dem wertvolle Modelleisenbahnen und andere Bahnsouvenirs verkauft wurden.

Er konnte das Rattern der Züge in der Tiefe hören und spüren. Die Marmorböden bebten, wenn starke Amtrak-Züge abfuhren und ankamen. Die Glastür zur Außenwelt grollte wie Donner, und er vernahm, wie die Scheiben im Rahmen klirrten.

Er liebte diesen Ort. Jeden noch so kleinen Winkel.

Der Bahnhof verfügte über wahre Zauberkräfte. Die Schlüsselworte lauteten heute *Zug* und *Keller*, und nur er wußte, warum.

Wissen ist Macht, und er wußte alles.

Gary Soneji dachte darüber nach, daß er innerhalb der nächsten Stunde durchaus sterben konnte, aber die Vorstellung beunruhigte ihn nicht. Was auch geschehen mochte, war so vorherbestimmt, und außerdem wollte er unbedingt mit einem Knall abtreten, nicht mit cincm fcigen Winseln. Und warum zum Teufel sollte er auch nicht? Er hatte Pläne für eine lange, aufregende Karriere nach seinem Tod.

Gary Soneji trug einen leichten schwarzen Trainingsanzug mit einem roten Logo von Nike. Er hatte drei sperrige Taschen bei sich. Er fand, er sehe genauso aus wie jeder andere Reisende in dem überfüllten Bahnhof. Er wirkte übergewichtig und hatte zur Zeit graues Haar. Eigentlich war er einssiebenundsiebzig, aber durch Einlagen in den Schuhen und dicke Sohlen brachte er es heute auf einsfünfundachtzig. Ein kleiner Rest seines früheren guten Aussehens war geblieben. Falls irgend jemand seinen Beruf hätte erraten sollen, hätte er möglicherweise auf Lehrer getippt.

Die Ironie dieses Gedankens entging ihm nicht. Er war tatsächlich einmal Lehrer gewesen, einer der schlimmsten, die es je gegeben hatte. Er war Mr. Soneji, der Mathematiklehrer, gewesen. Er hatte zwei seiner Schüler entführt.

Soneji hatte seine Fahrkarte für den Metroliner schon gekauft, aber er ging noch nicht zum Zug.

Statt dessen durchquerte er die Haupthalle, entfernte sich vom Wartesaal und stieg eine Treppe neben dem Center Café hinauf zur Galerie im ersten Stock, mit Blick auf die Halle etwa sechs Meter darunter.

Er schaute nach unten, beobachtete die einsamen Menschen, die durch die Halle mit dem imposanten Gewölbe strömten. Die meisten dieser Arschlöcher hatten keine Ahnung, was sie an diesem besonderen Morgen für ein völlig unverdientes Glück hatten. Sie würden sicher in den kurzen Pendlerzügen sitzen, wenn in wenigen Minuten die *son-et-lumière*-Vorstellung anfing.

Was für ein schöner Ort! Wie oft hatte er von dieser Szene geträumt, von diesem Schauplatz, der Union Station!

Durch die Oberlichter fielen die Strahlen der Morgensonne herein. Sie spiegelten sich an den Wänden und der hohen vergoldeten Decke wider. In der Haupthalle unter ihm gab es einen Informationsstand, eine riesige elektronische Anzeigetafel mit den Ankunfts- und Abfahrtszeiten, das Center Café und die Restaurants Sfuzzi und America. Die Halle mündete in einen Wartebereich, der früher der »größte Raum der Welt« genannt worden war. Er hatte sich für heute, für seinen Geburtstag, wirklich eine grandiose historische Kulisse ausgesucht.

Gary Soneji nahm einen kleinen Schlüssel aus der Tasche. Er warf ihn in die Luft und fing ihn wieder auf. Dann schloß er eine silbergraue Metalltür auf, die in einen Raum auf der Galerie führte.

Für ihn war das *sein* Zimmer. Endlich hatte er ein eigenes Zimmer, oben bei allen anderen. Er machte die Tür hinter sich zu.

»Zum Geburtstag viel Glück, zum Geburtstag viel Glück, zum Geburtstag, lieber Gary, zum Geburtstag viel Glück.«

5.

Die Sache würde unglaublich werden, alles übertreffen, was er bis jetzt versucht hatte. Den nächsten Teil könnte er fast mit verbundenen Augen erledigen, nur aus dem Gedächtnis. Er hatte es so oft geübt! In seiner Phantasie, in seinen Träumen. Er hatte sich seit über zwanzig Jahren auf diesen Tag gefreut.

Er stellte in dem kleinen Raum ein zusammenklappbares Aluminiumstativ auf und befestigte ein Browning-Gewehr darauf. Das Gewehr war ein Prachtstück mit einem speziellen Zielfernrohr und einem elektronischen Auslöser, den er selbst montiert hatte.

Die Marmorböden bebten unablässig, während seine geliebten Züge in den Bahnhof ein- und ausfuhren, riesige mythische Ungeheuer, die hier Futter und Ruhe suchten. Er wäre nirgends auf der Welt lieber als hier gewesen, derart begeistert war er von diesem Augenblick.

Soneji wußte nicht nur alles über die Union Station, sondern auch alles über Massenmorde, die auf überfüllten öffentlichen Plätzen verübt worden waren. Schon als Junge war er von den sogenannten »Jahrhundertverbrechen« besessen gewesen. Er hatte sich vorgestellt, wie er solche Taten beging und dann gefürchtet und berühmt werden würde. Er plante perfekte Morde und begann schließlich damit, sie auszuführen. Er vergrub sein erstes Opfer auf der Farm eines Verwandten, als er fünfzehn war. Die Leiche war bis zum heutigen Tag nicht gefunden worden.

Er war Charles Starkweather, *er* war Bruno Richard Hauptmann, *er* war Charlie Whitman. Mit dem Unterschied, daß er schlauer war als sie alle und im Gegensatz zu ihnen nicht verrückt.

Er hatte auch einen Namen für sich geschaffen: Soneji, ausgesprochen *So-ni-tschi.* Schon mit dreizehn, vierzehn war ihm der Name furchterregend vorgekommen. Und so war es bis heute. *Starkweather, Hauptmann, Whitman, Soneji.*

Schon als Junge hatte er in den tiefen, finsteren Wäldern in der Umgebung von Princeton, New Jersey, mit Gewehren geschossen. Im vergangenen Jahr hatte er mehr geschossen, mehr gejagt, mehr trainiert als je zuvor. Er war gerüstet und auf diesen Morgen perfekt vorbereitet. Zum Teufel, er war seit Jahren darauf vorbereitet.

Soneji setzte sich auf einen Klappstuhl aus Metall und machte es sich so bequem wie möglich. Er spannte eine Plane auf, grau wie ein Schlachtschiff, die mit den dunklen Bahnhofswänden im Hintergrund verschmolz. Er schlüpfte unter die Plane. Er hatte vor, zu verschwinden und ein Teil des Schauplatzes zu werden, ein Heckenschütze an einem öffentlichen Ort. In der Union Station!

Ein altmodisch klingender Ansager gab das Gleis und die Abfahrtszeit des nächsten Metroliners nach Baltimore, Wilmington, Philadelphia und zur Penn Station in New York bekannt.

Soneji lächelte vor sich hin – das war sein Fluchtzug. Er hatte eine Fahrkarte und plante nach wie vor, den Zug zu nehmen. Er würde im Metroliner sitzen oder draufgehen. Niemand konnte ihn jetzt noch aufhalten, vielleicht mit Ausnahme von Alex Cross, und selbst das spielte jetzt keine Rolle mehr. Sein Plan enthielt Ausweichmöglichkeiten für jeden Fall, sogar für den seines Todes.

Dann verlor sich Soneji in Gedanken. Seine Erinnerungen waren sein Kokon.

Er war neun Jahre alt, als ein Student namens Charles Whitman aus einem Turm der University of Texas in Austin das Feuer eröffnet hatte. Whitman war ein ehemaliger Marineinfanterist, fünfundzwanzig Jahre alt. Das unerhörte, sensationelle Ereignis hatte Gary damals förmlich hypnotisiert.

Er hatte jeden Bericht über dic Erschießungen gesammelt, lange Artikel aus *Time, Life, Newsweek,* der *New York Times,* dem *Philadelphia Inquirer,* der Londoner *Times, Paris Match,* der *Los Angeles Times,* der *Baltimore Sun.* Er besaß die kostbaren Ausschnitte noch heute. Sie waren im Haus eines Freundes, wurden dort für die Nachwelt aufbewahrt. Sie waren Beweise für vergangene, gegenwärtige und künftige Verbrechen.

Gary Soneji war ein guter Schütze. Dabei hätte er bei dieser wimmelnden Menge aus Zielpersonen gar kein As zu sein brauchen. Kein Schuß in dieser Bahnhofshalle mußte weiter reichen als einhundert Meter, und er war bis zu fünfhundert Metern treffsicher.

Er hatte das Gefühl, aus seinem Alptraum in die reale Welt hinauszutreten, als sich der große Augenblick näherte. Ein kalter, heftiger Schauer durchlief seinen Körper. Er war köstlich, verlockend. Er spähte durch das Zielfernrohr des Browning-Gewehrs auf die geschäftige, nervöse, sich bewegende Menge.

Er suchte nach dem ersten Opfer. Das Leben war soviel schöner und interessanter durch ein Zielfernrohr.

6.

Da waren sie.

Er musterte die Halle mit Tausenden eiliger Pendler und Sommerurlauber. Keiner von ihnen hatte eine Ahnung von der drohenden Lebensgefahr in ebendiesem Augenblick. Die Leute schienen nie zu glauben, daß ihnen tatsächlich etwas Grauenhaftes zustoßen könne.

Soneji beobachtete eine lebhafte Schülergruppe in leuchtendblauen Blazern und gestärkten weißen Hemden. Schickimickis, gottverfluchte Schickimickis. Sie kicherten und rannten mit übertriebener Fröhlichkeit zu ihrem Zug. Er konnte glückliche Menschen nicht leiden, schon gar nicht saublöde Bälger, die glaubten, sie hätten die Welt völlig im Griff.

Er stellte fest, daß er von hier oben Gerüche unterscheiden konnte: Dieselkraftstoff, Flieder und Rosen von den Blumenverkäufern, Fleisch und Knoblauchgarnelen aus den Restaurants in der Halle. Von den Gerüchen bekam er Hunger.

Das Sichtfeld seines spezialangefertigten Zielfernrohrs verfügte über einen schwarzen Markierungspunkt anstelle des üblichen Fadenkreuzes. Soneji bevorzugte die Punktmarkierung. Er beobachtete die Collage aus Formen, Bewegung und Farben, die in Richtung Tod trieb und wieder entglitt. Dieser kleine todesschwangere Ausschnitt war jetzt Garys Welt, autark und hypnotisierend.

Soneji richtete die Zielmarkierung auf die breite, faltige Stirn einer müde aussehenden Geschäftsfrau Anfang Fünfzig. Die Frau war mager und nervös, hatte verhärmte Augen und bleiche Lippen.

»Sag gute Nacht, Grazie«, flüsterte er leise. »Gute Nacht, Irene. Gute Nacht, Mrs. Calabash.«

Er hätte fast den Abzug durchgedrückt, beinahe mit dem morgendlichen Massaker angefangen, doch dann hielt er im letztmöglichen Augenblick inne.

Die hatte den ersten Schuß nicht verdient. Er war mit sich selbst unzufrieden wegen seiner Ungeduld. Nicht annähernd spektakulär genug. Nur eine vorübergehende Anwandlung. Bloß wieder irgendeine Mittelschichtkuh.

Die Zielmarkierung verharrte wie magnetisch angezogen auf dem Rückgrat eines Gepäckträgers, der eine instabile Ladung aus Schachteln und Koffern schob. Der Gepäckträger war ein großer, gutaussehender Schwarzer – Alex Cross sehr ähnlich. Seine dunkle Haut schimmerte wie Mahagoni.

Darin lag die Anziehungskraft dieser Zielperson. Ihm gefiel das Bild, aber wer außer ihm hätte die subtile, besondere Botschaft verstanden? Nein, er mußte auch an andere denken. Jetzt war es an der Zeit, selbstlos zu sein.

Er verlagerte die Zielmarkierung wieder. Das Sichtfeld des Todes. Es gab eine erstaunliche Menge Pendler in dunklen Anzügen und schwarzen Flügelkappenschuhen. Schafe auf dem Weg zur Arbeit.

Ein Vater mit Teenagersohn trieb in das Sichtfeld, als hätte die Hand Gottes die beiden gelenkt.

Gary Soneji holte Luft. Dann atmete er langsam aus. Das war sein Schießritual, das er so viele Jahre lang allein im Wald geübt hatte. Wie oft hatte er sich vorgestellt, es hier zu wiederholen! Einen völlig Fremden auszulöschen, ohne jeden Grund.

Er zog den Abzug sacht, ganz sacht und langsam durch.

Sein Körper war völlig ruhig, fast leblos. Er konnte den

schwachen Puls im Arm spüren, den Puls in seiner Kehle, die annähernd gleiche Frequenz seines Herzschlags.

Der Schuß verursachte ein lautes Knacken, und das Geräusch schien dem Flug der Kugel in die Halle hinunter zu folgen. Ein paar Zentimeter vom Gewehrlauf entfernt wirbelte Rauch hoch. Ein schöner Anblick.

Der Kopf des Teenagers explodierte im Kreis des Zielfernrohrs. Wunderschön. Er flog vor Garys Augen auseinander. Der große Knall als Miniatur.

Dann zog Gary Soneji den Abzug ein zweites Mal durch. Er ermordete den Vater, bevor dieser eine Chance zum Trauern hatte. Er empfand absolut nichts für die beiden. Keine Liebe, keinen Haß, kein Mitleid. Er regte sich nicht, fuhr nicht zusammen, zuckte nicht einmal mit der Wimper.

Jetzt war Gary Soneji nicht mehr aufzuhalten. Es gab kein Zurück.

7.

Rush-hour! Zwanzig nach acht Uhr morgens. Allmächtiger Gott, nein! Ein Wahnsinniger war in der Union Station am Werk.

Sampson und ich rasten an der doppelten Fahrspur entlang. Der Verkehr staute sich auf der Massachusetts Avenue, so weit das Auge reichte.

Auto- und Lastwagenfahrer drückten frustriert auf die Hupe. Fußgänger schrien, liefen schneller, rannten vom Bahnhof weg. Überall waren Streifenwagen im Einsatz.

Vor uns an der North Capitol Street kam bereits das

massive, ganz aus Granit gebaute Hauptgebäude der Union Station samt seinen vielen Erweiterungsbauten in Sicht. Um das Hauptgebäude herum war alles düster und grau bis auf das Gras, das hier besonders grün wirkte.

Sampson und ich rannten an dem neuen Thurgood Marshall Justice Building vorbei. Aus dem Bahnhof hörten wir Schüsse. Sie klangen weit weg, gedämpft durch die dicken Steinmauern.

»Gott verflucht noch mal, es ist also wahr!« schrie Sampson, während er neben mir herrannte. »Er ist hier! Daran gibt es jetzt keinen Zweifel mehr.«

Ich wußte, daß er hier war. Vor zehn Minuten hatte mich im Büro ein Anruf erreicht. Ich hatte den Hörer abgenommen, abgelenkt von einer weiteren Nachricht: einem Fax von Kyle Craig vom FBI. Ich überflog Kyles Fax. Er brauchte dringend Hilfe bei seinem schwierigen Fall »Mr. Smith«. Er wollte, daß ich mich mit einem Agenten traf, Thomas Pierce. Dieses Mal konnte ich Kyle nicht helfen. Plötzlich überkam mich der verzweifelte Wunsch, so schnell wie möglich aus dem Mordgeschäft auszusteigen, keine weiteren Fälle mehr zu übernehmen, schon gar nicht solch eine Horrorgeschichte wie die mit Mr. Smith.

Ich erkannte die Stimme am Telefon. »Hier ist Gary Soneji, Dr. Cross. Ich bin's wirklich! Ich rufe aus der Union Station an. Ich bin gerade auf der Durchreise in D.C. und hoffe wider alle Vernunft, daß Sie mich gern wiedersehen möchten. Sie müssen sich aber beeilen. Nehmen Sie die Beine unter die Arme, wenn Sie mich nicht verpassen wollen.«

Dann war die Leitung tot. Soneji hatte aufgelegt. Er hatte liebend gern das letzte Wort.

Jetzt sprinteten Sampson und ich die Massachusetts Avenue entlang. Wir kamen viel schneller voran als der

Verkehr. Ich hatte mein Auto an der Ecke der Third Street stehenlassen.

Wir trugen beide kugelsichere Westen über den Sporthemden und »nahmen die Beine unter die Arme«, wie Soneji es mir am Telefon geraten hatte.

»Was zum Teufel macht er da drin?« zischte Sampson durch die zusammengebissenen Zähne. »Der Scheißkerl ist einfach verrückt!«

Wir waren keine fünfzig Meter mehr vom Bahnhofseingang entfernt. Nach wie vor strömten verstörte Menschen nach draußen.

»Er hat schon als Junge mit Gewehren geschossen«, erklärte ich Sampson. »Hat in seiner Gegend in der Nähe von Princeton Haustiere umgebracht. Als Heckenschütze aus dem Wald heraus. Damals ist niemand dahintergekommen. Er hat mir von diesen Schießereien erzählt, als ich im Gefängnis in Lorton mit ihm sprach. Er hat sich selbst den Haustiermörder genannt.«

»Sieht aus, als hätte er sich jetzt auf Menschen verlegt«, murmelte Sampson.

Autos und Taxis in der Bahnhofszufahrt setzten zurück und versuchten, dem Schauplatz des Wahnsinns zu entkommen. Wir rasten die endlose Zufahrt entlang, auf den Haupteingang des neunzigjährigen Bahnhofsgebäudes zu. Seit Sonejis Anruf schien eine Ewigkeit vergangen zu sein.

Eine Pause – dann setzte die Schießerei wieder ein. Unheimlich. Es klang eindeutig nach dem Abfeuern von Gewehrschüssen.

Ich hatte noch nie mit einem Heckenschützen zu tun gehabt.

Im Laufe meines Lebens in Washington war ich mehrere hundert Male in der Union Station gewesen. Eine solche Panik hatte ich dort jedoch noch nie erlebt. Nichts, was auch nur annähernd den Geschehnissen an jenem Morgen gleichkam.

»Er sitzt dort in der Falle! Absichtlich! Warum zum Teufel tut er so was?« fragte Sampson aufgeregt, als wir zum Eingang kamen.

»Das macht mir auch etwas Sorgen«, sagte ich. Warum hatte Gary Soneji mich angerufen? Aus welchem Grund hatte er sich in der Union Station selbst in die Falle begeben?

Sampson und ich schlüpften in die Halle. Plötzlich fing die Schießerei von der Galerie aus erneut an. Wir warfen uns beide flach auf den Boden.

Hatte Soneji uns schon gesehen?

8.

Ich hielt den Kopf unten, suchte mit den Augen, so gut es ging, die riesige, bombastische Bahnhofshalle ab. Ich hielt verzweifelt Ausschau nach Soneji. Konnte er mich sehen? Ein Spruch von Nana ging mir nicht aus dem Kopf: Der Tod ist die Begrüßungsform der Natur.

Statuen römischer Legionäre standen ringsum in der imposanten Halle der Union Station Wache. Irgendwann einmal hatten politisch korrekte Funktionäre der Eisenbahngesellschaft Pennsylvania Railroad darauf bestanden, daß die Krieger vollständig bekleidet wurden. Dem Bildhauer Louis Saint-Gaudens war es jedoch gelungen, sich damit durchzumogeln, daß er jede dritte Statue im historischen Originalzustand beließ.

Drei Menschen lagen auf dem Boden der Halle, vermutlich tot. Mein Magen sackte weg, und mein Herz schlug noch schneller. Eines der Opfer war ein Teenager in abgeschnittenen Shorts und einem Trainingstrikot der Redskins. Ein zweites Opfer schien sein Vater zu sein. Beide regten sich nicht mehr.

Hunderte von Reisenden und Bahnhofsangestellten saßen in den Arkadenläden und Restaurants in der Falle. Dutzende von verängstigten Menschen drängten sich in einem kleinen Godiva-Süßigkeitenladen und in einem Restaurant namens America.

Die Schüsse hatten wieder aufgehört. Was machte Soneji? Und wo war er? Die vorübergehende Stille war unerträglich und gespenstisch. Eigentlich hätte hier im Bahnhofsgebäude jede Menge Lärm herrschen müssen. Jemand verschob einen Stuhl auf dem Marmorboden, und das Kratzgeräusch hallte laut wider.

Ich richtete mich etwas auf und zeigte einem uniformierten Streifenpolizisten, der sich hinter einem umgekippten Cafétisch verbarrikadiert hatte, meine Marke von der Kriminalpolizei. Über das Gesicht des Uniformierten strömte Schweiß auf die Speckrollen an seinem Hals. Er kauerte nur ein paar Schritte von einer der Eingangstüren entfernt und atmete sehr schwer.

»Sind Sie in Ordnung?« fragte ich, als Sampson und ich ebenfalls hinter den Tisch schlüpften. Er nickte und stammelte etwas, aber ich glaubte ihm nicht. Seine Augen waren vor Angst weit aufgerissen. Ich hatte den Verdacht, daß auch er noch nie mit einem Heckenschützen zu tun gehabt hatte.

»Von wo aus schießt er?« fragte ich den Uniformierten. »Haben Sie ihn gesehen?«

»Schwer zu sagen. Aber er ist irgendwo da oben, etwa

in diesem Bereich da.« Er zeigte auf die Südgalerie, die über der langen Reihe von Torbögen auf der Vorderseite der Union Station verlief. Jetzt ging niemand durch diese Torbögen. Soneji hatte alles unter Kontrolle.

»Ich kann ihn von hier unten aus nicht sehen«, sagte Sampson neben mir. »Vielleicht wechselt er ständig die Stellung. Ein guter Heckenschütze würde es so machen.«

»Hat er etwas gesagt? Irgendwelche Erklärungen abgegeben oder Forderungen gestellt?« fragte ich den Streifenpolizisten.

»Nichts. Er hat einfach angefangen, Menschen zu erschießen, als seien sie Zielscheiben. Bis jetzt vier Opfer. Das Arschloch kann gut schießen.«

Ich konnte die vierte Leiche nicht sehen. Vielleicht hatte jemand, Vater, Mutter oder Freund, eines der Opfer weggezogen. Ich dachte an meine Familie. Soneji war einmal in unserem Haus gewesen. Und er hatte mich hierhergerufen – hatte mich zu seiner Premierenparty in der Union Station eingeladen.

Plötzlich ging auf der Galerie genau über uns wieder ein Gewehr los. Das dumpfe Knacken der Waffe hallte von den dicken Bahnhofsmauern wider. Es war grauenvoll. Eine Schießbude mit menschlichen Zielen.

Im Restaurant America schrie eine Frau. Ich sah, wie sie unsanft stürzte, als sei sie auf Eis ausgerutscht. Stöhnen und Schreien war zu hören.

Das Gewehr verstummte erneut. Was zum Teufel machte er da oben?

»Ziehen wir ihn aus dem Verkehr, bevor er abermals loslegt«, flüsterte ich Sampson zu. »Los jetzt!«

9.

Wir bewegten uns im Gleichschritt, und unser Atem ging ungleichmäßig und hastig, als Sampson und ich die dunkle Marmortreppe zur Galerie hochstiegen. Dort oben hockten bereits mehrere uniformierte Polizisten und zwei Kriminalbeamte in Schießhaltung.

Sie waren von der Bahnhofsüberwachung, die normalerweise nur mit Bagatellverbrechen zu tun hat. Nicht mit Situationen wie dieser hier. Mit nichts, was auch nur annähernd dem Scharfschützen aus dem Hinterhalt vergleichbar wäre.

»Was wissen Sie bis jetzt?« fragte ich. Ich glaubte einen der Detectives zu kennen, Vincent Mazzeo, war mir aber nicht sicher. Er ging auf die Fünfzig zu, und sein Dienst hier sollte eigentlich ein ruhiger Einsatz für ihn sein. Ich erinnerte mich vage daran, daß Mazzeo einen ziemlich guten Ruf hatte.

»Er ist in einer dieser Kammern. Sehen Sie die Tür da drüben? Dort, wo er sich verschanzt hat, gibt es kein Dach. Vielleicht können wir ihn von oben kriegen. Was meinen Sie?«

Ich schaute hinauf zu der hohen vergoldeten Decke. Mir wurde bewußt, daß die Union Station die größte überdachte Kolonnade in den Vereinigten Staaten war. Gary Soneji hatte immer für grandiose Kulissen geschwärmt. Jetzt hatte er wieder eine.

Der Detective nahm etwas aus seiner Hemdtasche.

»Ich habe einen Generalschlüssel. Mit dem können wir in die Kammern. Hoffentlich auch in die, in der er ist.«

Ich nahm den Schlüssel. Er selbst wollte ihn bestimmt nicht benutzen. Er hatte nicht vor, den Helden zu spielen, und sicher keine Lust, mit Gary Soneji und seinem Gewehr Bekanntschaft zu machen.

Plötzlich kam eine weitere Gewehrfeuersalve aus der Kammer.

Ich zählte. Sechs Schüsse, genau wie beim letzten Mal.

Wie viele Psychopathen war auch Soneji vernarrt in Codes, Zauberformeln, Zahlen. Ich dachte gehetzt über die Sechs nach. Sechs, sechs, sechs ... Die Zahl war im Zusammenhang mit ihm in der Vergangenheit nicht aufgetaucht.

Wieder brach der Beschuß unvermittelt ab. Aufs neue war es still im Bahnhof. Meine Nerven waren zum Zerreißen gespannt. Zu viele Menschen waren in Gefahr, zu viele zu schützen.

Sampson und ich machten uns auf den Weg. Wir waren keine sechs Meter von der Kammer entfernt, aus der er schoß. Wir drückten uns gegen die Wand, die Waffen gezogen.

»Alles okay?« flüsterte ich. Wir hatten dergleichen schon erlebt, ähnlich üble Situationen, aber das machte die Sache nicht besser.

»Das hier ist ganz schön beschissen, was, Alex? Und noch dazu am frühen Morgen. Hab' noch nicht mal meinen Kaffee und mein Doughnut intus.«

»Wenn er das nächste Mal schießt«, sagte ich, »holen wir ihn uns. Er hat jedesmal sechs Schüsse abgegeben.«

»Ist mir auch aufgefallen«, sagte Sampson, ohne mich anzuschauen. Er tätschelte mein Bein. Wir holten tief Luft.

Wir mußten nicht lange warten. Soneji begann mit der nächsten Salve. Sechs Schüsse. Warum jedesmal sechs? Er wußte, daß wir hinter ihm her waren. Zum Teufel, er hatte mich zu einer Schießorgie eingeladen.

»Auf geht's«, zischte ich.

Wir rannten über den Flur aus Marmor und Stein. Ich preßte den Kammerschlüssel zwischen Zeigefinger und Daumen. Ich steckte den Schlüssel ins Schloß und drehte ihn um.

Klick!

Die Tür ging nicht auf! Ich rüttelte am Griff. Nichts.

»Was zum Teufel ist los?« flüsterte Sampson wütend hinter mir. »Was stimmt nicht mit der Tür?«

»Ich habe sie abgeschlossen«, sagte ich zu ihm. »Soneji hatte sie für uns offengelassen!«

10.

Unten rannte plötzlich ein Paar mit zwei kleinen Kindern los. Sie stürzten auf die Glastür zu, die greifbar nahe Freiheit. Eines der Kinder stolperte und fiel aufs Knie. Die Mutter zerrte den Jungen weiter. Es war ein erschreckender Anblick, aber sie schafften es.

Die Schießerei fing wieder an.

Sampson und ich stürmten in die Kammer, gingen beide mit gezogenen Pistolen tief in die Hocke.

Ich erhaschte einen Blick auf eine dunkelgraue Plane direkt vor mir.

Ein Scharfschützengewehr ragte darunter hervor. Soneji mußte ebenfalls unter der Plane sein, er versteckte sich.

Sampson und ich schossen. Ein halbes Dutzend Pistolenschüsse hallten laut in dem engen Raum. Löcher durchschlugen die Plane. Das Gewehr blieb stumm.

Ich stürzte nach vorn und riß schnell die Plane weg. Ein tiefer, verzweifelter Laut entrang sich meiner Kehle.

Unter der Plane war niemand. Kein Gary Soneji!

Ein Automatikgewehr von Browning war auf ein Metallstativ montiert. Am Abzug war eine Zeitschaltuhr angebracht. Die ganze Konstruktion war ein Eigenbau. Das Gewehr schoß in programmierten Abständen. Sechs Schüsse, dann eine Pause, dann sechs weitere Schüsse. Ohne Gary Soneji.

Ich war schon wieder unterwegs. Der kleine Raum besaß an der Nord- und Südwand Metalltüren. Ich riß die auf, die mir am nächsten war. Und rechnete mit einer Falle.

Aber der Verbindungsgang war leer. In der Wand gegenüber befand sich eine weitere graue Metalltür, die geschlossen war. Gary Soneji trieb nach wie vor sehr gern Spielchen. Sein Lieblingstrick dabei: Er war der einzige, der die Regeln kannte.

Ich stürmte durch den zweiten Raum und machte die nächste Tür auf. Was für ein Spiel hatte Soneji sich diesmal ausgesucht? Gab es eine Überraschung? Einen Trostpreis für den Verlierer entweder hinter Tür eins, zwei oder drei?

Ich schaute in einen weiteren kleinen Raum. Wieder nichts. Kein Soneji. Nirgends auch nur ein Hinweis auf ihn.

In dem Raum gab es eine Metalltreppe, die in das nächste Stockwerk führte. Oder vielleicht zu einem Schlupfloch über uns.

Ich stieg die Treppe hinauf, hielt immer wieder inne, damit er von oben keinen unbehinderten Schuß abgeben konnte. Mein Herz hämmerte, meine Beine zitterten.

Ich hoffte, Sampson sei dicht hinter mir. Ich brauchte auf jeden Fall Deckung.

Oben an der Treppe stand eine Luke offen. Auch hier kein Gary Soneji. Ich war immer tiefer in eine Falle gelockt worden, in sein Netz.

Mir drehte sich der Magen um. Hinter meinen Augen bildete sich ein stechender Schmerz. Soneji war immer noch irgendwo in der Union Station. Er mußte hier sein. Er hatte gesagt, er wolle mich sehen.

11.

Soneji saß gelassen wie ein Kleinstadtbanker da und tat, als läse er im Metroliner, Abfahrt 8.45 Uhr zur Penn Station in New York, die *Washington Post.* Sein Herz raste immer noch, aber seinem Gesicht war nichts von der Erregung anzusehen. Er trug einen grauen Anzug, ein weißes Hemd und eine blaue Streifenkrawatte. Er sah genauso aus wie die anderen Pendler-Arschlöcher.

Er hatte eben einen phantastischen Trip hinter sich gebracht, wirklich! Er war dort hingegangen, wohin sich die wenigsten getraut hätten. Er hatte soeben den legendären Charles Whitman übertroffen, und das war erst der Anfang seiner Auftritte zur besten Sendezeit. Es gab eine Redensart, die ihm sehr gut gefiel: Der Sieg gehört dem Spieler, der den vorletzten Fehler macht.

Soneji verlor sich immer wieder in einer Träumerei, in der er in seinen geliebten Wald bei Princeton, New Jersey, zurückkehrte. Er sah sich wieder als Jungen. Er erinnerte sich an alles in dem dichten, unebenen, aber auf ganz besondere Weise schönen Gelände. Als er elf war, hatte er auf einer Farm in der Nähe ein 22er-Kaliber-Gewehr gestohlen. Er hielt es in einem Steinbruch nahe seinem Haus versteckt. Das Gewehr war sorgfältig in Wachstuch, Folie und Sackleinen eingewickelt und war der einzige irdische Besitz, an dem ihm etwas lag, das einzige, was ihm wirklich gehörte.

Soneji erinnerte sich daran, wie er in einen steilen, sehr felsigen Graben hinuntergeklettert war, an einen stillen Ort, wo der Waldboden eben war, direkt neben einem Dickicht aus stacheligen Brombeerbüschen. Dort gab es eine Lichtung, und sie war der Schauplatz seiner heimlichen, verbotenen Schießübungen. Eines Tages brachte er einen Kaninchenkopf und eine Katze von einer nahen Farm mit dorthin. Es gab nicht viel, was eine Katze lieber mochte als einen frischen Kaninchenkopf. Katzen haben so makabre Instinkte. Katzen waren wie er. Bis heute besaßen sie für ihn etwas Magisches, deshalb hatte er auch Cross und seiner Familie eine Katze geschenkt.

Die kleine Rosie.

Nachdem er den abgehackten Kaninchenkopf in die Mitte der Lichtung gelegt hatte, schnürte er den Sack auf und ließ das Kätzchen frei. Obwohl er ein paar Luftlöcher in den Sack gerissen hatte, wäre es fast erstickt. »Such den Hasen!« befahl er. Die Katze witterte das frische Fleisch und sprang los. Gary legte sich das 22er-Gewehr an die Schulter und beobachtete sie. Er nahm das bewegliche Ziel ins Visier, streichelte den Abzug seiner Waffe, und dann schoß er. So lernte er das Töten.

Er war wirklich süchtig! Es hatte sich wenig geändert, seit er in Princeton der Prototyp des bösen Buben gewesen war. Seine Stiefmutter – die grausige Hure Babylon – schloß ihn damals regelmäßig im Keller ein. Sie ließ ihn allein in der Finsternis, manchmal zehn bis zwölf Stunden. Aber er lernte, die Dunkelheit zu lieben, in der Dunkelheit zu existieren. Er lernte, den Keller zu lieben, und machte ihn zu seinem Lieblingsort auf der Welt. Gary besiegte sie in dem Spiel, das sie sich ausgedacht hatte. Er lebte in der Unterwelt, in seiner Privathölle. Er glaubte wirklich, er sei der Fürst der Finsternis.

Gary Soneji mußte sich zwingen, in die Gegenwart zurückzukehren, zurück in die Union Station und zu seinem wunderbaren Plan. Die Polizei durchsuchte die Züge.

Die Polizei war jetzt da draußen, ganz in seiner Nähe. Vielleicht war Alex Cross dabei.

Was für ein großartiger Auftakt! Und das war erst der Anfang.

12.

Er beobachtete, wie die Esel von der Polizei auf den Laderampen der Union Station herumliefen. Sie sahen verängstigt aus, verloren, verwirrt und schon halb besiegt. Das war gut zu wissen, eine wertvolle Information. Es gab den Ton für Künftiges vor.

Soneji musterte eine Geschäftsfrau, die auf der anderen Seite des Ganges saß. Auch sie sah verängstigt aus. An den geballten Händen traten die Knöchel weiß hervor. Sie war völlig starr und hielt die Schultern vollkommen gerade wie ein Kadett auf der Militärakademie.

Soneji sprach sie an. Er war höflich und sanft, wie er es sein konnte, wenn er wollte.

»Ich habe das Gefühl, als sei dieser ganze Morgen ein einziger böser Traum. Als ich ein Junge war, habe ich in solchen Situationen immer gezählt: *Eins, zwei, drei, wach auf!* So konnte ich mich aus einem Alptraum herausholen. Heute würde das bestimmt nicht mehr funktionieren.«

Die Frau auf der anderen Seite des Ganges nickte, als ob er etwas Tiefsinniges gesagt hätte. Er hatte eine Verbindung zu ihr hergestellt. Soneji hatte das immer gekonnt, hatte die Hände ausgestreckt und jemanden berührt, wenn er es brauchte. Er wußte, er brauchte es jetzt. Es würde einen besseren Eindruck machen, wenn er sich mit einer Mitreisenden unterhielt, falls die Polizei durch den Wagen kam.

»Eins, zwei, drei, wach auf«, sagte sie mit leiser Stimme. »Gott, ich hoffe, daß wir hier unten sicher sind. Ich hoffe, daß sie ihn inzwischen gefaßt haben. Wer auch immer er sein mag.«

»Ich bin mir sicher, daß sie ihn fassen«, sagte Soneji. »Ist es nicht immer so? Solche Irre sorgen selbst dafür, daß sie gefaßt werden.«

Die Frau nickte, doch ihre Worte klangen nicht allzu überzeugt. »Das stimmt. Ich bin mir sicher, daß Sie recht haben. Ich hoffe es. Ich bete darum.«

Zwei Detectives aus D.C. betraten den Großraumwagen. Ihre Gesichter waren verschlossen. Jetzt würde es interessant werden. Gary entdeckte weitere Cops, die sich durch den Speisewagen näherten, der sich im nächsten Waggon befand. Inzwischen mußten Hunderte von Cops im Bahnhofsgebäude sein. Die Vorstellung lief. Vorhang auf für den zweiten Akt!

»Ich bin aus Wilmington, Delaware. Wilmington ist mein Zuhause«, wandte sich Soneji wieder an die Frau. »Sonst hätte ich den Bahnhof schon verlassen. Das heißt, wenn sie uns erlaubt hätten, wieder hinaufzugehen.«

»Das erlauben sie nicht. Ich hab's versucht«, antwortete die Frau. Ihre Augen waren starr vor Angst, verharrten in einer merkwürdigen Stellung. Er liebte diesen Ausdruck. Es fiel Soneji schwer, wegzuschauen, sich auf die näher kommenden Polizisten und die Bedrohung, die sie möglicherweise darstellten, zu konzentrieren.

»Wir müssen alle Ausweise kontrollieren«, erklärte ein Detective. Er hatte eine tiefe, ernste Stimme, die klang, als ob mit ihm nicht zu spaßen sei. Sie zog alle Aufmerksamkeit auf sich. »Halten Sie Ausweise mit Fotos bereit. Danke.«

Die beiden Detectives erreichten Garys Sitzreihe. Sollte jetzt alles vorbei sein? Komisch, er empfand rein gar nichts. Er war bereit, die beiden Cops umzulegen.

Soneji bekam seine Atmung und seinen Herzschlag wieder in den Griff. Selbstbeherrschung, das war der Trick. Er konnte seine Gesichtsmuskeln und vor allem seine Augen meisterhaft beherrschen. Er hatte für den heutigen Tag seine Augenfarbe verändert, sein helles Haar grau gefärbt und seine Gesichtsform verwandelt. Er sah weich aus, aufgeschwemmt, so harmlos wie ein durchschnittlicher Vertreter auf Reisen.

Er zeigte einen Führerschein vor und eine Kreditkarte von American Express, ausgestellt auf den Namen von Neil Stuart aus Wilmington, Delaware. Er hatte außerdem eine Visa-Karte und einen Ausweis mit Foto vom Sports Club in Wilmington bei sich. An seinem Aussehen war nichts Auffälliges.

Die Detectives prüften gerade seine Ausweise, als Soneji außerhalb des Wagens Alex Cross bemerkte. Der Höhepunkt des Tages!

Cross kam auf ihn zu, betrachtete durch die Fenster die Passagiere. Cross sah immer noch ziemlich gut aus. Er war einsneunzig, gut gebaut, bewegte sich wie ein Sportler und sah jünger aus als einundvierzig.

Herrgott, welch ein Irrsinn! Was für ein gottverfluchter Trip! Ich bin hier, Cross. Wenn Sie wollten, könnten Sie mich anfassen. Schauen Sie zu mir herein, schauen Sie mich an, Cross! Ich befehle Ihnen, mich jetzt anzuschauen!

Die ungeheure Wut und Raserei, in die er innerlich geriet, war gefährlich. Er konnte warten, bis Alex Cross direkt auf seiner Höhe war, dann aufspringen und ihm ein halbes Dutzend Schüsse ins Gesicht jagen. Sechs Kopfschüsse. Jeden der sechs Schüsse hatte Cross voll verdient für das, was er ihm angetan hatte. Er hatte sein Leben ruiniert – nein, Alex Cross hatte ihn vernichtet. Cross war der Grund für alles, was jetzt geschah. Cross hatte die Morde im Bahnhof auf dem Gewissen. Alles war seine Schuld.

Cross! War das jetzt das Ende? War das hier das große Finale? Wie war das möglich?

Cross sah im Gehen so allmächtig aus, so über alles erhaben. Das mußte man ihm lassen. Er war einige Zentimeter größer als die anderen Cops und hatte eine glatte braune Haut. *Süßer* – so nannte ihn sein Freund Sampson.

Nun, er hatte eine Überraschung für den Süßen. Eine große, unerwartete Überraschung. Einen Knüller im Zeitalter der Überraschungen: Wenn Sie mich schnappen, Dr. Cross, dann schnappen Sie sich selbst! Verstehen Sie das? Keine Bange – Sie werden es bald verstehen.

»Danke, Mr. Stuart«, sagte der Detective, als er Soneji die Kreditkarte und den Führerschein aus Delaware zurückgab.

Soneji nickte und bedachte den Detective mit einem dünnen Lächeln, dann ging sein Blick schnell wieder zum Fenster.

Alex Cross war hier. Machen Sie nicht so ein bescheidenes Gesicht, Cross. So großartig sind Sie nun auch wieder nicht.

Er wollte jetzt anfangen zu schießen. Er brannte darauf. Hitzewellen durchliefen ihn. Er konnte seinen Gegner jetzt gleich erledigen. Daran gab es keinen Zweifel. Er haßte dieses Gesicht, diesen Gang, alles an dem Detective mit dem Doktortitel.

Alex Cross verlangsamte den Schritt. Dann sah er Soneji direkt an. Er war anderthalb Meter von ihm entfernt.

Gary Soneji sah langsam zu Cross auf, ließ seinen Blick dann ganz natürlich zu den beiden Detectives wandern und schließlich wieder zurück zu Cross.

Hallo, Süßer.

Cross erkannte ihn nicht. Wie auch? Der Detective sah ihm direkt ins Gesicht, dann ging er weiter. Er ging den Bahnsteig entlang, wurde wieder schneller.

Cross drehte ihm den Rücken zu, der ein fast unwiderstehlich einladendes Ziel abgab. Ein Detective weiter vorn rief ihm etwas zu, winkte ihm, er solle herkommen. Gary Soneji war begeistert von dem Gedanken, Cross in den Rücken zu schießen. Ein feiger Mord, das war am besten, denn das verabscheuten die Leute am meisten.

Doch schließlich entspannte sich Soneji wieder. Cross hatte ihn nicht erkannt. So gut war er. Er war der Beste, mit dem er es je zu tun gehabt hat. Und er würde es auch beweisen. Er würde gewinnen.

Er würde Alex Cross und seine Familie ermorden, und niemand konnte verhindern, daß es geschah.

13.

Es war halb sechs Uhr abends, bevor ich auch nur daran denken konnte, die Union Station zu verlassen. Ich saß den ganzen Tag lang dort fest, sprach mit Zeugen, Ballistikern und dem Gerichtsmediziner, zeichnete grobe Skizzen vom Tatort. Etwa von vier Uhr an lief Sampson ungeduldig auf und ab. Ich merkte, daß er von hier weg wollte, aber er war an meine Gründlichkeit gewöhnt.

Das FBI war eingetroffen, und ich hatte einen Anruf von Kyle Craig bekommen, der in Quantico geblieben war und an dem Fall Mr. Smith arbeitete. Vor dem Bahnhofsgebäude wartete der Mob von Reportern. Hätte es noch schlimmer kommen können? »Der Zug ist abgefahren«, mußte ich ständig denken. Es war eines jener Wortspiele, die sich im Kopf festsetzen und einen nicht mehr loslassen.

Am Ende des Tages hatte ich trübe Augen und war hundemüde, aber zudem so traurig, wie ich es noch nie am Tatort eines Mordes gewesen war. Natürlich war das hier kein normaler Tatort. Ich hatte Soneji aus dem Verkehr gezogen, aber irgendwie fühlte ich mich auch dafür verantwortlich, daß er wieder auf freiem Fuß war.

Für Soneji war es absolut typisch, daß er methodisch vorging. Er hatte gewollt, daß ich in die Union Station kam. Aber warum? Die Antwort auf diese Frage war mir immer noch nicht klar.

Schließlich schlich ich durch eine Unterführung aus dem Bahnhof, um der Presse zu entgehen, fuhr nach Hause, duschte und zog saubere Sachen an. Das half ein bißchen. Ich legte mich auf mein Bett und schloß zehn

Minuten lang die Augen. Ich wollte alles, was an diesem Tag geschehen war, aus dem Kopf bekommen, schaffte es aber nicht. Ich dachte kurz daran, die Verabredung mit Christine Johnson abzusagen. Doch eine warnende Stimme in meinem Kopf mahnte: Verpfusch es nicht. Mach ihr keine Angst vor deinem Job. Sie ist die Richtige. Ich hatte schon gespürt, daß Christine Schwierigkeiten mit meiner Arbeit als Detective bei der Mordkommission hatte, und konnte es ihr nicht verübeln, schon gar nicht an einem Tag wie heute.

Rosie, die Katze, kam herein und kuschelte sich an meine Brust.

»Katzen sind wie Baptisten«, flüsterte ich ihr zu. »Man weiß, daß sie anderen die Hölle heiß machen, aber man kann sie nie dabei erwischen.«

Rosie maunzte zustimmend und schnurrte zufrieden. Es sind diese besonderen Momente, die unsere Freundschaft ausmachen.

Als ich schließlich nach unten kam, nahmen mich meine Kinder in die Mangel. Selbst Rosie beteiligte sich an dem Spaß, rannte im Wohnzimmer herum, als sei sie der Cheerleader in der Familie.

»Du siehst schick aus, Daddy. *Wunderschön!*« Jannie zwinkerte und bedachte mich mit dem Okayzeichen.

Sie meinte es ernst, aber gleichzeitig schien sie sich über meine »Verabredung« sehr zu amüsieren. Sie genoß offensichtlich den Gedanken, daß ich mich so in Schale geworfen hatte, bloß um mich mit der Rektorin ihrer Schule zu treffen.

Damon war noch schlimmer. Er sah mich die Treppe herunterkommen, fing an zu kichern und konnte gar nicht wieder damit aufhören. »Ganz wunderschön«, säuselte er zwischendurch.

»Das zahle ich dir heim«, sagte ich zu ihm. »Zehnfach, vielleicht auch hundertfach. Warte nur ab, bis du eine Freundin mit nach Hause bringst, damit dein Paps sie kennenlernt. Dieser Tag wird kommen!«

»Das hier ist es wert«, sagte Damon und lachte weiter wie ein kleiner Irrer. Seine Ausgelassenheit steckte Jannie an, die sich schließlich kichernd auf dem Teppich wälzte. Rosie sprang aufgeregt zwischen den beiden hin und her.

Ich ging zu Boden, knurrte wie von Sinnen und begann, mit den Kindern zu rangeln, die mich wie üblich rasch kurierten. Zwischendurch sah ich hinüber zu Nana Mama, die auf der Schwelle zwischen der Küche und dem Eßzimmer stand. Sie war seltsam ruhig und beteiligte sich nicht wie sonst meistens an der Aktion.

»Willst du nicht eines dieser Ungeheuer abhaben, alte Frau?« fragte ich, während ich Damon festhielt und seinen Kopf leicht an meiner Brust rieb.

»Nein, danke. Aber heute abend bist du mindestens ebenso nervös wie Rosie«, sagte Nana und fing schließlich doch an zu lachen.

»So habe ich dich nicht mehr gesehen, seit du um die vierzehn warst und mit Jeanne Allen ausgegangen bist, falls ich mich an den Namen richtig erinnere. Aber Jannie hat recht, du siehst wirklich, sagen wir mal, ziemlich flott aus.«

Schließlich ließ ich Damon frei, stand auf und fegte mir den Staub von den eleganten Abendklamotten.

»Ich möchte mich bei euch allen bedanken, daß ihr mir in Notzeiten solchen Beistand geleistet habt.«

Ich sagte es mit geheucheltem Ernst und einem gespielt-verletzten Gesichtsausdruck.

»Gern geschehen!« riefen die drei im Chor. »Amüsier dich gut! Du bist *wunderschön!*«

Ich ging hinaus zum Auto, weigerte mich, zurückzuschauen und ihnen dadurch die Befriedigung eines letzten süffisanten Grinsens oder weiterer Hurrarufe zu geben. Ich fühlte mich jedoch besser, auf merkwürdige, aber sehr angenehme Weise wiederbelebt. Ich hatte meiner Familie, aber auch mir selbst versprochen, in Zukunft ein normaleres Leben zu führen. Nicht nur Karriere, nicht mehr einen Mordfall nach dem anderen. Und doch war mein letzter Gedanke, als ich vom Haus wegfuhr: Gary Soneji ist wieder unterwegs. Was wirst du dagegen unternehmen?

Aber zunächst einmal hatte ich ein phantastisches, friedliches und sehr aufregendes Abendessen mit Christine Johnson vor mir. Für den Rest des Abends würde ich keinen weiteren Gedanken an Gary Soneji verschwenden.

Ich würde *schick* sein, wenn nicht sogar *wunderschön.*

14.

Kinkead's in Foggy Bottom ist eines der besten Restaurants, in denen ich je gegessen habe. Das Essen dort ist möglicherweise sogar besser als zu Hause, obwohl ich das Nana nie sagen dürfte. An diesem Abend zog ich sämtliche Register – ich versuchte es jedenfalls.

Christine und ich hatten uns gegen sieben an der Bar verabredet. Ich kam zwei Minuten vor sieben an, und sie traf gleich nach mir ein. Verwandte Seelen. Hilton Felton spielte im Erdgeschoß wie üblich unglaublich verführerischen Jazz auf dem Klavier, so, wie er es an sechs Abenden in der Woche tat. Am Wochenende begleitete ihn Ephraim Woolfolk am Baß. Bob Kinkead ging in der Küche ein und aus, garnierte und inspizierte jedes Gericht. Alles wirkte perfekt und hätte nicht besser sein können.

»Das ist wirklich ein phantastisches Lokal. Ich habe mir schon seit langem gewünscht, mal hier zu essen«, sagte Christine, während sie sich beeindruckt umsah und die edle geschwungene Treppe zum Restaurant hinauf musterte.

Ich hatte Christine noch nie so festlich gekleidet gesehen. Sie war sogar noch schöner, als ich bisher gedacht hatte. Sie trug ein langes, schwarzes Etuikleid, das hübsch geformte Schultern sehen ließ. Über die Arme hatte sie einen cremefarbenen Schal mit schwarzem Spitzenabschluß drapiert, und um ihren Hals wand sich ein mit einer altmodischen Brosche verziertes Samtband, das mir sehr gut gefiel. Sie hatte schwarze Schuhe mit flachen Absätzen an, war aber trotzdem über einsachtzig groß.

Ihre großen, samtbraunen Augen funkelten freudig, wie die der Kinder in ihrer Schule. Ein Funkeln, das den meisten Erwachsenen fehlte. Ihr Lächeln war unangestrengt, und sie schien sich rundherum wohl zu fühlen.

Ich hatte auf keinen Fall aussehen wollen wie ein Detective von der Mordkommission, deshalb hatte ich ein schwarzes Seidenhemd ausgewählt, ein Geburtstagsgeschenk von Jannie. Sie nannte es mein »cooles« Hemd. Ich trug außerdem schwarze Hosen, einen schwarzen Ledergürtel und schwarze Mokassins. Ich wußte ja bereits, daß ich »wunderschön« aussah.

Wir wurden zu einer gemütlichen kleinen Nische im

Zwischenstock geführt. Normalerweise versuche ich, körperliches Imponiergehabe nur dort einzusetzen, wo es wirklich sein muß, doch es drehten sich mehrere Gäste nach uns um, als Christine und ich durch das Restaurant gingen. Ich hatte völlig vergessen, wie es war, mit einer Frau auszugehen und solchen Eindruck zu machen. Ich muß zugeben, daß ich das Gefühl genoß. Plötzlich erinnerte ich mich wieder daran, wie es ist, mit einer Frau zusammenzusein, die man wirklich mag. Und außerdem daran, wie es ist, sich »ganz« zu fühlen oder fast »ganz« oder zumindest auf dem Weg dahin zu sein.

Unsere Nische bot Aussicht auf die Pennsylvania Avenue und außerdem auf Hilton, der am Klavier saß. Perfekt.

»Wie war Ihr Tag?« fragte Christine, nachdem wir Platz genommen hatten.

»Ereignislos«, sagte ich und zuckte die Achseln. »Ein x-beliebiger Tag im Leben eines Detectives in D.C.«

Christine sah mich aufmerksam an.

»Ich habe im Radio etwas über eine Schießerei in der Union Station gehört. Hatten Sie nicht irgendwann im Verlauf Ihrer ruhmreichen Karriere bereits mit Gary Soneji zu tun?«

»Tut mir leid, ich bin jetzt außer Dienst«, sagte ich lächelnd. »Übrigens gefällt mir Ihr Kleid sehr gut.«

Mir gefiel außerdem die alte Brosche, die ihr Halsband zierte. Mir gefiel, daß sie flache Schuhe angezogen hatte für den Fall, daß ich es nötig hätte, deutlich größer zu sein, was aber nicht der Fall war.

»Einundvierzig Dollar«, sagte sie und lächelte schüchtern. An ihr sah das Kleid so aus, als hätte es eine Million gekostet. Jedenfalls dachte ich das.

Ich sah ihr in die Augen, weil ich wissen wollte, ob alles in Ordnung war. Seit dem Tod ihres Mannes waren über sechs Monate vergangen, aber für manche Dinge ist das keine lange Zeit. Doch Christine schien es gutzugehen. Ich hatte das Gefühl, daß sie es mir sagen würde, falls sich das änderte.

Wir suchten eine gute Flasche Merlot aus. Dann teilten wir uns eine Portion Ipswich-Muscheln, fleischig und nur mit etwas Geklecker zu bewältigen, aber ein guter Auftakt für ein Essen bei Kinkead's. Als Hauptgericht hatte ich mich für ein exquisites Lachsragout entschieden, Christine traf eine noch bessere Wahl: Hummer mit butterweichem Kohl, Bohnenpüree und Trüffelöl.

Während wird aßen, schwiegen wir keine einzige Minute. Ich hatte mich seit langer Zeit in Gegenwart eines anderen Menschen nicht mehr so frei und unbefangen gefühlt.

»Damon und Jannie finden, daß Sie die beste Rektorin sind, die man sich vorstellen kann. Beide haben mir einen Dollar dafür bezahlt, daß ich das sage. Was haben Sie für ein Geheimnis?« fragte ich Christine. Ich stellte fest, daß ich in ihrer Nähe gegen den Drang ankämpfen mußte, vor Nervosität einfach nur zu schwatzen.

Christine war einen Moment lang nachdenklich, bevor sie antwortete.

»Ich nehme an, die einfachste und vielleicht wahrste Antwort lautet, daß mir das Unterrichten ein gutes Gefühl gibt. Eine zweite Antwort ist: Einem Rechtshänder fällt es schwer, mit der linken Hand zu schreiben. Und die meisten Kinder sind anfangs Linkshänder. Ich versuche, mich immer daran zu erinnern. Das ist mein Geheimnis.«

»Erzählen Sie mir, was Sie heute in der Schule erlebt

haben«, bat ich und schaute in ihre braunen Augen. Ich konnte den Blick nicht abwenden.

Meine Frage überraschte sie.

»Wollen Sie das wirklich hören? Warum?«

»Es interessiert mich. Ich weiß nicht, warum.« Weil ich den Klang Ihrer Stimme liebe. Weil ich es liebe, wie Ihr Verstand arbeitet.

»Es war eigentlich ein großartiger Tag«, sagte sie, und ihre Augen leuchteten wieder. »Heute mußten alle Kinder so tun, als wären sie über siebzig. Sie mußten sich langsamer bewegen, als sie es gewöhnt sind. Sie mußten mit Behinderungen fertig werden, mit dem Alleinsein und damit, daß sie nicht mehr im Mittelpunkt der Aufmerksamkeit stehen. Wir nennen es: in die Haut anderer schlüpfen. Das machen wir in der Truth-Schule oft. Es ist ein sehr lehrreiches Verfahren. Schön, daß Sie mich danach gefragt haben, Alex.«

Kurze Zeit später fragte Christine mich wieder nach meinem Tag, aber ich erzählte ihr so wenig wie möglich. Ich wollte sie nicht beunruhigen, wollte mir den Tag nicht vergegenwärtigen. Also sprachen wir über Jazz und klassische Musik und über Amy Tans neuestes Buch. Sie schien über alles Bescheid zu wissen, und es überraschte sie, daß ich *Die hundert verborgenen Sinne* gelesen hatte. Daß es mir gefallen hatte, überraschte sie noch mehr.

Sie sprach darüber, wie es für sie gewesen war, in Southeast aufzuwachsen, und verriet mir ein großes Geheimnis. Sie erzählte mir von »Dumbo-Gumbo«.

»Während der ganzen Grundschulzeit«, sagte Christine, »war ich Dumbo-Gumbo. So haben mich die anderen Kinder genannt. Ich habe große Ohren, wissen Sie. Wie Dumbo, der fliegende Elefant. Sehen Sie!«

Sie strich sich das Haar zurück.

»Sehr hübsch«, sagte ich zu ihr.

Sie lachte.

»Setzen Sie Ihre Glaubwürdigkeit nicht aufs Spiel. Ich *habe* große Ohren. Und ich habe ein extrabreites Lächeln, bei dem jede Menge Zähne und Zahnfleisch zu sehen sind.«

»Und deshalb ist irgendein kleiner Klugscheißer auf Dumbo-Gumbo gekommen?«

»Das hat mir mein Bruder Dwight angetan. Er hat mich auch ›Maulaffe‹ getauft. Und er hat bis heute nicht einmal gesagt, daß es ihm leid tut.«

»Das tut mir leid für ihn. Sie haben übrigens ein strahlendes Lächeln, und Ihre Ohren sind genau richtig.«

Sie lachte wieder. Ich hörte sie sehr gern lachen. Genaugenommen liebte ich alles an ihr. Ich hätte mit unserem ersten Date nicht zufriedener sein können.

15.

Die Zeit verging im Nu. Wir sprachen über Eliteschulen, einen für die ganze Nation verbindlichen Lehrplan, eine Gordon-Parks-Ausstellung in der Corcoran Gallery und auch über jede Menge nebensächliches Zeug. Ich nahm an, es sei vielleicht zehn, als ich einen Blick auf meine Uhr warf. Tatsächlich war es zehn vor zwölf.

»Morgen ist Schule«, sagte Christine. »Ich muß gehen, Alex. Der Alltag ruft.«

Sie hatte ihr Auto in der Nineteenth Street geparkt, und wir gingen zu Fuß dorthin. Die Straßen waren still, leer und glitzerten unter den Lampen.

Ich hatte ein leicht berauschtes Gefühl, als hätte ich ein bißchen zuviel getrunken, aber ich wußte, daß das nicht stimmte. Ich fühlte mich sorglos, erinnerte mich daran, wie angenehm es war, sorglos zu sein.

»Ich möchte das gern irgendwann wiederholen. Wie wär's zum Beispiel mit morgen abend?« fragte ich und lächelte. Es gefiel mir sehr, wie diese Geschichte sich entwickelte.

Doch plötzlich war etwas anders. Es lag an ihrem Gesichtsausdruck, der mir gar nicht gefiel, Traurigkeit und Sorge spiegelten sich darin wider. Christine schaute mir in die Augen.

»Lieber nicht, Alex. Es tut mir leid«, sagte sie. »Es tut mir wirklich leid. Ich habe geglaubt, ich wäre soweit, aber ich bin's wohl doch nicht. Es gibt eine Redensart: Narben wachsen mit uns.«

Ich holte tief Luft. Damit hatte ich nicht gerechnet. Ehrlich gesagt, konnte ich mich nicht erinnern, mich je so geirrt zu haben, was die Entwicklung einer Beziehung anbelangte. Es war wie ein Boxhieb in den Magen.

»Danke, daß Sie mich in das hübscheste Restaurant eingeladen haben, in dem ich je gewesen bin. Es tut mir wirklich sehr leid. Und Sie haben absolut nichts falsch gemacht, Alex.«

Christine sah mir immer noch in die Augen. Sie schien nach Worten zu suchen und sie, so vermutete ich zumindest, nicht zu finden.

Sie stieg ohne ein weiteres Wort in ihr Auto, wirkte plötzlich tüchtig und beherrscht. Sie ließ den Motor an und fuhr weg. Ich stand auf der leeren Straße und schaute dem Auto nach, bis die leuchtenden Bremslichter verschwunden waren.

Und Sie haben absolut nichts falsch gemacht, Alex. Ich hörte, wie sich ihre Worte in meinem Kopf wiederholten.

16.

Der böse Bube war wieder in Wilmington, Delaware. Er hatte hier etwas zu erledigen. In mancherlei Hinsicht war das vermutlich das Beste von allem.

Gary Soneji schlenderte die gutbeleuchteten Straßen von Wilmington entlang, anscheinend völlig sorglos. Weshalb hätte er sich auch Sorgen machen sollen? Er konnte so geschickt mit Schminke und Verkleidungen umgehen, daß die Spießer, die hier in Wilmington lebten, nichts merkten. Er hatte schließlich auch in Washington alle hereingelegt, oder?

Er blieb stehen und sah sich ein riesiges, rot auf weiß bedrucktes Plakat in der Nähe des Bahnhofs an. »Wilmington – für Menschen, die das Besondere lieben!« war darauf zu lesen. Was für ein unfreiwilliger Superwitz.

Genau wie das drei Stockwerke hohe Wandgemälde mit den Walen und Delphinen, das aussah, als sei es aus einer Kleinstadt an der Küste Südkaliforniens geklaut worden. Jemand hätte die Stadträte von Wilmington für die Show *Saturday Night Live* engagieren sollen. Sie waren gut, echt gut.

Er hatte einen Matchsack bei sich, erntete aber nur wenig Aufmerksamkeit. Die Leute, die ihm auf seinem kleinen Spaziergang begegneten, sahen aus, als hätten sie sich aus dem Sears-Katalog von 1961 eingekleidet: jede

Menge Twill, nicht gerade schmeichelhaft bei Leibesfülle, Karos in ekelhaften Farbkombinationen, überall bequeme, aber scheußliche braune Schuhe. Er hörte auch ein paarmal den nervtötenden mittelatlantischen Akzent. Ein gewöhnlicher und häßlicher Dialekt für gewöhnliche und häßliche Gedanken.

Herrgott noch mal, was war das für ein Ort, an dem er gelebt hatte! Wie zum Teufel hatte er diese sterilen Jahre überlebt? Warum hatte er sich jetzt überhaupt die Mühe gemacht zurückzukommen? Aber er kannte die Antwort auf diese Fragen. Soneji wußte, warum er zurückgekommen war.

Rache.

Zeit, alles heimzuzahlen.

Er bog von der North Street ab in seine alte Straße, die Central Avenue, und blieb vor einem weißgestrichenen Backsteinhaus stehen. Er schaute das Haus lange an. Bescheidener Kolonialstil, zwei Stockwerke. Es hatte ursprünglich Missys Großeltern gehört, deshalb war sie nicht umgezogen.

Schlag die Hacken zusammen, Gary. Herrgott noch mal, ein Zuhause ist das einzig Wahre im Leben.

Schließlich ging Gary Soneji über die Straße. Er marschierte ganz selbstverständlich auf die Tür zu, als gehöre ihm das Haus, genau wie vor Jahren, als er zum letzten Mal hiergewesen war, an dem Tag, an dem Alex Cross gemeinsam mit seinem Partner John Sampson in sein Leben eingedrungen war.

Die Tür war unverschlossen – wie nett. Seine Frau und seine Tochter waren aufgeblieben und warteten auf ihn, aßen Popcorn und schauten sich eine Fernsehserie an.

»Hi. Erinnert ihr euch an mich?« fragte Soneji mit leiser Stimme.

Beide fingen an zu schreien.
Seine liebe Frau Missy.
Sein geliebtes kleines Mädchen Roni.
Sie schrien wie Fremde, weil sie ihn so gut kannten und weil sie seine Waffe gesehen hatten.

17.

Wenn man sich schon morgens klarmachen würde, was den ganzen Tag passieren wird, stünde man vermutlich gar nicht erst auf. Der Krisenraum im Polizeipräsidium war überfüllt mit klingelnden Telefonen, laufenden Computern und den modernsten Überwachungsanlagen. Ich ließ mich weder von der ganzen Geschäftigkeit noch von dem Lärm täuschen, denn Tatsache war, daß wir noch keinen Schritt weitergekommen waren, was die Schießerei anlangte.

Als erstes wurde ich um zusammenfassende Informationen bezüglich Gary Soneji gebeten. Ich war derjenige, der ihn besser kannte als alle anderen, aber trotzdem hatte ich das Gefühl, ich wisse nicht genug, vor allem jetzt. Alle Beteiligten versammelten sich zu einer Besprechung. Eine Stunde lang schilderte ich knapp die Einzelheiten: wie er vor mehreren Jahren in Georgetown zwei Kinder entführt hatte, wie er schließlich gefaßt worden war, die Dutzende von Gesprächen, die wir bis zu seiner Flucht im Gefängnis von Lorton geführt hatten.

Sobald alle im Einsatzteam auf dem laufenden waren, machte ich mich wieder an die Arbeit. Ich mußte mich noch mehr damit beschäftigen, wer Soneji war. Wer er wirklich war. Und warum er beschlossen hatte, jetzt wieder aufzutauchen, warum er nach Washington zurückgekehrt war.

Ich arbeitete die Mittagspause durch und achtete nicht auf die Zeit. Es dauerte lange, bis ich endlich die Datenberge durchgestöbert hatte, die wir über Soneji gesammelt hatten. Gegen zwei Uhr nachmittags warf ich einen Blick auf die Nadelköpfe an dem Schwarzen Brett, auf dem wir wichtige Informationen zusammentrugen, und mir wurde schmerzlich bewußt, wie wenig wir wußten. Ein Krisenraum ist nun einmal kein Krisenraum ohne Karten mit Nadelköpfen auf einer großen Anschlagtafel. Ganz oben auf der Tafel stand der Name, den der Chef der Kriminalpolizei dem Fall gegeben hatte. Er hatte sich für »Netz« entschieden, weil Soneji in Polizeikreisen bereits den Spitznamen »Spinne« trug. Genaugenommen hatte ich diesen Namen geprägt.

Ein Bereich der großen Tafel war den Aussagen von Zivilisten vorbehalten. Dabei handelte es sich überwiegend um verläßliche Augenzeugenberichte vom Morgen zuvor in der Union Station. In einem anderen Abschnitt befanden sich die »Polizeiindizien«, die meisten davon Meldungen von Polizisten aus dem Bahnhofsgebäude. Zivilistenaussagen gelten als »ungeschulte« Augenzeugenberichte, Polizeiaussagen als »geschulte«. Bisher zog sich als einziger roter Faden durch alle Aussagen, daß niemand genau beschreiben konnte, wie Gary Soneji jetzt aussah. Da Soneji schon in der Vergangenheit ein ungewöhnliches Verkleidungsgeschick bewiesen hatte, war das keine überraschende Neuigkeit, aber sie beunruhigte alle. Auf einem weiteren Teil der Tafel war Sonejis persönliche Geschichte verzeichnet. Ein langer Computerausdruck listete alle polizeilichen Zuständigkeitsbereiche auf, in denen er je eines Verbrechens angeklagt worden war, außerdem mehrere unaufgeklärte Morde, die während seiner Jugendjahre in Princeton, New Jersey, geschehen waren. Zusätzlich waren noch mit Filzstift beschriftete Polaroidfotos des Beweismaterials, das bis jetzt vorhanden war, an die Wand gepinnt. Die Fotos trugen Kategorisierungen wie zum Beispiel »Gary Soneji, Verstecke«, »Gary Soneji, körperliche Besonderheiten« oder »Gary Soneji, bevorzugte Waffen«. Die Tafel enthielt auch eine Rubrik für »bekannte Komplizen«, die aber noch leer war. Sie würde es wahrscheinlich auch bleiben, denn soweit ich wußte, hatte Soneji immer allein gearbeitet. Traf diese Annahme noch zu? Oder hatte er sich seit unserer letzten Begegnung verändert?

Gegen halb sieben an jenem Abend bekam ich einen Anruf aus dem FBI-Spurensicherungslabor in Quantico, Virginia. Curtis Waddle war ein Freund von mir, der wußte, wie mir wegen Soneji zumute war und deshalb versprochen hatte, die Informationen an mich weiterzugeben, sobald er sie hatte.

»Sitzt du, Alex? Oder rennst du auf und ab mit so einem blöden schnurlosen Telefon in der Hand?«

»Ich renne auf und ab, Curtis. Aber ich schleppe ein altmodisches Telefon mit mir herum. Es ist sogar schwarz, und selbst Alexander Graham Bell hätte es gebilligt.«

Der Laborleiter lachte. Ich sah sein breites, sommersprossiges Gesicht vor mir, sein rotes, zum Pferdeschwanz gebundenes Kraushaar. Curtis redet liebend gern, und ich habe festgestellt, daß man ihn reden lassen muß, weil er sonst verletzt ist und sogar richtig bissig werden kann.

»Hör mal, Alex, ich habe hier was, aber ich glaube nicht,

daß es dir gefallen wird. Mir gefällt's gar nicht. Ich bin mir nicht mal sicher, ob wir uns darauf verlassen sollten.«

Ich nutzte eine Atempause, um ein paar Worte dazwischenzuschieben.

»Äh, worum geht es eigentlich, Curtis?«

»Es geht um das Blut, das wir auf dem Kolben und dem Gewehrlauf in der Union Station gefunden haben. Wir haben es eindeutig identifiziert. Obwohl ich, wie bereits gesagt, nicht weiß, ob wir uns darauf verlassen können. Kyle ist auch meiner Meinung. Willst du raten? Es ist nicht Sonejis Blut.«

Curtis hatte recht. Das hörte ich überhaupt nicht gern. Ich hasse Überraschungen bei einer Mordermittlung.

»Was zum Teufel soll das heißen? Wessen Blut ist es dann, Curtis? Weißt du das schon?«

Ich hörte ihn seufzen und dann mit einem Zischlaut die Luft ausstoßen.

»Alex, es ist deins. An dem Scharfschützengewehr war dein Blut!«

Zweiter Teil

Monsterjagd

18.

Soneji erreichte die Penn Station in New York City zur Stoßzeit. Er kam pünktlich zum nächsten Akt, genau nach Plan. Er hatte diesen Moment schon vor dem heutigen Tag tausendmal durchlebt.

Legionen kläglicher, ausgebrannter Typen waren auf dem Heimweg, wo sie erschöpft auf die Kissen sacken würden (sicherlich keine Gänsedaunen in diesen sehr schweren Fällen), wo sie für eine kurze Zeit schlafen und dann am folgenden Morgen wieder aufstehen und von neuem zu den Zügen trotten würden. Herrgott noch mal, und die behaupteten, *er* sei verrückt!

Das hier war großartig, eindeutig das Beste, und er hatte seit über zwanzig Jahren von diesem Moment geträumt. Von genau diesem Moment!

Er hatte geplant, zwischen fünf und halb sechs in New York anzukommen, und hier war er. Hier kommt Gary! Er hatte Visionen, sah sich selbst, wie er aus den tiefen, dunklen Unterführungen der Penn Station herauskam. Es war ihm außerdem klar, daß er vor Wut von Sinnen sein würde, wenn er nach oben kam. Er wußte es schon, bevor er das Gedudel der Zirkusmusik hörte, irgendeinen total bescheuerten Marsch von John Philip Sousa, überlagert von blechern klingenden Lautsprecherdurchsagen.

»Auf Gleis acht steht der Zug nach Bay Head Junction zum Einsteigen bereit«, erklärte eine väterliche Stimme den Desorientierten.

Alle Mann an Bord nach Bay Head Junction! Alle an Bord, ihr kläglichen Schwachköpfe, ihr hirnlosen Roboter!

Ihm fiel ein armer, vertrottelter Gepäckträger auf, der eine benommene, ausdruckslose Miene zur Schau trug, als hätte ihn das Leben vor etwa dreißig Jahren hinter sich zurückgelassen.

»Ein böser Mensch ist einfach nicht aufzuhalten«, sagte Soneji zu ihm. »Kapiert? Hast du gehört, was ich gesagt habe?«

»Verpiß dich!« antwortete der Mann mit der roten Mütze.

Gary Soneji lachte schnaubend. Die mürrischen Geknechteten machten ihn so geil. Sie waren wirklich überall, traten heutzutage in Rudeln auf. Er starrte den mißmutigen Gepäckträger an und beschloß, ihn zu bestrafen: Er würde ihn am Leben lassen.

Heute ist nicht dein Todestag. Dein Name bleibt im Buch des Lebens. Geh weiter.

Er wurde wütend, genauso, wie er es vorher geahnt hatte. Das Blut, das durch sein Gehirn schoß, machte einen ohrenbetäubenden, hämmernden Lärm. Nicht schön. Nicht förderlich für geistig reges, rationales Denken. Apropos Blut! Ob die Bluthunde das schon rausgekriegt hatten?

Der Bahnhof war überfüllt mit drängelnden, schubsenden und maulenden New Yorkern in ihrer miesesten Laune. Diese gottverfluchten Pendler waren unglaublich aggressiv und aufreizend. Merkte das denn keiner von ihnen? Zum Teufel, sicher merkten sie das. Und was taten sie dagegen? Sie wurden nur noch aggressiver und unausstehlicher. Keiner von ihnen konnte es jedoch mit seiner schäumenden Wut aufnehmen. Nicht annähernd. Sein Haß war pur. Destilliert. Er *war* der Zorn. Er tat die Dinge, die sich die meisten von ihnen nur in ihrer Phantasie vorstellten. Ihr Zorn war verschwommen und ungezielt, explodierte nur in ihren Hohlköpfen. Er dagegen sah den Zorn deutlich und handelte sofort danach.

Wie schön es war, in der Penn Station zu sein, einen weiteren Auftritt zu inszenieren! Soneji kam jetzt wirklich in Stimmung. Er nahm alles in übergroßer Lautstärke wahr, empfand irgendwie dreidimensional. Dunkin' Doughnuts, Knot Just Pretzels, Shoetrician Shoe Shine. Das allgegenwärtige Rattern der Züge in der Tiefe – es war genauso, wie er es sich immer vorgestellt hatte. Er wußte, was als nächstes kam und wie alles enden würde.

Gary Soneji preßte sich das fünfzehn Zentimeter lange Messer gegen das Bein. Es war ein echtes Sammlerstück, das einen Perlmuttgriff und eine schmale, geschwungene beidseitige Schneide hatte.

»Ein Prachtstück für einen Prachtkerl!« hatte ein schmieriger Verkäufer vor langen Zeit zu ihm gesagt. »Packen Sie es ein!« hatte er geantwortet, und seither war das Messer seins. Für besondere Gelegenheiten wie heute. Einst hatte er einen FBI-Agenten namens Roger Graham damit ermordet.

Er ging an Hudson News vorbei, an den ganzen Gesichtern auf den Hochglanzmagazinen, die in die Welt starrten, ihn anstarrten, ihre Botschaft verkünden wollten. Er wurde immer wieder von den Pendlern geschubst und gestoßen. Mann, hörten die damit denn nie auf?

Wow! Er sah eine Gestalt aus seinen Träumen von vor langer Zeit, als er noch ein Kind gewesen war. Da war der Typ! Kein Zweifel. Er erkannte das Gesicht, die Art, wie er sich bewegte, einfach alles an ihm. Es war ein Typ in graugestreiften Geschäftsklamotten, der ihn an seinen Vater erinnerte.

»Das hast du schon lange herausgefordert!« knurrte Soneji Mr. Nadelstreifen an. »Du hast es so gewollt.«

Er stieß mit dem Messer zu, spürte, wie die Klinge in das Fleisch eindrang. Es war genauso, wie er es sich vorgestellt hatte. Der Geschäftsmann fühlte, wie das Messer in der Nähe seines Herzens eindrang. Ein verängstigter, bestürzter Ausdruck flog über sein Gesicht. Dann fiel er zu Boden, tot wie ein Stein, mit nach hinten verdrehten Augen und einem im stummen Schrei erstarrten Mund.

Soneji wußte, was er als nächstes tun würde. Er fuhr herum, tänzelte ein wenig nach links und erstach ein zweites Opfer, einen lockeren Typen, der ein T-Shirt mit dem Schriftzug »Naked Lacrosse« trug. Die Einzelheiten waren im Grunde nicht wichtig, aber einiges prägte sich ihm doch ein. Er erstach einen Schwarzen, der die *Street News* verkaufte. Drei für drei.

Worauf es wirklich ankam, war das Blut. Soneji beobachtete, wie sich das kostbare Blut auf den schmutzigen, fleckigen Betonboden ergoß. Es bespritzte die Kleidung von Pendlern, bildete Lachen unter den Leichen. Das Blut war ein Anhaltspunkt, ein Rorschachtest, damit die Polizei und die FBI-Jäger etwas zu analysieren hatten. Das Blut war da, damit Alex Cross sich den Kopf darüber zerbrach.

Gary Soneji ließ das Messer fallen. Unglaubliche Verwirrung war entstanden, überall Geschrei und Panik, die die wandelnden Leichen am Ende doch noch aufgeweckt hatte. Er schaute hinauf zu dem Labyrinth aus kastanienbraunen Wegweisern, allesamt sauber beschriftet: *Ausgang 31st St., Paketausgabe, Touristeninformation, U-Bahn-Station Eighth Avenue.* Aber er kannte den Weg hinaus aus der Penn Station. Es war alles vorbestimmt. Er hatte diese Entscheidung schon lange zuvor getroffen. Soneji huschte wieder zurück in die Tunnel, und niemand versuchte, ihn aufzuhalten. Er war wieder der böse

Bube. Vielleicht hatte seine Stiefmutter in diesem Punkt doch recht gehabt. Seine Strafe würde heute darin bestehen, mit der New Yorker U-Bahn zu fahren.

Igitt. Zum Fürchten!

19.

Es war gegen sieben an jenem Abend. Mich hatte eine seltsame, starke Empfindung gepackt, fast wie eine Offenbarung. Ich hatte das Gefühl, neben mir zu stehen und mich selbst zu beobachten. Ich fuhr auf dem Heimweg an der Sojourner-Truth-Schule vorbei, entdeckte Christine Johnsons Auto und hielt an. Ich stieg aus und wartete auf sie. Ich fühlte mich unglaublich verletzlich. Und ein bißchen töricht. Ich hatte eigentlich nicht damit gerechnet, daß Christine noch so spät in der Schule war.

Um Viertel nach sieben kam sie schließlich aus dem Gebäude, und sobald ich sie sah, blieb mir die Luft weg. Ich kam mir vor wie ein Schuljunge. Vielleicht war das gut so, denn wenigstens empfand ich wieder etwas.

Sie sah so frisch und attraktiv aus, als sei sie eben erst in der Schule angekommen. Christine hatte ein gelb und blau geblümtes Kleid an, mit einem Gürtel um ihre schmale Taille, trug blaue Pumps und eine Tasche in derselben Farbe über der Schulter. Der Titelsong aus *Warten auf Mr. Right* ging mir durch den Kopf, es stimmte, ich wartete.

Christine bemerkte mich, und ihr Gesicht nahm sofort einen besorgten Ausdruck an. Sie ging schnell weiter, als hätte sie es eilig, irgendwohin zu kommen, überallhin, nur nicht zu mir.

Sie hatte die Arme über der Brust verschränkt. Ein schlechtes Zeichen, die schlimmstmögliche Form der Körpersprache, die Angst und Selbstschutz widerspiegelte. Eins war mehr als deutlich: Christine Johnson wollte mich nicht sehen.

Ich wußte, daß ich nicht hätte herkommen, nicht hätte anhalten sollen, aber ich konnte nicht anders. Ich mußte verstehen, was geschehen war, als wir Kinkead's verlassen hatten. Nur das, nicht mehr. Ich wollte eine schlichte, ehrliche Erklärung, auch wenn sie weh tat.

Ich holte tief Luft und lief zu ihr hinüber.

»Hi«, sagte ich, »möchten Sie einen Spaziergang machen? Es ist ein schöner Abend.«

Ich konnte kaum sprechen, dabei bin ich sonst um Worte nie verlegen.

»Legen Sie etwa in Ihrem vierundzwanzigstündigen Arbeitstag eine Pause ein?« Christine lächelte halb, versuchte es jedenfalls.

Ich erwiderte das Lächeln, obwohl mir übel war. Ich schüttelte den Kopf.

»Ich bin fertig mit der Arbeit.«

»Aha. Sicher können wir ein paar Minuten ein Stückchen gehen. Es ist ein schöner Abend, Sie haben recht.«

Wir gingen die Fifth Street entlang und betraten den Garfield Park, wo es im Frühsommer besonders schön ist. Wir gingen schweigend und blieben schließlich neben einem Sportplatz stehen, auf dem es von kleinen Kindern wimmelte. Ein wildes Baseballspiel war im Gang. Wir waren nicht weit vom Eisenhower Freeway entfernt, und das Dröhnen des Rush-hour-Verkehrs war stetig, fast beruhigend. Tulpenbäume und Korallensträucher standen in voller Blüte. Mütter und Väter spielten mit ihren Kindern, und alle schienen gut gelaunt.

Seit fast dreißig Jahren lebte ich in der Nähe dieses Parks, und bei Tageslicht ist er geradezu idyllisch. Maria und ich waren oft hierhergekommen, als Damon noch ein Kleinkind und sie mit Jannie schwanger war. Viele Erinnerungen aus dieser Zeit fangen langsam an zu verblassen, was vermutlich gut, aber eben auch sehr traurig ist.

Endlich sagte Christine etwas.

»Es tut mir leid, Alex.« Sie hatte zu Boden geschaut, aber jetzt hob sie ihre schönen Augen und sah mich an. »Wegen gestern abend. Die dumme Szene an meinem Auto. Ich muß wohl in Panik geraten sein; ehrlich gesagt, weiß ich nicht einmal genau, was passiert ist.«

»Lassen Sie uns ehrlich sein«, sagte ich. »Warum geht es nicht?«

Ich merkte, daß es ihr schwerfiel, aber ich mußte wissen, was sie empfand. Ich mußte mehr erfahren als das, was sie mir vor dem Restaurant gesagt hatte.

»Ich will versuchen, es zu erklären«, sagte sie. Ihre Hände waren verkrampft. Mit einem Fuß tippte sie nervös auf den Boden. Jede Menge schlechter Zeichen.

»Vielleicht ist das alles meine Schuld«, sagte ich. »Ich habe Sie immer wieder zum Abendessen eingeladen, bis ...«

Christine streckte die Hände aus und legte sie auf meine. »Bitte, lassen Sie mich ausreden«, sagte sie. Das halbe Lächeln kam zurück. »Lassen Sie mich versuchen, es ein für allemal klarzustellen. Ich wollte Sie sowieso anrufen. Ich hatte vor, Sie heute abend anzurufen, wirklich. Sie sind nervös, und ich bin es auch. Ich bin sehr nervös«, sagte sie ruhig. »Ich weiß, daß ich Ihre Gefühle verletzt habe, und das gefällt mir nicht. Das wollte ich auf keinen Fall. Sie haben es nicht verdient, verletzt zu werden.«

Christine zitterte leicht. Auch ihre Stimme bebte.

»Alex, mein Mann ist wegen der Form von Gewalt gestorben, mit der Sie jeden Tag leben müssen. Sie nehmen diese Welt hin, aber ich glaube nicht, daß ich es kann. Ich bin einfach nicht solch ein Mensch. Ich könnte es nicht ertragen, noch jemanden zu verlieren, der mir nahesteht. Ergibt das für Sie einen Sinn? Das alles ist sehr verwirrend für mich.«

Langsam wurde mir alles klarer. Christines Mann war im Dezember ermordet worden. Sie sagte, es habe große Probleme in ihrer Ehe gegeben, aber sie habe ihn geliebt. Sie hatte mit angesehen, wie er in ihrem Haus erschossen wurde, hatte ihn sterben sehen. Damals hatte ich sie in den Armen gehalten. Ich war ein Teil des Mordfalls.

Auch jetzt wollte ich sie in die Arme nehmen, aber ich wußte, daß es falsch gewesen wäre. Sie schlang die Arme wieder fest um sich, und ich verstand nun ihre Gefühle.

»Bitte, hören Sie mir zu, Christine. Ich werde vermutlich erst mit Ende Achtzig sterben. Ich bin zum Sterben zu stur und zu dickköpfig. Damit hätten wir gemeinsam noch eine längere Zeit vor uns, als wir beide bis jetzt gelebt haben. Über vierzig Jahre. Das ist außerdem eine zu lange Zeit, um einander aus dem Weg zu gehen.«

Christine schüttelte kurz den Kopf. Sie schaute mir weiter in die Augen. Schließlich brachte sie ein Lächeln zustande.

»Es gefällt mir, wie Ihr verrückter Verstand arbeitet. In einem Augenblick sind Sie Detective Cross, im nächsten sind Sie ein offenes, ganz liebes Kind.« Sie schlug die

Hände vors Gesicht. »O Gott, ich weiß ja nicht einmal, was ich sage.«

Tu es! sagte alles in mir, jeder Instinkt, jede Empfindung. Ich streckte langsam und behutsam die Hände aus und nahm Christine in die Arme. Sie paßte so gut hinein. Ich merkte, wie ich dahinschmolz, und es gefiel mir. Es gefiel mir sogar, daß meine Beine sich wacklig und schwach anfühlten.

Wir küßten uns zum ersten Mal, und Christines Mund war weich und zärtlich. Sie löste sich nicht von mir, obwohl ich damit gerechnet hatte, daß sie es tun würde. Ich fuhr mit den Fingerspitzen über ihre Wangen. Ihre Haut war glatt, und es prickelte in meinen Fingern. Es war, als hätte ich lange, lange Zeit keine Luft bekommen und könnte plötzlich wieder atmen. Ich konnte atmen. Ich fühlte mich lebendig.

Christine hatte die Augen geschlossen, aber jetzt öffnete sie sie. Unsere Blicke begegneten sich.

»Genau, wie ich es mir vorgestellt habe«, flüsterte sie, »etwa vierhundertfünfzigmal.«

Dann geschah das Schlimmstmögliche – mein Pieper ging los.

20.

Um sechs Uhr abends heulten in New York City überall in dem ständig verstopften Radius von fünf Blökken rund um die Penn Station die Sirenen von Streifenwagen und Notarztbussen. Detective Manning Goldman parkte seinen dunkelblauen Ford Taunus vor dem Postamt in der Eighth Avenue und lief auf den Tatort des Mehrfachmords zu.

Auf der belebten Straße blieben die Leute stehen und beobachteten Goldman. Überall drehten sich Köpfe, jeder wollte herausfinden, was los war und welche Rolle der rennende Mann wohl dabei spielte.

Goldman hatte langes, welliges Haar und einen grauen Ziegenbart. An einem Ohrläppchen glitzerte ein goldener Stecker. Goldman ähnelte eher einem alternden Rock- oder Jazzmusiker als einem Detective von der Mordkommission.

Sein Partner war ein frischgebackener Detective namens Carmine Groza. Groza war kräftig gebaut, hatte schwarzes Haar und erinnerte die Leute an den jungen Sylvester Stallone – ein Vergleich, den er verabscheute. Goldman sprach nur selten mit ihm. Seiner Meinung nach hatte Groza noch nie auch nur ein einziges Wort geäußert, das sich zu hören lohnte.

Groza folgte seinem achtundfünfzigjährigen Partner dennoch dicht auf den Fersen. Goldman war im Augenblick der älteste Detective der Mordkommission von Manhattan im Straßendienst und möglicherweise der schlauste, eindeutig aber der gemeinste, mürrischste Mistkerl, den Groza je kennengelernt hatte.

Von Goldman war bekannt, daß er irgendwo rechts von Pat Buchanan und Rush Limbaugh stand, wenn es um Politik ging, aber wie bei den meisten Gerüchten oder dem, was man gemeinhin als »Rufmord« bezeichnet, traf das nicht ganz zu. In bestimmten Fragen, so zum Beispiel der Bekämpfung von Verbrechern, den Rechten von Kriminellen gegenüber den Rechten anderer Bürger und der Todesstrafe war Goldman jedoch eindeutig ein radikaler Konservativer. Er war der Ansicht, daß jeder,

der auch nur halb bei Verstand war, nach zwei Stunden Arbeit bei der Mordkommission genau dieselben Schlußfolgerungen ziehen müßte wie er. Andererseits, wenn es um das Recht der Frauen auf Abtreibung, Ehen zwischen Gleichgeschlechtlichen oder sogar um Howard Stern ging, war Goldman so liberal wie sein dreißigjähriger Sohn, der als Anwalt für die Bürgerrechtsbewegung tätig war. Natürlich behielt Goldman das für sich. Er wollte auf keinen Fall seinen Ruf als unerträglicher Scheißkerl ruinieren. Wenn er das getan hätte, dann hätte er möglicherweise mit streberischen jungen Arschlöchern wie »Sly« Groza reden müssen.

Goldman war immer noch gut in Form, auf jeden Fall besser als Groza, der sich von Fast food, Cola und gezuckertem Tee ernährte. Er rannte gegen die Menschenflut an, die aus der Penn Station strömte. Die Morde, jedenfalls diejenigen, über die er bis jetzt Bescheid wußte, hatten sich im Wartesaal des Bahnhofs abgespielt.

Der Mörder hatte einen guten Grund gehabt, sich die Rush-hour auszusuchen, dachte Goldman, als der Wartebereich des Bahnhofs in Sicht kam. Entweder das, oder er war wirklich nur zufällig durchgeknallt, während der Bahnhof voller potentieller Opfer war. Weshalb also hatte der Irre zur Rush-hour in der Penn zugeschlagen? fragte sich Manning Goldman. Er hatte bereits eine furchterregende Theorie, die er allerdings bis jetzt für sich behalten hatte.

»Manning, glauben Sie, daß er immer noch irgendwo hier ist?« fragte Groza hinter ihm.

Grozas Angewohnheit, Leute grundsätzlich beim Vornamen zu nennen, als ob sie alle Sozialarbeiter wären, raubte ihm wirklich den letzten Nerv. Goldman ignorierte seinen Partner. Nein, er war nicht der Ansicht, daß der Mörder noch in der Penn Station war. Das Scheusal war irgendwo in New York auf freiem Fuß, was ihm höllische Sorgen machte. Es drehte ihm den Magen um, was in letzter Zeit öfter vorkam, jedenfalls in den letzten beiden Jahren.

Zwei Verkäufer mit Handkarren blockierten geschäftstüchtig den Weg zum Tatort. Ein Karren war mit »Lederwaren aus Montego City« beschildert, der zweite mit »Liebesgrüße aus Moskau«. Er wünschte sich, daß die Gefährte nach Jamaika beziehungsweise nach Rußland zurückkehrten.

»Polizei! Machen Sie den Weg frei! Weg mit diesen Müllkarren!« schrie Goldman die Verkäufer an.

Er schob sich durch die Menge aus Gaffern, Polizisten und Bahnhofspersonal, die sich neben der Leiche eines Schwarzen mit Zöpfen und lumpiger Kleidung versammelt hatte. Blutbefleckte Exemplare der *Street News* lagen überall um die Leiche herum verstreut, so daß Goldman sofort wußte, welchem Beruf der Tote nachgegangen und warum er im Bahnhof gewesen war. Als er noch näher herankam, konnte er feststellen, daß das Opfer vermutlich Ende Zwanzig war. Die Blutmenge war ungewöhnlich groß. Zu groß. Eine große, leuchtendrote Lache umgab die Leiche.

Goldman trat zu einem Mann in einem dunkelblauen Anzug mit einer auffälligen Amtrak-Anstecknadel am Revers.

»Detective Goldman von der Mordkommission«, sagte er und zeigte seine Marke. »Die Gleise zehn und elf.« Goldman deutete dabei auf eine Anzeigetafel. »Welcher Zug ist auf diesen Gleisen kurz vor der Messerstecherei angekommen?«

Der Amtrak-Manager zog ein dickes Handbuch zu Rate, das er in der Tasche aufbewahrte.

»Der letzte Zug auf Gleis zehn ... das war der Metroliner aus Philadelphia, Wilmington, Baltimore, Ausgangsbahnhof Washington.«

Goldman nickte. Es war genau das, was er befürchtet hatte, als er erfuhr, ein Mehrfachmörder habe im Bahnhof zugeschlagen und entkommen können. Diese Tatsache bedeutete, daß der Mörder einen klaren Kopf hatte. Er hatte einen ganz bestimmten Plan.

Goldman hatte den Verdacht, daß der Mörder in der Union Station mit dem in der Penn Station identisch sein könnte, das würde bedeuten, daß der Irre jetzt hier in New York war.

»Haben Sie schon eine Idee, Manning?« Groza plapperte schon wieder.

Schließlich sprach Goldman mit seinem Partner, ohne ihn anzusehen.

»Ja, ich mußte eben denken, daß es Ohrstöpsel gibt und Waschbeckenstöpsel, warum aber keine Mundstöpsel?«

Dann machte sich Manning Goldman auf den Weg zu einem Telefon. Er mußte in Washington, D.C., anrufen. Er vermutete, daß Gary Soneji nach New York gekommen war. Womöglich war er auf einer Killertour durch zwanzig oder dreißig Großstädte.

Heutzutage war alles möglich.

21.

Ich rief zurück, nachdem der Pieper sich gemeldet hatte. Es gab beunruhigende Neuigkeiten aus New York. Ein weiterer Anschlag war auf einem überfüllten Bahnhof verübt worden, was mich bis nach Mitternacht bei der Arbeit festhielt. Gary Soneji war vermutlich in New York City. Falls er nicht schon in die nächste Großstadt weitergereist war, die er sich zum Morden ausgesucht hatte. Boston? Chicago? Philadelphia?

Als ich endlich nach Hause kam, war bereits alles dunkel. Ich fand einen Rest Zitronensahnetorte im Kühlschrank und verputzte sie mit Heißhunger. Nana hatte einen Artikel über Oseola McCarty an die Kühlschanktür geklebt. Oseola war über fünfzig Jahre lang Wäscherin in Hattiesburg, Mississippi, gewesen, sie hatte 150 000 Dollar gespart und der University of Southern Mississippi gespendet. Präsident Clinton hatte sie nach Washington eingeladen und ihr die Bürgerschaftsmedaille des Präsidenten verliehen.

Die Torte war ausgezeichnet, aber ich brauchte etwas anderes, eine andere Form von Wohltat. Ich ging zu meinem Schamanen.

»Bist du wach, alte Frau?« flüsterte ich an Nanas Schlafzimmertür. Sie läßt sie immer einen Spalt offen für den Fall, daß die Kinder nachts mit ihr reden oder kuscheln möchten. Vierundzwanzig Stunden geöffnet, genau wie 7-Eleven, sagte sie immer. Als ich noch ein Kind war, war es nicht anders.

»Das hängt von deinen Absichten ab«, hörte ich sie in der Dunkelheit sagen. »Oh, du bist's, Alex!« meinte sie lachend und bekam einen kleinen Hustenanfall.

»Wer denn sonst? Kannst du mir das verraten? Mitten in der Nacht vor deiner Schlafzimmertür?«

»Oh, das könnten viele sein. Ein armer Irrer. Ein Einbrecher in unserer gefährlichen Gegend. Oder einer meiner Verehrer.«

So ähnlich laufen unsere Unterhaltungen immer ab. So war es immer, so wird es immer sein.

»Hast du etwa irgendwelche besonderen Freunde, von denen du mir erzählen willst?«

Nana lachte wieder meckernd.

»Nein, sicher nicht, aber ich habe den Verdacht, du hast eine Freundin, von der du mir erzählen willst. Ich ziehe mir was über. Stell doch schon mal Teewasser auf. Im Kühlschrank ist Zitronensahnetorte, jedenfalls *war* welche da. Übrigens, du weißt doch, daß ich Verehrer habe, Alex?«

»Ich stelle das Wasser auf«, sagte ich. »Aber die Zitronensahnetorte ist schon im Kuchenhimmel.«

Eine Weile verstrich, ehe Nana in der Küche erschien. Sie trug ein reizendes Hauskleid, blaue Streifen mit großen weißen Knöpfen vorn. Sie sah aus, als sei sie bereit, um halb ein Uhr morgens den Tag zu beginnen.

»Ich habe dir nur zwei Wörter zu sagen, Alex. Heirate sie!«

Ich verdrehte die Augen.

»Es ist nicht so, wie du denkst, alte Frau. Es ist nicht so einfach.«

Sie goß sich dampfenden Tee ein.

»Oh, es ist absolut einfach, Omasöhnchen. Du hast in der letzten Zeit diesen federnden Schritt und so ein hübsches Leuchten in den Augen. Dich hat's seit langem erwischt, Mister, du bist bloß der letzte, der's erfährt. Und jetzt antworte mir ehrlich auf eine Frage, denn das ist eine ernste Angelegenheit.«

Ich seufzte.

»Du bist wohl immer noch ein bißchen high von deinen süßen Träumen. Also los, stell deine blöde Frage.«

»Wenn ich dir, sagen wir mal, neunzig Dollar pro Sitzung berechnen würde, wär's dann wahrscheinlicher, daß du meine phantastischen Ratschläge befolgtest?«

Wir lachten über ihren Witz, ihren ganz besonderen Sinn für Humor.

»Christine will mich nicht mehr sehen.«

»Ach du meine Güte«, meinte Nana bestürzt.

»Ja, ach du meine Güte. Sie kann sich keine Beziehung mit einem Detective von der Mordkommission vorstellen.«

Nana lächelte.

»Je mehr ich über Christine Johnson höre, desto lieber mag ich sie. Intelligente Frau. Hat einen schlauen Kopf auf den hübschen Schultern.«

»Willst du mich jetzt auch mal reden lassen?« fragte ich.

Nana runzelte die Stirn und bedachte mich mit einem ernsten Blick. »Du kannst natürlich immer sagen, was du willst, bloß nicht genau dann, *wenn* du es sagen willst. Liebst du diese Frau?«

»Ich habe schon etwas Besonderes empfunden, als ich sie zum ersten Mal gesehen habe. Das Herz bestimmt den Verstand. Ich weiß, daß das verrückt klingt.«

Sie schüttelte den Kopf und schaffte es trotzdem, gleichzeitig einen Schluck vom heißen Tee zu trinken.

»Alex, so klug du bist, manchmal scheinst du alles durcheinanderzubringen. Das klingt überhaupt nicht verrückt. Es hört sich einfach so an, als ob es dir zum ersten Mal seit Marias Tod besserginge.«

»Wegen meines Berufs hat sie Angst, daß ich sterben könnte. Ihr Mann ist ermordet worden, weißt du noch?«

Nana stand von ihrem Stuhl am Küchentisch auf. Sie kam auf meine Seite geschlurft und stellte sich ganz nah neben mich. Sie war soviel kleiner als früher, und das machte mir Sorgen. Ich konnte mir ein Leben ohne sie nicht vorstellen.

»Ich liebe dich, Alex«, sagte sie. »Was du auch tust, ich werde dich immer lieben. *Heirate sie!* Leb wenigstens mit Christine zusammen.« Sie lachte in sich hinein. »Ich kann's nicht fassen, daß ich das gesagt habe.«

Nana gab mir einen Kuß und ging dann zurück ins Bett.

»Ich habe wirklich Verehrer!« rief sie im Flur aus.

»Heirate einen!« rief ich zurück.

»Ich bin nicht verliebt, Zitronentortenvernichter. Aber du!«

22.

Am nächsten Morgen, genau um 6.35 Uhr, nahmen Sampson und ich den Metroliner zur New Yorker Penn Station. Das ging fast so schnell wie fliegen, wenn man bedenkt, wie lange die Fahrt zum Flughafen, das Parken und die Formalitäten mit den Fluggesellschaften dauern, und außerdem wollte ich mir Gedanken über Züge machen.

Die Theorie, Soneji sei der Schlitzer von der Penn Station, war von der New Yorker Polizei bestätigt worden. Ich mußte zwar erst noch mehr über die Morde wissen, aber es war eine spektakuläre Aktion, die durchaus zu Garys früheren Auftritten paßte.

Die Zugfahrt war ruhig und bequem, und ich hatte viel Zeit, über Soneji nachzudenken. Ich konnte immer noch nicht nachvollziehen, warum Soneji Verbrechen beging, die wie Verzweiflungstaten wirkten. Sie schienen geradezu selbstmörderisch zu sein. Vor mehreren Jahren hatte ich Soneji, nachdem ich ihn gefaßt hatte, Dutzende von Malen verhört. Dabei war es um den Fall Dunne/Goldberg gegangen. Damals konnte ich jedenfalls nicht erkennen, daß er etwas Selbstmörderisches an sich habe, dazu war er zu egozentrisch, fast größenwahnsinnig.

Vielleicht waren es doch die Verbrechen eines Trittbrettfahrers. Zumindest paßte das, was er jetzt tat, nicht ins Bild. Was hatte sich geändert? War es wirklich Soneji, der die Morde beging? War es eine Art Trick, eine Masche? Konnte es sich um eine schlaue Falle handeln? Wie zum Teufel hatte er es geschafft, daß mein Blut auf dem Scharfschützengewehr in der Union Station gefunden wurde?

Was war das für eine Falle? Und aus welchem Grund? Soneji war von seinen Verbrechen absolut besessen, für ihn hatte alles einen tieferen Sinn.

Weshalb also tötete er Fremde in der Union und der Penn Station? Warum suchte er sich Bahnhöfe aus?

»Oho, aus deinem Hirn steigt Rauch auf, Süßer. Bist du dir dessen bewußt?«

Sampson sah zu mir herüber und wandte sich dann an die netten Menschen, die um uns herum im Abteil saßen.

»Kleine weiße Rauchschwaden. Sehen Sie es? Direkt hier. Und hier.«

Er beugte sich nahe heran und schlug mit der Zeitung

nach mir, als versuchte er, einen kleinen Brand zu löschen.

Sampson bringt seine Slapsticks normalerweise todernst. Die Unterbrechung hatte die gewünschte Wirkung, denn wir fingen beide an zu lachen. Sogar die Leute um uns herum lächelten, schauten von ihren Zeitungen, Kaffeebechern und Laptops auf.

»Pffff. Das Feuer scheint aus zu sein«, sagte Sampson und gluckste noch mal. »Mann, dein Kopf ist so heiß wie die Hölle. Du mußt mit wichtigen Gedanken beschäftigt gewesen sein. Hab' ich recht?«

»Ich habe an Christine gedacht«, antwortete ich.

»Du Lügner! Wenn du an Christine Johnson gedacht hättest, hätte ich das Feuer an einer anderen Stelle löschen müssen. Wie geht's mit euch beiden voran? Falls die kühne Frage gestattet ist.«

»Sie ist großartig. Sie ist die Beste, John. Wirklich etwas Besonderes, klug und witzig.«

»Und sie sieht fast so gut aus wie Whitney Houston und ist höllisch sexy. Aber nichts davon beantwortet meine Frage. Was läuft zwischen euch beiden? Versuchst du, deine neue Liebe vor mir zu verstecken? Meine Spionin, Miß Jannie, hat mir erzählt, daß ihr vorgestern verabredet wart. War es ein gelungener Abend? Und warum hast du mir nichts davon erzählt?«

»Wir sind zum Abendessen zu Kinkead's gegangen und haben uns gut amüsiert. Feines Essen, prima Gesellschaft. Es gibt bloß ein kleines Problem: Sie hat Angst davor, daß ich zu Tode komme, deshalb will sie mich nicht mehr sehen. Christine trauert noch heute um ihren Mann.«

Sampson nickte und zog die Sonnenbrille nach unten, um mich ohne Lichtfilter zu mustern.

»Das ist interessant. Trauert immer noch? Das beweist, daß sie eine gute Frau ist. Übrigens, weil du das Tabuthema nun schon mal angeschnitten hast, sollte ich dir was sagen, Superstar. Falls du je im Dienst umgenietet werden solltest, wird deine Familie ewig um dich trauern. Und ich selbst würde die Trauerfackel beim Gedenkgottesdienst tragen. Das war's auch schon. Hab' mir gedacht, du solltest es wissen. Und? Werden sich die beiden Liebenden, deren junges Glück unter einem so unglücklichen Stern steht, noch mal verabreden?«

Sampson redete gern, als wären wir Freundinnen in einem Roman von Terry McMillan. Manchmal waren wir tatsächlich so drauf, was bei Männern ungewöhnlich ist, vor allem bei zwei Typen in unserer Branche. Jetzt kam er in Fahrt.

»Ich finde, ihr gebt ein ganz niedliches Paar ab. Alle finden das. Die ganze Stadt redet über euch: die Kinder, Nana, deine Tanten ...«

»Ach, tun sie das?«

Ich stand auf und setzte mich demonstrativ auf die andere Seite des Ganges, wo zwei Plätze frei waren. Ich breitete meine Notizen über Gary Soneji aus und begann, sie noch einmal zu lesen.

»Ich habe schon gedacht, du kapierst den Wink mit dem Zaunpfahl nie«, sagte Sampson und streckte seinen breiten Körper über beide Plätze aus.

Wie immer war die Zusammenarbeit mit ihm etwas Besonderes. Christine irrte sich, wenn sie glaubte, mir könne etwas zustoßen. Sampson und ich würden ewig leben und würden nicht einmal eine Behandlung mit Steroidhormonen oder Melatonin benötigen.

»Wir werden Gary Soneji am Arsch kriegen. Christine wird sich heftig in dich verknallen, so, wie du dich offensichtlich schon in sie verknallt hast. Alles wird gut werden, Süßer. Wie es sich gehört.«

Ich wußte nicht, warum, aber er konnte mich nicht recht davon überzeugen, das zu glauben.

»Ich weiß, daß du im Moment nur negativen Scheiß im Kopf hast«, sagte Sampson, ohne mich auch nur anzusehen, »aber wart's einfach ab. Dieses Mal wird es nur Happy-ends geben.«

23.

Sampson und ich kamen gegen neun Uhr morgens in New York City an. Ich fühlte mich lebhaft an den alten Song von Stevie Wonder erinnert, in dem er beschreibt, wie es ist, wenn man zum ersten Mal in New York aus dem Bus steigt. Diese Mischung aus Hoffnung, Ängsten und Erwartungen, wie sie die meisten Menschen mit der Großstadt in Verbindung bringen, scheint eine universelle Reaktion zu sein.

Als wir in der Penn Station die steile Treppe von den unterirdischen Gleisen hinaufstiegen, hatte ich einen Geistesblitz, was den Fall betraf. Falls er richtig war, belastete er Soneji eindeutig mit beiden Bahnhofsmassakern.

»Vielleicht habe ich was gegen Soneji in der Hand«, sagte ich zu Sampson, als wir uns dem Licht näherten, das oben an der Treppe hell schimmerte. Er drehte sich nach mir um, ging aber weiter.

»Ich habe nicht vor zu raten, Alex, weil mein Verstand deinem sowieso nie folgen kann.« Dann murmelte er:

»Dem Herrn und Erlöser sei dafür gedankt! Ich habe nun mal ein Spatzenhirn, Bruder.«

»Willst du mich bei Laune halten?« fragte ich ihn. Aus dem Bahnhofsgebäude war jetzt Musik zu hören – Vivaldis *Vier Jahreszeiten*.

»Ehrlich gesagt versuche ich, mich durch die Tatsache, daß Gary Soneji im Moment auf 'nem beknackten Trip ist, nicht aus dem Gleichgewicht bringen oder höllisch deprimieren zu lassen. Jetzt sag schon, was du denkst.«

»Als Soneji im Gefängnis war und ich ihn verhörte, hat er immer darüber gesprochen, daß seine Stiefmutter ihn oft im Keller eingesperrt hat. Er war besessen davon.«

Sampson wackelte mit dem Kopf.

»So, wie wir Gary kennen, kann ich das der armen Frau nicht ganz verübeln.«

»Sie hat ihn stundenlang unten eingesperrt, manchmal einen ganzen Tag, wenn sein Vater zufällig verreist war. Sie hat das Licht ausgemacht, aber er war raffiniert genug, vorher Kerzen zu verstecken. Er hat bei Kerzenlicht alles über Kidnapper, Vergewaltiger, Massenmörder und die ganzen anderen bösen Buben gelesen.«

»Und, Dr. Freud? Diese Massenmörder waren die Vorbilder seiner Kindheit?«

»So ungefähr. Gary hat mir erzählt, daß er, wenn er im Keller war, darüber phantasiert hat, Morde und andere Scheußlichkeiten zu begehen, sobald er wieder hinausgelassen würde. Es war eine fixe Idee, daß er durch die Freilassung aus dem Keller seine Freiheit und Macht zurückgewinnen würde. Er hockte im Keller und war geradezu besessen von der Vorstellung, was er tun würde, sobald er hinauskäme. Sind dir hier kellerähnliche Räume aufgefallen? Oder vielleicht in der Union Station?«

Sampson zeigte seine großen weißen Zähne, was den

Eindruck vermitteln kann, er habe einen möglicherweise doch lieber, als es in Wirklichkeit der Fall ist.

»Die Zugtunnel stehen stellvertretend für den Keller in Garys Kindheit, stimmt's? Wenn er aus den Tunneln kommt, bricht die Hölle los. Er rächt sich endlich an der Welt.«

»Ich glaube, das ist zumindest ein Teil dessen, was sich abspielt«, sagte ich. »Aber so einfach ist es bei Gary Soneji nie. Immerhin ist es ein Anfang.«

Wir hatten die Hauptebene der Penn Station erreicht. Genauso war es vermutlich abgelaufen, als Gary am gestrigen Abend hier angekommen war. Ich wurde mir immer sicherer, daß die New Yorker Polizei recht hatte. Soneji konnte fraglos auch der Mörder aus der Penn Station sein.

Jede Menge Reisende drängten sich unter den ständig wechselnden Zahlen der Anzeigetafel mit den Abfahrtszeiten. Ich konnte fast sehen, wie Gary Soneji an der Stelle stand, wo ich mich jetzt befand, alles in sich aufnahm – freigelassen aus dem Keller, sodaß er endlich wieder der böse Bube sein konnte! Und wie er sich immer noch wünschte, berühmte Verbrechen zu begehen und damit einen Erfolg zu haben, der seine verrücktesten Träume übertraf.

»Dr. Cross, nehme ich an.«

Ich hörte meinen Namen, als Sampson und ich den hell erleuchteten Wartebereich des Bahnhofs betraten. Ein bärtiger Mann mit einem goldenen Ohrstecker lächelte über seinen kleinen Scherz. Er streckte die Hand aus.

»Ich bin Detective Manning Goldman. Gut, daß Sie gekommen sind. Gary Soneji war gestern hier.«

Er sagte es mit absoluter Gewißheit.

24.

Sampson und ich gaben Goldman die Hand, ebenso seinem Partner, einem jüngeren Detective, der aussah, als müßte er sich Goldman unterordnen. Manning Goldman trug ein leuchtendblaues Oberhemd, bei dem die drei obersten Knöpfe offenstanden, darunter ein geripptes Unterhemd, das den Blick auf seine silbernen, fast bis zum Kinn reichenden Brusthaare freigab. Sein Partner war von Kopf bis Fuß schwarz gekleidet. Was seltsame Paare anbelangt, waren mir Jack Lemmon und Walter Matthau allemal lieber.

Goldman begann zu berichten, was er über die Messerstecherei in der Penn Station wußte. Der New Yorker Detective war voller Energie und redete wie ein Maschinengewehr. Er setzte ständig seine Hände ein und wirkte sehr selbstbewußt, was seine Fähigkeiten und Ansichten betraf. Die Tatsache, daß er uns bei seinem Fall hinzugezogen hatte, war ein Beweis dafür. Wir stellten keine Bedrohung für ihn dar.

»Wir wissen, daß der Mörder hier an Gleis zehn die Treppe heraufgekommen ist, genau wie Sie beide eben. Wir haben mit drei Zeugen gesprochen, die ihn möglicherweise im Metroliner aus Washington gesehen haben«, erklärte Goldman. Sein dunkelhäutiger, schwarzhaariger Partner sagte kein einziges Wort. »Und trotzdem haben wir keine exakte Personenbeschreibung von ihm – jeder Zeuge hat ihn etwas anders geschildert –, was für mich keinen Sinn ergibt. Fällt Ihnen dazu irgend etwas ein?«

»Falls es wirklich Soneji ist, ja. Er kann sich gut schminken und verkleiden. Er genießt es, Leute an der Nase herumzuführen, vor allem die Polizei. Wissen Sie, wo er in den Zug eingestiegen ist?« fragte ich.

Goldman blätterte in einem Notizbuch aus schwarzem Leder. »Dieser Zug hat in D.C. gehalten, in Baltimore, Philadelphia, Wilmington, Princeton Junction und New York. Wir sind davon ausgegangen, daß er in D.C. eingestiegen ist.«

Ich warf Sampson einen Blick zu und wandte mich dann wieder den New Yorker Detectives zu.

»Soneji hat früher mit seiner Frau und seiner Tochter in Wilmington gewohnt. Er stammt aus der Gegend von Princeton.«

»Das sind Informationen, die wir bisher nicht hatten«, sagte Goldman. Ich konnte mir nicht helfen, ich hatte den Eindruck, daß er nur mit mir sprach, als seien Sampson und Groza gar nicht vorhanden. Es war eigenartig und unbehaglich für alle – bis auf ihn.

»Besorgen Sie mir den Fahrplan von dem Metroliner, der gestern um zehn nach fünf angekommen ist. Ich will noch mal die Haltestationen überprüfen«, kläffte er Groza an. Der jüngere Detective verdrückte sich, um Goldmans Befehl auszuführen.

»Stimmt es, daß es drei Erstochene gegeben hat, drei Tote?« Endlich sagte auch Sampson etwas. Ich wußte, daß er bis jetzt Goldman eingeschätzt hatte. Vermutlich war er zu der Schlußfolgerung gekommen, der Detective sei ein New Yorker Arschloch erster Güte.

»Das steht bereits auf den Titelseiten aller Tageszeitungen«, knurrte Goldman aus dem Mundwinkel. Es war, gelinde gesagt, eine sehr barsche Bemerkung, fast bösartig.

»Ich habe gefragt, weil ...«, fing Sampson an, immer noch die Ruhe bewahrend.

Doch Goldman schnitt ihm mit einer unhöflichen Handbewegung das Wort ab.

»Ich zeige Ihnen, wo die Messerstecherei stattgefunden hat.« Er wandte seine Aufmerksamkeit wieder mir zu. »Vielleicht fällt Ihnen dann noch mehr auf, was Sie mit Soneji in Verbindung bringen.«

»Detective Sampson hat Ihnen eine Frage gestellt«, sagte ich.

»Ja, aber es war eine sinnlose Frage. Ich habe keine Zeit für den ganzen ›political correctness‹-Quatsch oder für sinnlose Fragen. Also los, gehen wir. Soneji ist in meiner Stadt auf freiem Fuß.«

»Wissen Sie viel über Messer? Haben Sie viel mit Messerstechereien zu tun?« fragte Sampson.

Ich merkte, daß er anfing, die Geduld zu verlieren. Er überragte Manning Goldman. Genauer gesagt überragten wir ihn beide.

»Ja, ich habe eine ganze Menge Morde durch Stichverletzungen bearbeitet«, sagte Goldman. »Ich weiß außerdem, worauf Sie hinauswollen. Es ist äußerst untypisch, daß jemand hintereinander drei Menschen mit einem Messer ermordet. Wie auch immer, sein Messer hatte eine geschwungene Doppelschneide, extrem scharf. Er hat seine Opfer aufgeschlitzt wie ein Chirurg vom Medical Center an der New Yorker Uni. Ach ja, und außerdem hat er Zyankali am Messer gehabt, das innerhalb weniger Sekunden zum Tod führt. Darauf wollte ich noch kommen.«

Sampson nahm sich zusammen. Es war neu für uns, daß Gift an dem Messer gewesen war. John wußte, daß wir uns anhören mußten, was Goldman zu sagen hatte. Wir konnten es uns nicht leisten, hier in New York einen persönlichen Clinch zu beginnen. Jedenfalls noch nicht.

»Hat Soneji schon mal was mit Messern zu tun gehabt?« fragte Goldman. Er sprach wieder mit mir. »Oder mit Gift?«

Ich verstand, daß er mich anzapfen, mich benutzen wollte. Doch das war kein Problem für mich. Geben und nehmen ist das Beste, was man bei den meisten Fällen aus verschiedenen Zuständigkeitsbereichen machen kann.

»Mit Messern? Er hat einmal einen FBI-Agenten mit einem Messer ermordet. Und Gift? Ich weiß es nicht. Es würde mich aber nicht überraschen. In seiner Jugend hat er vor allem mit diversen Handfeuerwaffen und Gewehren geschossen. Soneji liebt das Töten, Detective Goldman. Er lernt schnell, deshalb mag er sich diese Methode durchaus angeeignet haben. Schußwaffen, Messer und auch Gift.«

»Glauben Sie mir, er hat es gelernt. Er war blitzschnell hier drin und wieder draußen, und er hat drei Leichen hinterlassen, einfach so.« Goldman schnippte mit den Fingern.

»War viel Blut am Tatort?« erkundigte ich mich bei Goldman. Es war die Frage, die mir auf der ganzen Fahrt von Washington hierher durch den Kopf gegangen war.

»Höllisch viel Blut. Er hat jedes Opfer tief aufgeschlitzt. Zwei Toten hat er außerdem noch die Kehle durchgeschnitten. Warum?«

»Es könnte einen Anhaltspunkt geben, der mit dem vielen Blut in Zusammenhang steht.«

Ich berichtete Goldman von einer meiner Entdeckungen in der Union Station.

»Der Heckenschütze in D.C. hat ein Blutbad angerichtet. Ich bin mir ziemlich sicher, daß Soneji das mit Absicht getan hat. Er hat Hohlgeschosse benutzt, und er hat außerdem Spuren meines Blutes auf seiner Waffe hinterlassen«, verriet ich ihm.

»Er weiß vermutlich sogar, daß ich in New York bin«, dachte ich. »Und ich bin mir nicht völlig sicher, wer hier wen verfolgt.«

25.

In der nächsten Stunde führte uns Goldman, dem sein Partner buchstäblich auf den Fersen folgte, durch die Penn Station, vor allem zu den Tatorten der Morde. Die Umrißskizzen der Leichen waren noch auf dem Boden zu sehen, und wegen der abgesperrten Bereiche wurden die Menschenmengen im Bahnhofsgebäude noch enger zusammengedrängt.

Als wir mit dem Rundgang durch den Bahnhof fertig waren, führten uns die New Yorker Detectives hinaus auf die Straße, wo Soneji vermutlich ein Taxi stadteinwärts genommen hatte.

Ich musterte Goldman, beobachtete ihn bei der Arbeit. Er war ziemlich gut. Allein schon sein Auftreten war interessant. Er reckte die Nase eine Spur höher als der Rest der Bevölkerung, und diese Haltung ließ ihn hochmütig wirken, trotz seiner seltsamen Kleidung.

»Ich hätte vermutet, daß er die U-Bahn zur Flucht benutzt hat«, meinte ich, als wir draußen auf der lauten, überfüllten Eighth Avenue standen.

Über unseren Köpfen kündigte ein Schild an, daß *Kiss* im Madison Square Garden auftrat. Ein Jammer, daß ich das verpassen mußte.

Goldman lächelte breit.

»Das habe ich auch gedacht. Die Zeugen sind geteilter Meinung über die Richtung, in die er gelaufen ist. Ich war einfach neugierig, ob Sie eine Meinung dazu haben. Ich glaube nämlich auch, daß Soneji die U-Bahn benutzt hat.«

»Züge haben für ihn eine besondere Bedeutung, sie gehören zu seinem Ritual. Als Kind hat er sich immer eine Spielzeugeisenbahn gewünscht, aber nie bekommen.«

»Ah, damit ergibt dann ja alles einen Sinn«, sagte Goldman und grinste dreckig. »Deshalb bringt er jetzt Menschen auf Bahnhöfen um, das ist für mich die perfekte Erklärung. Ein Wunder, daß er nicht gleich den ganzen Scheißzug in die Luft gesprengt hat.«

Sogar Sampson mußte lachen, als Goldman das von sich gab.

Als wir auch den Rundgang durch die umliegenden Straßen beendet hatten, fuhren wir nach Süden zur Police Plaza Nummer eins. Um vier wußte ich über alles Bescheid, was die New Yorker Polizei in der Hand hatte – jedenfalls alles, was Manning Goldman mir zu diesem Zeitpunkt zu sagen bereit war.

Ich war mir fast sicher, daß Gary Soneji der Mörder der Penn Station war. Ich nahm persönlich Kontakt mit Boston, Philadelphia und Baltimore auf und schlug vorsichtig vor, daß sie die Bahnhöfe im Auge behielten. Denselben Rat gab ich Kyle Craig und dem FBI.

»Wir fahren zurück nach Washington«, sagte ich schließlich zu Goldman und Groza. »Danke, daß Sie uns hinzugezogen haben. Das ist uns eine große Hilfe.«

»Ich rufe an, falls sich etwas tut. Sie aber auch, okay?« Manning Goldman streckte die Hand aus, und wir verabschiedeten uns. »Ich bin mir ziemlich sicher, daß wir nicht zum letzten Mal von Gary Soneji gehört haben.«

Ich nickte. Ich war mir dessen hundertprozentig sicher.

26.

In seiner Phantasie lag Gary Soneji neben Charles Joseph Whitman auf dem Dach des Turms der University of Texas, irgendwann im Jahr 1966.

Alles in seiner gottverfluchten unglaublichen Phantasie!

Er war schon sehr oft mit Charlie Whitman dort oben gewesen seit 1966, als der schießwütige Mörder zu einem seiner Kindheitsidole geworden war. Im Laufe der Jahre hatten andere Mörder seine Vorstellungskraft in Bann gezogen, aber keiner von ihnen kam Charlie Whitman gleich. Whitman war ein amerikanisches Original, und davon gab es nicht mehr viele. Soneji ging die Namen seiner Lieblinge durch. James Herbert, der ohne Vorwarnung im McDonald's in San Ysidro, Kalifornien, das Feuer eröffnet hatte. Er hatte einundzwanzig Menschen umgebracht, sie schneller umgebracht, als sie fettige Hamburger austeilen konnten. Soneji hatte die Schießerei bei McDonald's vor ein paar Jahren sogar nachgespielt, dabei war er Cross zum ersten Mal von Angesicht zu Angesicht begegnet.

Ein weiterer seiner persönlichen Lieblinge war der Postbote Patrick Sherill, der in Edmond, Oklahoma, vierzehn seiner Kollegen weggepustet und damit vermutlich außerdem die Paranoia, Postboten seien wahnsinnig, ausgelöst hatte. In jüngster Zeit hatte er die Arbeit von Martin Bryant in der Strafkolonie Port Arthur in Tasmanien bewundert. Dann war da noch Thomas Watt Hamilton, der nach seiner Schießerei in einer Grundschule in Dunblane, Schottland, in das Bewußtsein fast aller Menschen auf diesem Planeten eingedrungen war.

Auch Gary Soneji wünschte sich verzweifelt, allen Menschen in Erinnerung zu bleiben, eine große, beunruhigende Ikone im Internet der Welt zu werden. Und er würde es auch schaffen. Er hatte alles geplant.

In sentimentaler Hinsicht war jedoch immer noch Charlie Whitman sein Liebling. Whitman war das Original, der »Irre im Turm«. Ein böser Bube weit unten in Texas. Gott, wie viele Male hatte er schon mit dem bösen Buben Charlie in der sengenden Augustsonne auf diesem Turm gelegen! Alles nur in seiner unglaublichen Phantasie!

Whitman war ein fünfundzwanzigjähriger Architekturstudent an der University of Texas gewesen, als er durchknallte. Er hatte ein Waffenarsenal auf die Beobachtungsplattform des Kalksteinturms gebracht, der hundert Meter hoch über dem Campus aufragte und wo er sich wie Gott gefühlt haben mußte. Kurz bevor er auf den Uhrenturm gestiegen war, hatte er seine Frau und seine Mutter ermordet. An jenem Nachmittag in Texas hatte Whitman dafür gesorgt, daß Charlie Starkweather wie ein kleiner Gangster und echter Volltrottel dastand. Dasselbe galt für Dickie Hockock und Perry Smith, die beiden Rotznasen, weiße Taugenichtse, die Truman Capote in seinem Buch *Kaltblütig* unsterblich gemacht hatte. Im Vergleich mit Charles Whitman sahen auch diese beiden ziemlich bescheuert aus.

Soneji hatte den genauen Text des Artikels aus dem *Time*-Magazin über die Schießerei von dem Turm in Texas nie vergessen. Er kannte ihn Wort für Wort auswendig:

»Wie viele Massenmörder war Charles Whitman ein mustergültiger Junge, jener Typ, den die Mütter aus der Nachbarschaft ihren widerspenstigen Kindern als Vorbild hinstellen. Er war Ministrant und trug Zeitungen aus.«

Gottverdammte ahnungslose Schwachköpfe.

Noch ein Meister der Tarnung. Niemand hatte gewußt, was Charlie dachte oder was er schließlich durchziehen würde.

Charles Whitman hatte sich vorsichtig unter der Zahl »VI« der Turmuhr postiert. Dann eröffnete er vormittags um 11.48 Uhr das Feuer. Auf der zwei Meter breiten Turmplattform lagen neben ihm eine Machete, ein Jagdmesser, ein 6-mm-Sturmgewehr von Remington, eine 35-mm-Remington, eine 08-Pistole und ein 357er-Revolver von Smith & Wesson.

Orts- und Staatspolizei schossen Tausende von Salven auf den Turm ab, hätten fast das ganze Zifferblatt der Uhr zerschossen, aber sie brauchten anderthalb Stunden, um Charlie Whitman den Garaus zu machen. Die ganze Welt staunte über seine Tollkühnheit, seine einzigartige Lebensauffassung und seine Ansichten. Die gesamte gottverdammte Welt nahm Anteil.

Plötzlich hämmerte jemand gegen die Tür von Sonejis Hotelzimmer. Das Geräusch holte ihn in die Gegenwart zurück, und ihm wurde wieder bewußt, wo er war.

Er befand sich in New York City, im Zimmer 419 des Plaza, von dem er als Kind immer gelesen hatte. Er hatte stets davon geträumt, mit dem Zug nach New York zu kommen und im Plaza abzusteigen. Und nun war er hier.

»Wer ist da?« rief er vom Bett aus.

Er zog eine Halbautomatik unter der Decke hervor und zielte damit auf das Guckloch in der Tür.

»Das Zimmermädchen«, sagte eine Frauenstimme mit spanischem Akzent. »Soll ich Ihr Bett aufdecken?«

»Nein, ich hab's auch so bequem«, sagte Soneji und lächelte vor sich hin.

Ehrlich gesagt, Señorita, ich bereite mich darauf vor, die New Yorker Polizei als die Amateure zu entlarven, die Cops im allgemeinen sind. Sie brauchen das Bett nicht aufzudecken und können Ihre Schokoladentäfelchen mit Pfefferminz behalten. Jetzt ist es zu spät für einen Versuch, mich umzustimmen. Andererseits ...

»Hey! Sie können mir ein paar Schokotäfelchen bringen, ich mag die kleinen Pfefferminzdinger. Ich brauche was Süßes zum Naschen.«

Gary Soneji setzte sich am Kopfende des Bettes auf und lächelte, als das Zimmermädchen die Tür aufschloß und hereinkam. Er dachte kurz daran, die Señorita aufs Kreuz zu legen, es mit ihr zu treiben, doch dann entschied er, daß das keine besonders gute Idee sei. Er wollte einfach nur eine Nacht im Plaza verbringen. Darauf hatte er sich seit Jahren gefreut, und dafür lohnte sich das Risiko.

Am besten gefiel ihm die Tatsache, die alles so vollkommen machte: daß niemand eine Ahnung hatte, worauf die ganze Geschichte hinauslief.

Niemand konnte das Ende erraten.

Weder Alex Cross noch sonst irgend jemand.

27.

Ich gelobte, nicht noch einmal zuzulassen, daß Soneji mich fix und fertig machte. Ich wollte auf keinen Fall, daß Soneji erneut von meiner Seele Besitz ergriff.

Es gelang mir, rechtzeitig zu einem späten Abendessen mit Nana und den Kindern aus New York nach Hause zu kommen. Damon, Jannie und ich räumten im Erdgeschoß auf, und dann deckten wir den Tisch im Eßzimmer. Im Hintergrund spielte Keith Jarrett. So war es gut, und so hätte es immer sein sollen. Ich verstand die Botschaft.

»Ich bin wirklich beeindruckt, Daddy«, bemerkte Jannie, während wir um den Tisch herumgingen, das »gute« Silberbesteck bereitlegten und Gläser und Teller auf den Tisch stellten, die ich vor Jahren mit meiner Frau Maria ausgesucht hatte. »Du bist den ganzen Weg bis nach New York gefahren und wieder zurückgekommen. Du bist zum Abendessen hier. Das ist sehr schön, Daddy.«

Sie strahlte, kicherte und tätschelte meinen Arm, ohne dabei mit der Arbeit innezuhalten. Heute abend war ich ein guter Vater, und Jannie wußte es zu würdigen. Sie nahm mir die Rolle ganz und gar ab.

Ich verbeugte mich förmlich.

»Danke, liebe Tochter. Was meinst du, wie weit war deiner Meinung nach meine Reise nach New York?«

»In Kilometern oder in Meilen?« mischte sich Damon von der anderen Seite des Tisches aus ein, wo er Servietten zu Fächern faltete, wie das normalerweise nur in Nobelrestaurants üblich ist. Damon kann einem ganz schön die Schau stehlen.

»Ich bin mit jedem Maß zufrieden«, sagte ich zu ihm.

»Schätzungsweise zweihundertachtundvierzig Meilen einfach«, antwortete Jannie. »Stimmt's?«

Ich zog eine Grimasse, riß die Augen auf, so weit ich konnte, und verdrehte sie. Auch ich kann anderen ganz gut die Schau stehlen.

»Jetzt bin ich beeindruckt. Sehr gut, Jannie.«

Sie verbeugte sich leicht und deutete mit einem spöttischen Lächeln einen Knicks an.

»Ich habe Nana heute morgen gefragt, wie weit es ist«, gestand sie. »Schlimm?«

»Das ist cool«, äußerte Damon seine Meinung über den Moralkodex seiner Schwester. »Das nennt man Recherche, du Klette.«

»Ja, das ist cool, Baby«, sagte ich, und wir alle lachten über ihre Cleverness.

»Hin und zurück sind es vierhundertsechsundneunzig Meilen«, sagte Damon.

»Ihr beide seid superschlau!« rief ich laut wie ein Marktschreier. »Ihr seid beide Schlaumeier und Intelligenzbestien erster Güte!«

»Was ist denn hier los? Verpasse ich was?« rief Nana schließlich aus der Küche, aus der die Wohlgerüche ihrer Kochkunst strömten. Sie versäumt nicht gern etwas, niemals. Soweit ich weiß, ist ihr noch so gut wie nie etwas entgangen.

»Ein Collegematch«, rief ich ihr zu.

»Du wirst dein letztes Hemd verlieren, wenn du gegen diese beiden kleinen Gelehrten spielst«, warnte sie mich. »Ihr Wissenshunger kennt keine Grenzen. Ihre Kenntnisse werden schon bald enzyklopädisch sein.«

»En-zy-klo-pä-disch!« skandierte Jannie grinsend.

»Cakewalk!« befahl sie dann und ging in den lebhaften alten Tanz über, der zu Zeiten der Plantagenwirtschaft entstanden ist. Ich hatte ihn ihr eines Tages am Klavier beigebracht. Im Grunde ist die Cakewalkmusik ein Vorläufer des modernen Jazz, in ihr verschmelzen Polyrhythmen aus Westafrika mit klassischen Melodien und Märschen aus Europa. Früher gewann derjenige, der den Tanz an einem bestimmten Abend am besten vorführte, einen Kuchen, deshalb heißt der Tanz Cakewalk.

Das alles wußte Jannie, und außerdem verstand sie sich darauf, den Tanz mit ein paar modernen Schlenkern stilvoll vorzuführen. Sie beherrscht auch James Browns berühmten Elephant Walk und Michael Jacksons Moonwalk.

Nach dem Essen spülten wir das Geschirr, und dann war die zweimal pro Woche angesagte Boxstunde im Keller an der Reihe. Damon und Jannie sind nicht nur klug, sie sind auch zähe kleine Wiesel. Niemand in der Schule legt sich mit den beiden an. »Verstand und ein harter linker Haken!« gibt Jannie manchmal mir gegenüber an. »So eine Mischung ist schwer zu schlagen.«

Nach den üblichen Mittwochabendkämpfen kehrten wir schließlich ins Wohnzimmer zurück. Die Katze Rosie lag zusammengerollt auf Jannies Schoß. Wir sahen gerade ein Baseballspiel der Orioles im Fernsehen an, als sich Soneji wieder in meine Gedanken schlich.

Von allen Mördern, gegen die ich je hatte antreten müssen, war er der furchterregendste. Soneji war beharrlich, besessen, aber er war außerdem total durchgeknallt, und das ist der korrekte medizinische Fachausdruck, den ich vor vielen Jahren an der John Hopkins University gelernt hatte. Er hatte von seinem Zorn gespeiste extreme Phantasien, und leider setzte er sie in die Tat um.

Vor Monaten hatte Soneji mich angerufen, um mir zu sagen, er habe als kleines Geschenk die Katze zu unserem Haus gebracht. Er wußte, daß wir die kleine Rosie aufgenommen und sehr lieb hatten. Er sagte, daß ich jedesmal, wenn ich die Katze sähe, denken solle: *Gary ist im Haus! Gary ist ganz in der Nähe!*

Ich hatte mir zusammengereimt, daß Gary die streunende Katze vor unserem Haus gesehen und einfach eine widerwärtige Geschichte erfunden hatte. Gary log liebend gern, vor allem, wenn seine Lügen jemandem weh taten. Weil Gary nun aber wieder aus dem Ruder lief, kam mir an jenem Abend ein schlimmer Gedanke, als ich Rosie betrachtete. Er jagte mir eine Höllenangst ein.

Gary ist im Haus! Gary ist ganz in der Nähe!

Fast hätte ich die Katze hinausgeworfen, aber das kam nicht in Frage; deshalb wartete ich bis zum Morgen, um mit Rosie zu tun, was geschehen mußte. Dieser gottverfluchte Soneji. Was zum Teufel wollte er von mir? Und was wollte er von meiner Familie? Was konnte er mit Rosie gemacht haben, bevor er sie vor unserem Haus ausgesetzt hatte?

28.

Ich kam mir wie ein Verräter an meinen Kindern und auch an der armen kleinen Rosie vor und fühlte mich wie ein Verbrecher, als ich am nächsten Morgen die achtundfünfzig Kilometer nach Quantico fuhr. Ich mißbrauchte das Vertrauen der Kinder und tat möglicherweise etwas Schreckliches, aber ich hatte keine andere Wahl.

Zu Beginn der Fahrt hatte ich Rosie in einen ekelhaften Metallgitterkasten zum Transport von Haustieren gesperrt. Das arme Vieh schrie, miaute und kratzte mich und die Käfigwände so heftig, daß ich es schließlich herauslassen mußte.

»Sei jetzt brav«, verwarnte ich Rosie milde. Doch dann sagte ich: »Ach, mach ruhig Theater, wenn du willst.«

Rosie flößte mir weiterhin ein wahnsinnig schlechtes Gewissen ein und brachte mich dazu, daß mir elend zumute war. Offensichtlich hatte sie diese Lektion bestens von Damon und Jannie gelernt. Dabei wußte sie nicht einmal, *wie* wütend sie eigentlich auf mich hätte sein müssen. Vielleicht aber doch. Katzen sind intuitiv.

Ich hatte Angst davor, daß die schöne rotbraune Abessinierin eingeschläfert werden mußte, möglicherweise noch gleich heute morgen. Ich wußte nicht, wie ich das den Kindern erklären sollte.

»Zerkratz nicht den Sitz! Und wag's ja nicht, mir auf den Kopf zu springen!« warnte ich Rosie, aber mit freundlicher, versöhnlicher Stimme.

Sie miaute nur noch ein paarmal, und die Fahrt zum FBI in Quantico verlief mehr oder weniger angenehm. Ich hatte schon mit Chet Elliott vom Labor gesprochen, der auf Rosie und mich wartete. Ich trug die Katze auf einem Arm hinein und ließ den Käfig am anderen baumeln. Jetzt würde es erst richtig schwierig werden. Rosie machte alles nur noch schlimmer, als sie sich auf die Hinterbeine stellte und sich an mein Gesicht schmiegte. Ich schaute in ihre schönen grünen Augen und konnte es kaum ertragen.

Chet trug Schutzkleidung: einen weißen Laborkittel, weiße Gummihandschuhe, sogar eine goldfarbene Schutzbrille. Er sah aus wie der König der perversen

Tierschänder höchstpersönlich. Er blickte erst Rosie an, dann mich und sagte: »Was für eine unheimliche Geschichte.«

»Was passiert jetzt?« fragte ich Chet.

Mein Herz war mir in die Hosen gerutscht, als ich ihn in der Schutzkleidung sah. Er nahm die Sache offensichtlich ernst.

»Du gehst rüber zur Verwaltung«, sagte er. »Kyle Craig will dich sprechen. Er sagt, es sei wichtig. Natürlich ist für Kyle alles höllisch wichtig und hat nie auch nur eine Sekunde Zeit. Ich weiß, daß er wegen Mr. Smith durchdreht, und das geht uns allen so. Smith ist das verrückteste Arschloch, mit dem wir es je zu tun hatten, Alex.«

»Was geschieht mit Rosie?« fragte ich.

»Erst einmal wird sie geröntgt. Hoffen wir, daß die kleine Rote keine wandelnde Bombe ist mit Liebesgrüßen von unserem Freund Soneji. Falls das nicht zutrifft, machen wir toxikologisch weiter und untersuchen sie auf Drogen oder Gift im Gewebe und in den Körperflüssigkeiten. Und du räumst bitte das Feld und gehst Onkel Kyle besuchen. Die kleine Rote und ich werden bestens miteinander auskommen. Ich bemühe mich, ihr nichts zu tun, Alex, in meiner Familie sind alle Katzenliebhaber. Ich bin ein Katzennarr, merkst du das nicht? Ich verstehe was von diesen Viechern.«

Er nickte mir aufmunternd zu und zog sich dann die Schutzbrille ins Gesicht. Rosie rieb sich an ihm, und daraus schloß ich, daß sie ihn mochte und ihm vertraute. Jedenfalls bis jetzt.

Der Gedanke daran, was später kam, hätte mir fast die Tränen in die Augen getrieben.

29.

Ich ging zu Kyle, um zu erfahren, was er auf dem Herzen hatte, obwohl ich glaubte, es schon zu wissen. Mir graute vor der Konfrontation, dem Willenskampf, in den wir beide manchmal geraten. Kyle wollte über den Fall Mr. Smith sprechen. Smith war ein gewalttätiger Mörder, der in Amerika und Europa über ein Dutzend Menschen umgebracht hatte. Kyle sagte, es sei der häßlichste, schaurigste Serienmord, den er je erlebt habe, und Kyle ist keineswegs für Übertreibungen bekannt.

Sein Büro lag im obersten Stock des Akademiegebäudes, aber momentan arbeitete er in einem Krisenstabsraum im Keller der Verwaltung. Nach dem, was er mir erzählt hatte, kampierte Kyle mehr oder weniger vor dem Raum mit der riesigen Anschlagtafel, mit hochmodernen Computern, Telefonen und jeder Menge FBI-Personal, von denen am Morgen meines Besuchs niemand besonders glücklich aussah.

Auf der Tafel stand in leuchtendroten Buchstaben:

MR. SMITH: 19 – DIE GUTEN: 0

»Sieht ganz danach aus, als wärst du wieder mal auf dem Weg zu Ruhm und Ehre. Es kann ja eigentlich nur noch aufwärtsgehen«, sagte ich. Kyle saß an einem großen Nußbaumschreibtisch und musterte gedankenverloren die Anschlagtafel, jedenfalls wirkte es so.

Ich wußte schon etliches über den Fall – mehr, als mir lieb war. »Smith« hatte mit seiner Serie grausiger Morde in Cambridge, Massachusetts, angefangen. Anschließend war er nach Europa gegangen, wo er im Augenblick eine bestürzende Blutspur hinterließ.

Smiths Taten waren so seltsam, pervers und zusammenhanglos, daß in den Medien ernsthaft erörtert wurde, er könne ein Außerirdischer sein, ein Besucher aus dem Weltraum. Wie auch immer, Smiths Verhalten war eindeutig unmenschlich. Man sollte meinen, kein menschliches Wesen hätte diese Scheußlichkeiten begehen können. Das war die Arbeitstheorie.

»Ich hab' schon gedacht, du kommst nie mehr«, sagte Kyle, als er mich sah.

Ich hob verteidigend die Hände.

»Ich kann's nicht ändern. Es ging einfach nicht, Kyle. Erstens bin ich schon überlastet mit Soneji. Zweitens verliere ich wegen meiner Arbeitsgewohnheiten irgendwann meine Familie.«

Kyle nickte.

»Schon in Ordnung. Ich hab's gehört, und ich sehe auch die großen Zusammenhänge. In einem gewissen Maß verstehe ich das alles und habe auch Mitgefühl mit dir. Aber wenn du schon mal hier bist und ein bißchen Zeit zur Verfügung hast, muß ich mit dir über Mr. Smith sprechen. Glaub mir, Alex, so etwas hast du noch nie erlebt. Du müßtest eigentlich ein bißchen neugierig sein.«

»Bin ich nicht. Ehrlich gesagt, ich muß gleich wieder gehen und durch die Tür verschwinden, durch die ich hereingekommen bin.«

»Wir haben ein unglaublich scheußliches Problem am Hals, Alex. Laß mich einfach reden und hör zu. Hör nur zu!« bettelte Kyle.

Ich gab nach, aber nicht in allen Bereichen.

»Also gut, ich höre zu. Das ist aber auch alles. Ich lasse mich nicht in den Fall hineinziehen.«

Kyle verbeugte sich knapp und förmlich in meine Richtung. »Hör nur zu«, sagte Kyle. »Hör sehr aufmerksam zu, Alex. Es wird dir den Verstand rauben, das garantiere ich. Mich hat es bereits um den Verstand gebracht.«

Dann erzählte Kyle mir von einem Agenten namens Thomas Pierce, der auf den Fall Mr. Smith angesetzt war. Das war deshalb besonders interessant, weil Smith vor mehreren Jahren Pierces Verlobte auf brutale Weise ermordet hatte.

»Thomas Pierce ist einer der gründlichsten Ermittler und intelligentesten Menschen, denen ich je begegnet bin«, erzählte Kyle. »Anfangs wollten wir ihn aus verständlichen Gründen nicht an den Fall Smith heranlassen. Er hat jedoch eigenmächtig daran gearbeitet und Fortschritte gemacht, wo wir keine verzeichnen konnten. Schließlich hat er uns deutlich zu verstehen gegeben, daß er das FBI verläßt, wenn er den Fall Smith nicht bearbeiten darf. Er hat sogar damit gedroht, daß er dann versuchen will, den Fall allein aufzuklären.«

»Du hast ihn tatsächlich auf den Fall angesetzt?« fragte ich Kyle.

»Er ist ein Überredungskünstler. Er hat die Sache dem Direktor vorgetragen, und Burns hat angebissen. Pierce geht logisch vor und ist kreativ. Er kann ein Problem analysieren, wie ich es noch bei niemandem erlebt habe. Er ist fanatisch, wenn es um Mr. Smith geht, und arbeitet achtzehn bis vierundzwanzig Stunden am Tag.«

»Aber anscheinend kann nicht mal Pierce den Fall knacken«, sagte ich und zeigte auf die Tafel.

Kyle nickte.

»Jetzt kommen wir zum entscheidenden Punkt, Alex. Ich brauche dringend dein Fachwissen, und ich möchte, daß du Thomas Pierce kennenlernst. Du *mußt* Pierce kennenlernen.«

»Ich habe gesagt, ich hör' dir zu«, sagte ich zu Kyle. »Aber ich muß niemanden kennenlernen.«

Fast vier Stunden später ließ Kyle mich schließlich aus den Klauen. Er hatte mir tatsächlich den Verstand geraubt – mit Mr. Smith *und* mit Thomas Pierce –, aber ich hatte immer noch nicht vor, mich in die Sache hineinziehen zu lassen. Es ging einfach nicht.

Dann machte ich mich auf den Weg zurück ins Labor, um nach Rosie zu sehen. Chet Elliott hatte sofort Zeit, mit mir zu sprechen. Er trug immer noch den Laborkittel, die Handschuhe und die goldfarbene Schutzbrille. Die langsamen Schritte, mit denen er auf mich zukam, verhießen schlechte Nachrichten. Ich wollte sie nicht hören.

Doch er überraschte mich und lächelte.

»Wir können an der Katze nichts Schlimmes feststellen, Alex. Ich glaube nicht, daß Soneji irgend etwas mit ihr gemacht hat, er hat dich bloß auf den Arm genommen. Das Röntgen war ergebnislos. Wir haben sie auf flüchtige Substanzen untersucht – nada. Dann auf nicht flüchtige organische Substanzen, die untypisch für sie wären – ebenfalls negativ. Die Serologen haben ihr Blut abgenommen, das sie untersuchen. Du solltest die kleine Rote noch ein paar Tage bei uns lassen, aber ich bezweifle, daß wir etwas finden. Du kannst sie hierlassen, wenn du willst. Sie ist wirklich eine tolle Katze.«

»Ich weiß.«

Ich nickte und stieß einen Seufzer der Erleichterung aus.

»Darf ich zu ihr?« fragte ich Chet.

»Sicher. Sie verlangt schon den ganzen Morgen nach dir. Ich weiß nicht, warum, aber sie scheint dich tatsächlich zu mögen.«

»Sie weiß, daß ich ein toller Kater bin.«

Ich lächelte. Chet brachte mich nach hinten zu Rosie. Sie war in einen kleinen Käfig gesperrt worden und war stocksauer. Ich hatte sie schließlich hierhergebracht. Ich hatte sie diesen Labortests ausgesetzt.

»Es ist nicht meine Schuld«, erklärte ich ihr mit einschmeichelnder Stimme. »Nimm's diesem Irren Gary Soneji übel, nicht mir. Schau mich nicht so an.«

Sie ließ schließlich zu, daß ich sie auf den Arm nahm, und schmiegte sich sogar an meine Wange.

»Du warst ein sehr tapferes, braves Mädchen«, flüsterte ich. »Ich bin dir etwas schuldig, und ich bezahle meine Schulden immer.«

Sie schnurrte und leckte mir mit ihrer Schmirgelpapierzunge die Wange. *Sweet lady, Rosie O'Grady.*

30.

London

Mr. Smith war mit seinem lumpigen schmutzigen Anorak bekleidet wie irgendein Stadtstreicher. Der Mörder ging schnell die Lower Regent Street Richtung Piccadilly Circus entlang.

Es geht in den Zirkus, Junge! dachte er mit einem Zynismus, der ebenso wenig wohltuend war wie die Londoner Luft.

In der Menge, die am Spätnachmittag durch die Straßen eilte, schien er niemandem aufzufallen. In den großen, »kultivierten« Hauptstädten schenkte man den Armen nicht viel Beachtung. Mr. Smith war das bewußt, und er machte es sich zunutze.

Er ging mit seinem Matchsack zügig weiter, bis er schließlich zum Piccadilly Circus kam, wo die Menschenmenge noch dichter war.

Sein aufmerksamer Blick glitt über den üblichen Verkehrsstau, mit dem an einer Kreuzung von fünf großen Straßen zu rechnen war. Er sah außerdem Tower Records, McDonald's, das Trocadero, viel zu viele Neonreklamen. Überall auf der Straße und den Bürgersteigen wimmelte es von Rucksacktouristen und Amateurfotografen.

Und ein außerirdisches Geschöpf war hier, er selbst! Ein Wesen, das in keiner Weise zu den anderen paßte.

Mr. Smith kam sich plötzlich sehr einsam vor, unglaublich allein inmitten dieser vielen Menschen in der Londoner Innenstadt. Er stellte den großen, schweren Matchsack direkt unter die berühmte Statue am Circus: *Eros*. Noch immer achtete niemand auf ihn. Smith ließ den Matchsack dort stehen, ging den Piccadilly entlang und dann zum Haymarket. Als er ein paar Straßenkreuzungen entfernt war, informierte er die Polizei, wie er es immer tat. Die Nachricht war einfach, klar, pointiert. Ihre Zeit war abgelaufen.

»Inspector Drew Cabot ist am Piccadilly Circus. Er steckt in einem grauen Matchsack. Zumindest das, was von ihm übrig ist. Ihr habt's vermasselt. Wohlsein.«

31.

Sondra Greenberg von Interpol entdeckte Thomas Pierce sofort, als sie auf den Leichenfundort in der Mitte des Piccadilly Circus zuging. Pierce ragte aus der Menge heraus, selbst aus einer derartigen Menschenansammlung. Er war groß; sein langes blondes Haar war zu einem Pferdeschwanz zurückgebunden, und er trug meistens eine Sonnenbrille. Er sah nicht wie ein typischer FBI-Agent aus und ließ sich im Grunde auch mit keinem Agenten vergleichen, mit dem Greenberg je zusammengearbeitet hatte.

»Was soll die ganze Aufregung?« fragte er, als sie näher kam. »Mr. Smith und sein wöchentlicher Mord. Nichts Ungewöhnliches.« Sein üblicher Sarkasmus war zur Stelle.

Sondra ließ ihren Blick über die dichtgedrängte Menge am Fundort schweifen und schüttelte den Kopf. Überall standen bereits Pressereporter und Fernsehübertragungswagen.

»Was machen die hiesigen Genies? Die Polizei?« fragte Pierce.

»Sie fragen herum. Smith war eindeutig hier.«

»Die Bobbies wollen herauskriegen, ob jemand ein kleines grünes Männchen gesehen hat? Dem auch noch Blut von den kleinen grünen Zähnen tropfte?«

»Genau, Thomas. Möchten Sie einen Blick drauf werfen?«

Pierce lächelte. Es war wirklich bezaubernd. Eindeutig nicht der normale Stil des amerikanischen FBI.

»Sie haben das gesagt wie: Möchten Sie eine Tasse Tee? Möchten Sie einen Blick drauf werfen?«

Greenberg schüttelte den dunklen Lockenkopf. Sie war fast so groß wie Pierce und auf herbe Weise schön. Sie bemühte sich immer, nett zu Pierce zu sein. Das war, ehrlich gesagt, auch nicht schwer.

»Ich stumpfe wohl allmählich ab«, sagte sie. »Ich frage mich, warum.«

Sie gingen auf den Fundort zu, der unmittelbar unter der hoch aufragenden Erosstatue aus poliertem Aluminium lag. Eros, eines der beliebtesten Londoner Wahrzeichen, war außerdem das Symbol der Zeitung *Evening Standard*. Obwohl die Leute glaubten, die Statue stelle den Liebesgott dar, war sie ursprünglich als Symbol der christlichen Nächstenliebe in Auftrag gegeben worden.

Thomas Pierce zeigte seinen Ausweis und trat an den »Leichensack«, in dem Mr. Smith die Überreste von Chief Inspector Cabot transportiert hatte.

»Es ist, als spielte er einen Schauerroman nach«, sagte Sondra Greenberg. Sie kniete neben Pierce. Sie vermittelten den Eindruck, sie wären ein Team, fast sogar ein Paar.

»Smith hat Sie auch hierhergerufen nach London? Hat er Ihnen ebenfalls eine Nachricht auf dem Anrufbeantworter hinterlassen?« fragte Pierce sie.

Greenberg nickte.

»Was halten Sie von der Leiche und diesem jüngsten Mord? Smith hat die Körperteile besonders sorgfältig und säuberlich eingepackt. Wie man es täte, wenn man soviel wie möglich in einem Koffer unterbringen wollte.«

Thomas Pierce runzelte die Stirn.

»Dieser irre, gottverdammte Schlächter.«

»Warum Piccadilly? Ein Verkehrsknotenpunkt von London. Warum unter dem Eros?«

»Er hinterläßt Hinweise für uns, deutliche Hinweise.

Wir verstehen sie bloß nicht«, sagte Thomas Pierce und schüttelte unwillig den Kopf.

»Wie recht Sie haben, Thomas. Und zwar, weil wir die Sprache der Marsmenschen nicht beherrschen.«

32.

Das Morden nahm kein Ende.

Sampson und ich fuhren am folgenden Morgen nach Wilmington, Delaware. Wir hatten dieser Stadt, die durch die Du Ponts berühmt geworden war, während unserer ersten Jagd auf Gary Soneji vor Jahren einen Besuch abgestattet. Während der gesamten zweistündigen Fahrt hielt ich das Gaspedal des Porsche durchgedrückt.

Ich hatte an diesem Morgen schon eine gute Neuigkeit erfahren, wir hatten eines der quälenden Rätsel in dem Fall gelöst. Ich hatte bei der Blutbank des Krankenhauses St. Anthony nachgefragt, und tatsächlich fehlte aus unserem Familienvorrat ein halber Liter meines Blutes. Jemand hatte sich die Mühe gemacht, einzubrechen und mein Blut zu stehlen. Gary Soneji? Wer sonst? Er zeigte mir weiterhin, daß nichts in meinem Leben sicher war.

»Soneji« war eigentlich ein Pseudonym, das Gary sich als einen Teil seines Plans, in Washington zwei Kinder zu entführen, zugelegt hatte. Der seltsame Name war in den Zeitungsartikeln aufgegriffen worden und war derjenige, den das FBI und die Medien jetzt benutzten. Sein echter Name lautete Gary Murphy. Er hatte mit seiner Frau Meredith, genannt Missy, in Wilmington gelebt, und sie hatten eine Tochter, Roni.

Soneji war der Name, den sich Gary als Junge angeeignet hatte, als er im Keller eingesperrt von seinen Verbrechen träumte. Er behauptete, er sei von einem Nachbarn in Princeton, von einem Grundschullehrer namens Martin Soneji, sexuell mißbraucht worden. Ich hege allerdings den Verdacht, daß es schwerwiegende Probleme mit einem Verwandten gab, möglicherweise seinem Großvater väterlicherseits.

Wir kamen kurz nach zehn Uhr morgens vor dem Haus in der Central Avenue an. Die hübsche Straße war menschenleer bis auf einen kleinen Jungen mit Rollerblades, die er auf dem Rasen vor seinem Elternhaus ausprobierte. Eigentlich hätte die Ortspolizei hier eine Überwachung durchführen müssen, aber aus unerfindlichen Gründen tat sie es nicht. Jedenfalls konnte ich keinerlei Anzeichen entdecken, die dafür sprachen.

»Mann, diese perfekte kleine Straße macht mich ganz fertig«, sagte Sampson. »Ich halte immer noch Ausschau nach Jimmy Stewart, der aus einem dieser Häuser herauskommen könnte.«

»Hauptsache, es ist nicht Soneji«, murmelte ich.

Bei den entlang der Central Avenue geparkten Autos handelte es sich fast nur um amerikanische Marken, was heutzutage gemütlich wirkt: Chevys, Olds, Fords, ein paar Dodge-Ram-Lieferwagen.

Meredith Murphy war an diesem Morgen nicht ans Telefon gegangen, was mich nicht überrascht hatte.

»Ich habe Mitleid mit Mrs. Murphy und vor allem mit dem kleinen Mädchen«, sagte ich zu Sampson, als wir vor dem Haus hielten. »Missy hatte doch keine Ahnung, wer Gary tatsächlich war.«

Sampson nickte.

»Ich kann mich noch erinnern, wie nett sie zusammen wirkten. Vielleicht zu nett. Gary hat sie reingelegt, Gary, der die ganze Welt an der Nase herumführt.«

Im Haus brannte Licht. In der Einfahrt parkte ein weißer Chevy Lumina. Die Straße war so ruhig und friedlich, wie ich sie von unserem letzten Besuch in Erinnerung hatte, wobei der Frieden damals nicht lange anhielt.

Wir stiegen aus dem Porschc und gingen auf die Haustür zu. Ich faßte im Gehen nach dem Kolben meiner Glock. Wider Willen kam mir der Gedanke, daß Soneji möglicherweise auf uns wartete, Sampson und mich in eine Falle locken wollte.

Die Gegend, sogar die ganze Stadt erinnerte mich an die fünfziger Jahre. Das Haus war gepflegt und sah aus, als sei es vor kurzem neu gestrichen worden. Das hatte zu Garys sorgfältig aufgebauter Fassade gehört. Es war ein perfektes Versteck: ein hübsches Haus in der Central Avenue, mit einem weißen Jägerzaun und einem Steinfliesenweg über den Rasen.

»Was ist deiner Meinung nach mit Soneji los?« fragte Sampson, als wir zur Haustür kamen. »Er hat sich irgendwie verändert, meinst du nicht auch? Er plant nicht mehr so gründlich, wie ich es in Erinnerung habe. Er ist impulsiver.«

Es schien so zu sein.

»Aber nicht alles hat sich geändert. Er spielt immer noch Rollen, schauspielert. Allerdings wütet er, wie ich es noch nie bei ihm erlebt habe. Es scheint ihm gleichgültig zu sein, ob er gefaßt wird. Und doch ist alles, was er tut, geplant. Er entkommt.«

»Und warum, Dr. Freud?«

»Wir sind hier, um das herauszufinden. Und deshalb

fahren wir morgen auch zum Gefängnis in Lorton. Es tut sich etwas Unheimliches, sogar für Gary Sonejis Verhältnisse.«

Ich klingelte an der Haustür. Sampson und ich warteten auf der Veranda auf Missy Murphy. Wir paßten nicht in diese amerikanische Kleinstadtgegend, aber das war nichts Ungewöhnliches. Wir paßten auch nicht so recht in unsere Gegend in D.C. An diesem Morgen trugen wir beide dunkle Kleidung und Sonnenbrillen und sahen aus wie Musiker einer Bluesband.

»Hmm, niemand da?« murmelte ich.

»Drinnen brennt aber Licht«, sagte Sampson. »Jemand muß dasein. Vielleicht wollen die bloß nicht mit Männern in Schwarz sprechen.«

»Mrs. Murphy«, rief ich laut, für den Fall, daß jemand im Haus war, aber nicht öffnete. »Mrs. Murphy, machen Sie auf. Hier ist Alex Cross aus Washington. Wir gehen nicht, ohne mit Ihnen gesprochen zu haben.«

»Im Motel Bates ist niemand zu Hause«, knurrte Sampson.

Er ging um das Haus herum, und ich folgte dicht hinter ihm. Der Rasen war vor kurzem gemäht worden, und die Hecken wirkten frisch gestutzt. Alles sah ordentlich, sauber und harmlos aus. Ich ging zur Hintertür, zur Küche, wenn ich mich richtig erinnerte. Ich fragte mich, wer sich im Haus wohl versteckte. Bei Soneji war alles möglich – je schräger und unwahrscheinlicher, desto besser für sein Ego.

Einzelheiten meines letzten Besuchs blitzten wieder auf. Böse Erinnerungen. Es war Ronis Geburtstagsparty gewesen. Sie wurde sieben. Damals war Gary Soneji im Haus gewesen, aber ihm war die Flucht gelungen. Er war ein wahrer Houdini, ein sehr schlauer, grauenerregender Fiesling. Soneji konnte auch diesmal dort drin sein. Warum hatte ich bloß das beunruhigende Gefühl, in eine Falle zu gehen?

Ich wartete auf der hinteren Veranda, war mir nicht sicher, was ich als nächstes tun sollte. Ich klingelte. Etwas an der Geschichte paßte eindeutig nicht, *nichts* paßte bei diesem Fall. Soneji hier in Wilmington? Warum war er hier? Und warum brachte er Menschen in der Union Station und in der Penn Station um?

»Alex!« rief Sampson. »Alex! Hierher! Komm schnell, Alex, sofort!«

Ich rannte durch den Garten, das Herz schlug mir bis zum Hals. Sampson war auf alle viere gegangen. Er duckte sich vor einer Hundehütte, die weiß gestrichen und mit Schindeln gedeckt war, damit sie genau wie das Wohnhaus aussah. Was zum Teufel befand sich in dieser Hundehütte?

Als ich näher kam, konnte ich eine dicke schwarze Wolke aus Fliegen sehen.

Dann hörte ich das Summen.

33.

Oh, verflucht noch mal, Alex, schau dir an, was dieser Irre getan hat! Schau dir an, was er mit ihr gemacht hat!«

Ich wollte den Blick abwenden, mußte aber hinschauen. Ich ging neben Sampson in die Hocke. Wir wedelten beide die Bremsen und andere unangenehme Insektenschwärme weg. Überall waren weiße Larven –

auf der Hundehütte, auf dem Rasen. Ich hielt mir ein Taschentuch vor Mund und Nase, aber das reichte nicht aus, den ekelhaften Gestank zu ersticken. Mir tränten die Augen.

»Was zum Teufel ist bloß los mit ihm?« fragte Sampson. »Wo kriegt er nur diese schwachsinnigen Ideen her?«

In der Hundehütte lehnte der Kadaver eines Golden Retriever, vielmehr das, was noch von ihm übrig war. Die Holzwände waren überall mit Blut bespritzt. Dem Hund war der Kopf abgeschlagen worden. Am Hundehals war der Kopf von Meredith Murphy befestigt, perfekt abgestützt, auch wenn er in den Proportionen zu groß für den Körper des Retriever war. Die Wirkung war mehr als grotesk. Meredith Murphys offene Augen starrten mich an.

Ich war ihr nur einmal begegnet, und das war fast vier Jahre her. Ich fragte mich, was sie getan haben mochte, daß Soneji so in Wut geraten war. Er hatte während unserer Sitzungen nie viel über seine Frau gesprochen, hatte sie jedoch verachtet. Ich erinnerte mich an seine Namen für sie: »Null«, »hirnlose Hausfrau«, »blonde Kuh«.

»Was zum Teufel geht im Kopf von diesem widerlichen, erbärmlichen Scheißkerl vor? Verstehst du das?« murmelte Sampson durch das Taschentuch vor seinem Mund.

Ich glaubte mich mit psychotischen Wutphasen auszukennen, und ich hatte etliche solcher Phasen bei Soneji erlebt, aber auf die letzten Tage war ich durch nichts vorbereitet gewesen. Die augenblicklichen Morde waren extrem und blutig. Zudem häuften sie sich, geschahen viel zu regelmäßig.

Ich hatte den bösen Verdacht, daß Soneji seine Wut nicht mehr abschalten konnte, auch nicht nach einem neuen Mord. Keiner der Morde befriedigte mehr seine Bedürfnisse.

»O Gott!« Ich rappelte mich auf. »John, sein kleines Mädchen«, sagte ich. »Seine Tochter Roni. Was hat er mit ihr gemacht?«

Wir durchsuchten das baumbestandene Grundstück, zu dem an der Nordostseite des Hauses auch eine Gruppe krummer, windgebeugter Nadelbäume gehörte. Keine Roni. Keine weiteren Leichen, keine grob verstümmelten Körperteile, keine neuen grausigen Überraschungen. Wir suchten in der Doppelgarage nach dem Mädchen. Dann in dem engen, muffigen Verschlag unter der hinteren Veranda. Wir sahen in den drei Mülltonnen nach, die ordentlich aufgereiht neben der Garage standen. Nirgends fanden wir sie. Wo war Roni Murphy? Hatte er sie mitgenommen? Hatte Soneji seine Tochter entführt?

Ich ging zum Haus zurück, Sampson folgte mir. Ich schlug die Glasscheibe der Küchentür ein, schloß auf und stürmte ins Haus. Ich befürchtete das Schlimmste. Gab es womöglich wieder ein ermordetes Kind?

»Immer mit der Ruhe, Mann. Laß es langsam angehen hier drin«, flüsterte Sampson hinter mir.

Er wußte, wie es in mir aussah, wenn Kinder betroffen waren. Er witterte außerdem, daß das Ganze eine Falle sein könnte, die Soneji uns gestellt hatte. Es war ein perfekter Ort dafür.

»Roni!« rief ich. »Roni, bist du hier? Roni, kannst du mich hören?«

Ich erinnerte mich vom letzten Mal, als ich in diesem Haus gewesen war, an ihr Gesicht. Ich hätte sie zeichnen können, wenn ich es gemußt hätte.

Gary hatte mir einmal erzählt, Roni sei das einzig Wichtige in seinem Leben, das einzig Gute, was er je getan habe. Damals hatte ich ihm geglaubt. Vermutlich projizierte ich meine eigenen Gefühle für meine Kinder auf ihn. Vielleicht hatte ich mir eingeredet, Soneji habe so etwas wie ein Gewissen, weil ich es glauben wollte.

»Roni! Hier ist die Polizei. Du kannst jetzt rauskommen, Schatz. Roni Murphy, bist du hier? Roni!«

»Roni!« stimmte Sampson ein. Seine tiefe Stimme hallte genauso laut wie meine, vielleicht sogar noch lauter.

Sampson und ich durchsuchten das Erdgeschoß, machten jede Tür und jeden Schrank auf. Wir riefen ihren Namen. Lieber Gott, hilf uns, betete ich jetzt. Jedenfalls war es eine Art Gebet. O Gary – nicht die eigene kleine Tochter! Du mußt sie nicht umbringen, um zu zeigen, wie böse und zornig du bist. Wir haben die Botschaft bekommen. Wir haben verstanden.

Ich lief nach oben, nahm dabei immer zwei knarrende Holzstufen auf einmal. Sampson war dicht hinter mir, fast wie ein Schatten. Normalerweise ist es seinem Gesicht nicht anzusehen, aber er regt sich genauso auf wie ich. Wir sind beide noch nicht abgestumpft. Ich konnte es seiner Stimme anhören, an seinem flachen Atem erkennen. »Roni! Bist du hier oben? Versteckst du dich irgendwo?« rief er.

»Roni! Hier ist die Polizei. Du bist jetzt in Sicherheit, Roni! Du kannst herauskommen.«

Jemand hatte das Elternschlafzimmer durchwühlt. Jemand war hier eingedrungen, hatte den Raum geschändet, jedes Möbelstück kaputtgeschlagen, Betten und Kommoden umgekippt.

»Erinnerst du dich an sie, John?« fragte ich, als wir in den übrigen Zimmern nachsahen.

»Ich erinnere mich ziemlich gut an sie«, sagte Sampson mit leiser Stimme. »Niedliches kleines Mädchen.«

»O nein, neiiiin ...«

Plötzlich rannte ich den Flur entlang, die Treppe hinunter. Ich raste durch die Küche, riß die Tür zwischen dem Kühlschrank und einem vierflammigen Gasherd auf. Wir stürzten beide hinunter ins Untergeschoß, in den Keller des Hauses.

Mein Herz spielte verrückt, es schlug, hämmerte und dröhnte laut in meiner Brust. Ich wollte nicht hier sein, nicht schon wieder eines von Sonejis Werken sehen, keine seiner bösen Überraschungen erleben.

Der Keller seines Hauses.

Der symbolische Ort aller Alpträume aus Garys Kindheit.

Der Keller.

Blut.

Züge.

Der Keller im Haus der Murphys war klein und ordentlich. Ich schaute mich um. Die Züge waren verschwunden! Hier unten war eine Spielzeugeisenbahn gewesen, als wir das Haus zum erstenmal betreten hatten.

Ich entdeckte jedoch keinerlei Hinweis auf das Mädchen. Nichts wirkte fehl am Platz. Wir öffneten Werkzeugschränke. Sampson riß die Waschmaschine auf, dann den Wäschetrockner. Neben dem Wasserboiler und einem Spülbecken aus Fiberglas befand sich eine ungestrichene Holztür. Keinerlei Blutspuren im Becken, keine blutgetränkten Kleidungsstücke. Führte die Tür ins Freie? War das kleine Mädchen vielleicht weggelaufen, als sein Vater ins Haus kam?

Der Schrank! Ich riß die Tür auf.

Roni Murphy war mit einem Seil gefesselt und mit alten Lumpen geknebelt. Ihre blauen Augen waren vor Angst weit aufgerissen. Aber sie lebte!

Sie zitterte heftig. Er hatte sie nicht umgebracht, aber er hatte ihre Kindheit zerstört, genau wie seine Kindheit zerstört worden war. Vor ein paar Jahren hatte er dasselbe mit einem Mädchen namens Maggie Rose getan.

»O Liebes«, flüsterte ich, als ich sie losband und ihr den Stoffknebel herausnahm, den ihr Vater ihr in den Mund gestopft hatte. »Jetzt ist alles in Ordnung. Alles ist okay, Roni. Alles wird wieder gut.«

Was ich nicht sagte, war: Dein Vater hat dich so lieb, daß er dich nicht umgebracht hat – aber er will alles vernichten und alle anderen umbringen.

»Es ist okay, alles ist in Ordnung, Baby. Alles bestens«, belog ich das arme kleine Mädchen. »Jetzt ist alles okay.«

Sicher ist es das.

34.

Vor langer, langer Zeit hatte Nana Mama mir das Klavierspielen beigebracht. Damals stand das alte Klavier wie eine ständige Einladung zum Musizieren in unserem Wohnzimmer. An einem Nachmittag nach der Schule hörte sie, wie ich versuchte, einen Boogie-Woogie zu spielen. Ich war damals elf Jahre alt, aber ich erinnere mich so gut daran, als wäre es gestern gewesen.

Nana schwebte herein wie eine milde Brise und setzte sich neben mich auf die Klavierbank, genauso, wie ich es jetzt bei Jannie und Damon mache.

»Ich glaube, mit Cool Jazz bist du deinem Alter noch ein bißchen voraus, Alex. Ich zeige dir was Schönes. Ich werde dir zeigen, womit du deine Musikerlaufbahn anfangen könntest.«

Sie brachte mich dazu, täglich die Czerny-Etüden zu üben, bis ich spielen konnte und Mozart, Beethoven, Händel und Haydn zu schätzen wußte – alles auf Nana Mamas Betreiben. Sie gab mir Klavierunterricht von meinem elften bis zum achtzehnten Lebensjahr, bis ich in Georgetown aufs College ging und danach die John Hopkins University besuchte. Inzwischen konnte ich Cool Jazz spielen, wußte, was ich spielte, wußte sogar, *warum* mir gefiel, was mir gefiel.

Als ich an diesem Abend sehr spät aus Delaware nach Hause kam, spielte Nana Mama im Wintergarten Klavier. So hatte ich sie seit vielen Jahren nicht mehr spielen hören. Sie hörte mich nicht kommen, deshalb blieb ich im Türrahmen stehen und beobachtete sie eine Weile. Sie spielte Mozart, und sie hatte noch immer ein Gefühl für die Musik, die sie liebte. Sie hatte einmal zu mir gesagt, wie traurig sie es finde, daß niemand mehr wisse, wo Mozart begraben sei.

Als sie zu Ende gespielt hatte, flüsterte ich: »Bravo! Das war einfach wunderschön.«

Nana drehte sich zu mir um.

»Törichte alte Frau«, sagte sie und wischte eine Träne weg, die ich von meinem Platz aus nicht hatte sehen können.

»Überhaupt nicht töricht«, sagte ich. Ich setzte mich zu ihr auf die Klavierbank und nahm sie in die Arme. »Alt ja, wirklich alt und griesgrämig, aber keinesfalls töricht.«

»Ich habe eben an den dritten Satz aus Mozarts Klavierkonzert Nummer einundzwanzig gedacht«, sagte sie, »und dann habe ich mich daran erinnert, wie gut ich den vor langer, langer Zeit spielen konnte.« Sie seufzte. »Also habe ich mich mal richtig schön ausgeweint. Es war ein wirklich gutes Gefühl.«

»Tut mir leid, daß ich gestört habe«, sagte ich und hielt sie weiter fest in den Armen.

»Ich liebe dich, Alex«, flüsterte meine Großmutter. »Kannst du noch ›Clair de lune‹ spielen? Spiel Debussy für mich.«

Und so spielte ich, und Nana Mama saß dicht neben mir.

35.

Am folgenden Morgen ging die Sisyphusarbeit weiter.

Als erstes faxte mir Kyle mehrere Artikel über seinen Agenten Thomas Pierce. Die Artikel stammten alle aus Städten, in denen Mr. Smith Morde begangen hatte: Atlanta, St. Louis, Seattle, San Francisco, London, Hamburg, Frankfurt, Rom. Pierce hatte im Frühling dazu beigetragen, in Fort Lauderdale einen Mörder zu fassen, der nichts mit Smith zu tun hatte.

Weitere Schlagzeilen lauteten:

FÜR THOMAS PIERCE IST DER TATORT DER KOPF

MORDEXPERTE IN ST. LOUIS

THOMAS PIERCE VERSETZT SICH IN DIE MÖRDER HINEIN

NICHT ALLE SERIENKILLER SIND INTELLIGENT – AGENT PIERCE IST ES

INTELLIGENTE MORDE, DIE GRAUSIGSTEN MORDE ÜBERHAUPT

Wenn ich es nicht besser gewußt hätte, dann hätte ich geglaubt, Kyle versuche, mich auf Pierce neidisch zu machen. Ich war nicht neidisch. Ich hatte im Augenblick gar keine Zeit dazu.

Kurz vor Mittag fuhr ich zum Gefängnis Lorton, einem der mir verhaßtesten Orte im kartographisch erfaßten Universum.

In einem Hochsicherheitsgefängnis geht alles ganz langsam. Es ist, als würde man unter Wasser festgehalten, als würde man von unsichtbaren Menschenhänden ganz langsam ertränkt. Das dauert Tage, Jahre, manchmal Jahrzehnte.

In Hochsicherheitstrakten werden Häftlinge zweiundzwanzig bis dreiundzwanzig Stunden am Tag in ihre Zellen gesperrt. Die Langeweile ist unfaßbar für jeden, der nie eine Gefängnisstrafe verbüßt hat. Sie ist unvorstellbar. Das hatte Gary Soneji zu mir gesagt. Er hatte auch die Metapher vom Ertrinken erfunden, als ich ihn vor Jahren in Lorton verhörte. Er hatte sich außerdem bei mir dafür bedankt, daß ich ihm zu der Gefängniserfahrung verholfen hatte, und gesagt, eines Tages werde er sich dafür revanchieren, falls er das irgendwann könne. Nun hatte ich immer mehr das Gefühl, diese Zeit sei gekommen, und ich mußte raten, wie die qualvolle Rache wohl aussehen mochte. Sie war unvorstellbar.

Ich konnte fast spüren, wie ich ertrank, während ich in einem kleinen Raum neben dem Büro des Aufsehers im fünften Stock von Lorton auf und ab ging.

Ich wartete auf einen Doppelmörder namens Jamal Autry. Autry behauptete, wichtige Informationen über Soneji zu haben. Er war innerhalb des Gefängnisses als »Ultratyp« bekannt. Er war ein Raubtier, ein drei Zentner schwerer Zuhälter, der in Baltimore zwei Teenagerprostituierte ermordet hatte. Der »Ultratyp« wurde in Handschellen zu mir gebracht, er wurde von zwei mit Schlagstöcken bewaffneten Wärtern in den kleinen, ordentlichen Raum geführt.

»Sie sind Alex Cross? Gottverflucht noch mal. Ist ja toll!« sagte Jamal Autry mit einem Akzent aus dem mittleren Süden.

Er grinste schief beim Sprechen. Die untere Hälfte seines Gesichts hing durch wie das Maul und die Zähne eines Hais. Er hatte seltsame, unterschiedliche Schweinsaugen, in die zu blicken schwerfiel. Er grinste weiter, als stünde seine Freilassung auf Bewährung kurz bevor oder als habe er bei der Insassenlotterie den Hauptpreis gewonnen.

Ich sagte den Wärtern, daß ich mit Autry allein sprechen wolle. Obwohl er Handschellen trug, gingen sie nur widerstrebend. Ich hatte jedoch keine Angst vor diesem Kraftpaket. Ich war kein hilfloser weiblicher Teenager, den er zusammenschlagen konnte.

»Tut mir leid, ich habe den Witz nicht mitbekommen«, sagte ich schließlich zu Autry. »Ich weiß nicht recht, warum Sie grinsen.«

»Ah, da machen Sie sich mal keine Sorgen, Mann. Sie werden den Witz schon noch kapieren. Irgendwann ...«, sagte er langsam und schleppend. »Sie werden den Witz kapieren, Dr. Cross. Verstehen Sie, es ist einer auf Ihre Kosten.«

Ich zuckte die Achseln.

»Sie wollten mich sprechen, Autry. Sie wollen, daß etwas dabei herauskommt, und das will ich auch. Ich bin nicht zu Ihrem Privatvergnügen hier oder um mir Ihre Witze anzuhören. Wenn Sie in Ihre Zelle zurückwollen, dann drehen Sie sich einfach um, aber dann schnell.«

Jamal Autry grinste weiter, aber er setzte sich auf einen der beiden Stühle, die für uns aufgestellt worden waren.

»Wir wollen beide was«, sagte er. Dann sah er mir ernst und durchdringend in die Augen. Seine Miene spiegelte jetzt ein deutliches »Link mich nicht!« wider. Sein Grinsen war verschwunden.

»Sagen Sie mir, was für einen Deal Sie mir anzubieten haben. Dann sehen wir weiter«, sagte ich. »Mehr kann ich nicht für Sie tun.«

»Soneji hat gesagt, daß Sie ein scharfer Hund sind. Schlau für 'nen Cop. Das werden wir sehen«, brummte er.

Ich ignorierte den Quatsch, der ihm so mühelos über die übergroßen Lippen ging. Ich mußte wider Willen an die beiden sechzehnjährigen Mädchen denken, die er ermordet hatte. Ich stellte mir vor, wie er auch sie angelächelt und mit diesem Blick bedacht hatte.

»Haben Sie beide sich manchmal unterhalten? War Soneji ein Freund von Ihnen?« fragte ich ihn.

Autry schüttelte den Kopf. Seine Miene blieb unverändert. Seine Schweinsaugen ließen meinen Blick nicht los.

»Nee, Mann. Er hat bloß geredet, wenn er was gebraucht hat. Soneji hat lieber in seiner Zelle gehockt und in die Ferne geglotzt, fast wie zum Mars. Soneji hat hier drin keine Freunde gehabt. Mich nicht und auch sonst niemand.«

Autry rutschte auf seinem Stuhl nach vorn. Er hatte mir etwas zu sagen, und er glaubte offensichtlich, es sein eine Menge wert. Dann senkte er die Stimme, als sei noch jemand im Raum.

Jemand wie Gary Soneji, mußte ich wider Willen denken.

36.

Sehen Sie, Soneji hat hier drin keine Freunde gehabt. Er hat niemanden gebraucht. Der Mann hatte 'nen Besucher im Oberstübchen. Wissen Sie, was ich meine? Er hat nur mit mir gesprochen, wenn er was gewollt hat.«

»Was haben Sie für Soneji getan?« fragte ich.

»Soneji hat einfache Sachen gebraucht. Zigarren, Wichsbücher, Futter für seinen Vogel im Hirn. Er hat bezahlt, damit ihm gewisse Typen vom Leib bleiben. Soneji hat immer Geld gehabt.«

Ich dachte darüber nach. Wer hatte Gary Soneji Geld gegeben, während er in Lorton war? Es konnte nicht von seiner Frau stammen, jedenfalls glaubte ich das nicht. Sein Großvater lebte noch in New Jersey. Vielleicht stammte das Geld von ihm. Er hatte nur einen Freund gehabt, über den ich Bescheid wußte, aber das war lange her, als Gary noch ein Teenager gewesen war.

Jamal Autry spielte weiterhin das Großmaul.

»Prüfen Sie's nach, Mann. Der Schutz, den Gary von mir gekauft hat, war gut – der beste. Der beste, den man hier kriegen kann.«

»Ich bin mir nicht sicher, ob ich Ihnen folgen kann«, sagte ich. »Erklären Sie's mir, Jamal. Ich will alle Einzelheiten wissen.«

»Bestimmte Leute kann man *manchmal* schützen. Das ist eigentlich schon alles. Es gab einen anderen Häftling hier, er hieß Shareef Thomas. Ein echt verrückter Nigger, der aus New York City stammte. Er steckte mit zwei weiteren verrückten Niggern zusammen – Goofy und Coco Loco. Shareef ist jetzt zwar draußen, aber als er noch drin war, hat er alles gemacht, was er wollte. Shareef konnte man bloß in den Griff kriegen, indem man ihn abknallte. Zweimal, wenn man auf Nummer Sicher gehen wollte.«

Was Autry sagte, wurde langsam interessant. Er hatte eindeutig etwas für einen Deal in der Hand.

»Was gab es für eine Verbindung zwischen Gary Soneji und Shareef?« fragte ich.

»Soneji wollte Shareef abmurksen lassen und hat Geld dafür bezahlt. Aber Shareef war schlau. Shareef hat auch Schwein gehabt.«

»Warum wollte Soneji Shareef Thomas umbringen?«

Autry starrte mich mit kalten Augen an.

»Wir sind im Geschäft, stimmt's? Ich kriege was dafür?«

»Sie haben meine volle Aufmerksamkeit, Jamal. Ich bin hier, und ich höre Ihnen zu. Sagen Sie mir, was sich zwischen Shareef Thomas und Soneji abgespielt hat.«

»Soneji wollte Shareef umnieten, weil Shareef ihn gefickt hat. Und nicht bloß einmal. Er wollte Gary zeigen, daß er der Chef ist. Er war derjenige hier drin, der noch verrückter war als Soneji.«

Ich schüttelte den Kopf und beugte mich stirnrunzelnd vor. Die Angelegenheit war spannend, aber etwas paßte für mich nicht zusammen.

»Gary war von den anderen Gefängnisinsassen getrennt. Höchste Sicherheitsstufe. Wie zum Teufel ist Thomas an ihn rangekommen?«

»Verdammt noch mal, ich habe Ihnen doch gesagt, hier drin läßt sich alles regeln. Hier läßt sich immer was arrangieren. Lassen Sie sich nichts vormachen von dem, was Sie draußen hören, Mann. So ist es, und so war es schon immer.«

Ich sah Autry in die Augen.

»Sie haben also Sonejis Geld genommen, damit Sie ihn beschützen, und Shareef Thomas ist trotzdem an ihn rangekommen? Da steckt noch mehr dahinter, nicht wahr?«

Ich spürte, daß Autry das Hinauszögern seiner Pointe genoß, vielleicht gefiel ihm aber auch nur, daß er Macht über mich hatte.

»Da ist noch mehr, ja. Shareef hat Gary Soneji mit dem Fieber angesteckt, Soneji hat die Pest, Mann. Er stirbt! Ihr alter Freund Gary Soneji stirbt. Gott hat ihm 'ne Botschaft geschickt.«

Die Neuigkeit traf mich wie ein Tiefschlag. Ich ließ es mir nicht anmerken und gab keiner Gefühlsregung nach, aber Jamal Autry hatte mit seinen Informationen soeben allem, was Soneji bis jetzt getan hatte, einen gewissen Sinn gegeben. Er hatte mich außerdem tief erschüttert. Soneji hatte das Fieber, er hatte Aids. Gary Soneji würde sterben, er hatte nichts mehr zu verlieren.

Sagte Autry die Wahrheit? Eine wichtige Frage, eine entscheidende Frage.

Ich schüttelte den Kopf.

»Ich glaube Ihnen nicht, Autry. Warum zum Teufel sollte ich Ihnen glauben?« fragte ich.

Er sah gekränkt aus, was zu seiner Rolle gehörte.

»Glauben Sie, was Sie wollen. Aber Sie sollten mir glauben. Gary hat mir die Nachricht hierhergeschickt. Er hat diese Woche Kontakt mit mir aufgenommen, vor zwei Tagen. Gary hat mir ausrichten lassen, daß er das Fieber hat.«

Der Kreis hatte sich geschlossen. Autry hatte von dem Augenblick an, in dem er hereinkam, gewußt, daß er mich am Wickel hatte. Jetzt würde ich die Pointe seines Witzes hören, diejenige, die er mir am Anfang unseres

Gesprächs versprochen hatte. Erst mußte ich jedoch noch ein kleines bißchen länger seinen Stichwortgeber spielen.

»Warum? Warum sollte er Ihnen ausrichten lassen, daß er stirbt?« Ich spielte brav meine Rolle.

»Soneji hat gesagt, daß Sie herkommen und Fragen stellen werden. Er hat gewußt, daß Sie kommen. Er kennt Sie, Mann – besser, als Sie ihn kennen. Soneji wollte, daß ich's Ihnen persönlich ausrichte. Nur deshalb hat er mich benachrichtigt. Er hat gesagt, ich soll Ihnen das sagen.«

Jamal Autry zeigte wieder sein schiefes Grinsen.

»Was sagen Sie jetzt, Dr. Cross? Haben Sie gekriegt, wofür Sie hergekommen sind?«

Ich hatte tatsächlich bekommen, was ich brauchte. Gary Soneji starb, und er wollte, daß ich ihm in die Hölle folgte. Er durchlebte eine unglaubliche Wutphase und hatte nichts mehr zu verlieren, er hatte von niemandem mehr etwas zu befürchten.

37.

Als ich aus dem Lortoner Gefängnis nach Hause kam, rief ich Christine Johnson an. Ich mußte sie sehen, ich brauchte Abstand von dem Fall. Ich hielt den Atem an, als ich sie zum Essen bei Georgia Brown's am McPherson Square einlud, doch sie überraschte mich: Sie sagte ja.

Ich war immer noch hypernervös, als ich mit einer einzelnen roten Rose bei Christine auftauchte, genoß das

Gefühl jetzt jedoch. Sie lächelte hinreißend, nahm die Rose und stellte sie behutsam ins Wasser, als ob es sich um ein teures Gesteck handele.

Sie trug einen knöchellangen grauen Rock und eine passende hellgraue Bluse mit V-Ausschnitt. Sie sah abermals umwerfend aus. Auf der Fahrt zum Restaurant sprachen wir darüber, was wir jeweils tagsüber getan hatten. Ihre Geschichte gefiel mir besser als meine.

Wir hatten Hunger und aßen als erstes heiße Buttermilchplätzchen mit Pfirsichmus. Der Tag nahm eindeutig eine Wendung zum Besseren. Christine bestellte Carolinagarnelen mit Grütze. Ich nahm den Carolinatopf: roter Reis, dicke Entenbrustscheiben, Garnelen und Würstchen.

»Mir hat schon lange niemand mehr eine Rose geschenkt«, sagte sie dann. »Wie schön, daß Sie daran gedacht haben.«

»Sie sind heute abend viel zu nett zu mir«, sagte ich, als wir anfingen zu essen.

Sie legte den Kopf auf die Seite und sah mich aus einem merkwürdig schiefen Winkel an. Hin und wieder machte sie das.

»Warum sagen Sie, ich sei zu nett?«

»Nun, Sie merken sicher, daß ich heute abend nicht gerade die allerbeste Gesellschaft bin. Genau davor haben Sie doch Angst, nicht wahr? Daß ich von meiner Arbeit nicht abschalten kann.«

Sie trank einen Schluck Wein, schüttelte dann den Kopf und lächelte schließlich, ein ganz gelassenes Lächeln. »Sie sind immer so ehrlich! Aber Sie gehen auf sehr amüsante Art damit um. Ehrlich gesagt war mir gar nicht aufgefallen, daß Sie nicht hundertzehnprozentig bei der Sache sind.«

»Ich bin schon den ganzen Abend distanziert und introvertiert. Die Kinder sagen in solchen Fällen immer, ich sei in meiner ›Dämmerungsstimmung‹.«

Sie lachte und verdrehte die Augen.

»Hören Sie auf! Ich glaube, Sie sind der am wenigsten introvertierte Mann, den ich je kennengelernt habe. Mir gefällt es hier nebenbei gesagt sehr gut. Zu Hause hatte ich als Abendessen einen Teller Crispies geplant.«

»Crispies mit Milch sind lecker. Sich ins Bett kuscheln, einen Film anschauen oder ein gutes Buch lesen. Daran ist nichts verkehrt.«

»Genau das hatte ich vor. Ich hatte es mir gemütlich gemacht und mit dem *Pferdeflüsterer* angefangen. Ich bin trotzdem froh, daß Sie angerufen, meine Pläne durchkreuzt und mich aus *meiner* ›Dämmerungsstimmung‹ herausgeholt haben.«

»Sie müssen wirklich glauben, daß ich verrückt bin«, sagte Christine eine Weile später während des Essens. »Herrje noch mal, ich bin nicht ganz normal. Ich glaube, ich bin wirklich verrückt.«

Ich lachte.

»Weil Sie mit mir ausgehen? Total verrückt!«

»Nein, weil ich Ihnen gesagt habe, daß es besser wäre, wir würden uns nicht sehen, und jetzt trotzdem zum Essen mit Ihnen zu Georgia Brown's gegangen bin. Und weil ich meinen Crispies und dem *Pferdeflüsterer* so schnell untreu geworden bin.«

Ich sah ihr tief in die Augen, und das hätte meinetwegen noch ewig so sein können, jedenfalls bis uns das Personal von Georgia Brown's zum Gehen aufforderte.

»Was ist passiert? Was hat sich verändert?« fragte ich.

»Ich habe keine Angst mehr«, sagte sie. »Na ja, so gut wie keine. Ich glaube, ich schaffe es allmählich.«

»Ja, vielleicht schaffen wir beide es wirklich. Ich habe auch Angst gehabt.«

»Tut gut, das zu hören. Ich bin froh, daß Sie es mir gesagt haben. Ich konnte mir nicht vorstellen, daß Sie vor etwas Angst haben.«

Ich brachte Christine gegen Mitternacht von Georgia Brown's aus nach Hause. Während wir den John Hansen Highway entlangfuhren, konnte ich die ganze Zeit nur daran denken, wie es wäre, ihr Haar zu berühren, ihre Wange zu streicheln, vielleicht auch noch ein paar andere Dinge. Ja, eindeutig noch ein paar andere Dinge.

Ich brachte Christine zu Fuß bis zur Haustür und bekam kaum Luft. Schon wieder. Meine Hand lag leicht auf ihrem Ellbogen. Sie hielt ihren Hausschlüssel umklammert.

Ich konnte ihr Parfüm riechen. Sie hatte mir gesagt, es heiße Gardenia Passion, und ich mochte es sehr gern. Unsere Schuhe kratzten ganz leise über den Beton.

Plötzlich drehte Christine sich um und legte die Arme um mich. Die Bewegung war anmutig, und sie überraschte mich.

»Ich muß was herausfinden«, sagte sie.

Christine küßte mich, genauso, wie wir uns vor ein paar Tagen geküßt hatten. Erst sanft, dann fester. Ihre Lippen fühlten sich weich und warm an, schließlich wurde der Kuß fester und dringlicher. Ich spürte, wie sich ihre Brüste an mich preßten, dann ihr Bauch und ihre kräftigen Beine.

Sie machte die Augen auf, sah mich an und lächelte. Ich liebte dieses natürliche Lächeln, ich liebte es sehr. Dieses Lächeln – und kein anderes!

Sie löste sich sanft von mir. Ich wollte sie eigentlich

nicht loslassen, doch ich spürte, ich *wußte,* daß ich es dabei belassen mußte.

Christine schloß die Haustür auf und trat langsam rückwärts über die Schwelle. Ich wollte nicht, daß sie jetzt schon hineinging. Ich wollte wissen, was sie dachte, wollte alle ihre Gedanken kennen.

»Der erste Kuß war kein Versehen«, flüsterte sie.

»Nein, er war kein Versehen«, sagte ich.

38.

Gary Soneji war wieder im Keller.

Aber um wessen feuchten, dunklen Keller handelte es sich?

Das war die Preisfrage.

Er wußte nicht, wie spät es war, aber es mußte früher Morgen sein. Das Haus über ihm war totenstill. Er mochte diesen Vergleich, die Gefühle, die er in seinem Kopf auslöste.

Er liebte die Dunkelheit. Er war dann wieder ein kleiner Junge. Er hatte dieses Gefühl immer noch in sich, als sei es erst gestern gewesen. Seine Stiefmutter hieß Fiona Morrison, sie war hübsch, und alle hielten sie für einen guten Menschen, eine gute Nachbarin und Freundin, eine gute Mutter. Alles Lügen! Sie hatte ihn eingesperrt wie ein verhaßtes Tier – nein, schlimmer als ein Tier! Er erinnerte sich daran, wie er im Keller gefroren und sich anfangs in die Hosen gepinkelt hatte, im eigenen Urin gesessen hatte, während die Wärme sich in Eiseskälte verwandelte. Er erinnerte sich an das Gefühl, daß er nicht wie die restliche Familie war. Nicht wie die anderen. An ihm war nichts, was man lieben konnte. An ihm war nichts Gutes, er hatte keinen guten Kern.

Jetzt saß er im dunklen Keller und fragte sich, ob er dort war, wo er zu sein glaubte.

In welcher Realität lebte er?

In welcher Phantasie?

In welcher Horrorgeschichte?

Er tastete im Finstern auf dem Boden herum. Er war nicht im Keller des alten Hauses in Princeton, fühlte er. Hier war der kalte Betonboden glatt, und es roch anders. Staubig und modrig. Wo war er?

Er schaltete seine Taschenlampe ein. Ahhh!

Das würde niemand glauben! Niemand würde erraten, um wessen Haus es sich hier handelte, in wessen Keller er sich jetzt versteckte.

Soneji rappelte sich vom Boden auf. Ihm war ein bißchen übel, und er hatte Schmerzen, aber er ignorierte das Gefühl. Der Schmerz war Nebensache. Er war jetzt bereit, nach oben zu gehen.

Niemand konnte sich vorstellen, was er als nächstes tun würde. Absolut unglaublich.

Er war allen anderen mehrere Schritte voraus.

Er war ihnen voraus.

Wie immer.

39.

Soneji betrat das Wohnzimmer und registrierte auf der Digitaluhr des Sony-Fernsehers die genaue Zeit. Es war 3.24 Uhr morgens. Wieder einmal Geisterstunde.

Als er im Erdgeschoß angelangt war, hatte er beschlossen, auf allen vieren zu kriechen. Der Plan war gut. Verdammt noch mal, er war nicht wertlos und unnütz. Er hatte es nicht verdient, im Keller eingesperrt zu werden. Tränen stiegen ihm in die Augen, fühlten sich heiß und allzu vertraut an. Seine Stiefmutter nannte ihn immer eine Heulsuse, einen Waschlappen, einen Schlappschwanz. Immer und immer wieder hatte sie ihn mit Schimpfwörtern belegt, bis er ihr das Maul stopfte, sie im Feuer verschmoren ließ.

Die Tränen brannten auf seinen Wangen und liefen ihm unter den Hemdkragen. Er würde sterben, und er hatte es nicht verdient zu sterben. Er hatte nichts dergleichen verdient, deshalb mußte jetzt jemand dafür bezahlen.

Er war lautlos und vorsichtig, als er sich durch das Haus bewegte, er rutschte auf dem Bauch wie eine Schlange. Nicht einmal die Bodendielen knarrten unter ihm, während er sich langsam vorwärts schob. Die Finsternis vermittelte den Eindruck, als sei sie elektrisch geladen und stecke voller Spannung.

Er dachte daran, welche Angst die Leute in ihren Häusern und Wohnungen vor Eindringlingen hatten. Sie hatten auch allen Grund zur Angst, denn direkt vor ihren verschlossenen Türen lauerten Ungeheuer, beobachteten oft nachts ihre Fenster. In jeder Stadt, unwichtig, ob groß oder klein, gab es Spanner wie Gary. Und es gab sie zu

Abertausenden, die irren Perversen, die nur darauf warteten, hineinzukommen und zuzuschlagen. Die Leute in ihren scheinbar so sicheren Häusern waren im Grunde nur Monsterfutter.

Er entdeckte, daß die Wände im Erdgeschoß grün waren. Grüne Wände. Was für ein Glück! Soneji hatte irgendwo gelesen, daß die OP-Wände in Krankenhäusern häufig grün gestrichen waren. Wenn die Wände weiß waren, sahen die Ärzte und Schwestern während der Operationen wegen des vielen Bluts manchmal gespenstische Bilder. Das wurde »Geistereffekt« genannt, grüne Wände verhinderten ihn.

Keine störenden Gedanken mehr, ganz gleich, wie wichtig sie auch waren, ermahnte sich Soneji. Keine Unterbrechungen mehr, sei völlig ruhig und vorsichtig. Die nächsten paar Minuten waren die gefährlichsten.

Dieses spezielle Haus war gefährlich, deshalb machte das Spiel überhaupt soviel Spaß, darum war es so ein besonderer geistiger Höhenflug.

Die Schlafzimmertür stand einen Spalt offen. Soneji machte sie langsam und geduldig weiter auf. Er hörte einen Mann leise schnarchen und entdeckte eine weitere Digitaluhr auf dem Nachttisch: drei Uhr dreiunddreißig. Er hatte Zeit verloren!

Soneji erhob sich zu seiner vollen Größe. Er war jetzt endlich aus dem Keller heraus, und ihn überkam nun eine unglaubliche Woge des Zorns, er empfand unendliche Wut, und sie war absolut gerechtfertigt.

Wütend sprang Gary Soneji die Gestalt im Bett an. Er umklammerte mit beiden Händen ein Metallrohr, hob es wie eine Axt und schlug so hart zu, wie er nur konnte.

»Sehr erfreut, Sie kennenzulernen, Detective Goldman«, flüsterte er.

40.

Mein Beruf war allgegenwärtig in meinem Leben, er forderte, daß ich immer auf dem laufenden blieb, verlangte mir alles ab, was ich geben konnte, und noch einiges darüber hinaus.

Am nächsten Morgen war ich wieder einmal in großer Eile unterwegs nach New York, das FBI hatte mir einen Hubschrauber zur Verfügung gestellt. Kyle Craig war ein guter Freund, aber er probierte auch seine Tricks an mir aus. Ich wußte es, und er wußte, daß ich es wußte. Kyle hoffte, daß ich mich schließlich doch noch in den Fall Mr. Smith hineinziehen ließe, wenn ich mich mit Thomas Pierce träfe. Ich wußte, daß ich das nicht wollte. Jedenfalls nicht jetzt, vielleicht auch nie. Erst hatte ich noch eine Verabredung mit Gary Soneji.

Ich kam kurz vor halb neun auf dem belebten Heliport von New York City an der East 34th Street an, manche nennen ihn auch den »Hellport« von New York. Der schwarze Bell Jet des FBI schwebte langsam über den verstopften Franklin D. Roosevelt Drive und den East River. Der Hubschrauber setzte auf, als gehöre ihm die Stadt, aber das dachte nur das FBI in seiner Arroganz. New York konnte niemandem gehören – vielleicht mit Ausnahme von Gary Soneji.

Detective Carmine Groza holte mich ab, und wir stiegen in sein Zivilauto, einen Mercury Marquis. Wir rasten den Franklin D. Roosevelt entlang. Als wir in die Bronx hinüberfuhren, mußte ich an eine witzige Zeile des Lyrikers Ogden Nash denken: *»The Bronx, no thonx.«* Die Bronx – nein danke. Ich hatte in meinem Leben noch mehr witzige Sätze nötig.

In meinem Kopf dröhnte immer noch der aufreizende Lärm der Hubschrauberrotoren. Er erinnerte mich an das ekelhafte Summen in der Hundehütte in Wilmington. Wieder einmal spielte sich alles viel zu schnell für uns ab. Gary Soneji hatte uns aus dem Gleichgewicht gebracht, so, wie ihm das gefiel, so, wie er seine Bösartigkeit immer einsetzte.

Sonejis Taten gingen einem unter die Haut und übten starken nervlichen Druck aus. Er wartete dann darauf, daß man einen fatalen Fehler machte. Ich versuchte, jetzt keinen zu machen, um nicht zu enden wir Manning Goldman.

Der aktuelle Tatort lag in Riverdale. Detective Groza redete nervös, während er fuhr. Wegen seines Geplappers kam mir ein alter Spruch in den Sinn, der eine meiner Lebensmaximen ist: Verpasse niemals eine gute Gelegenheit, den Mund zu halten!

»Der Logik nach«, sagte er, »müßte die Gegend von Riverdale eigentlich zu Manhattan gehören, tatsächlich gehört sie jedoch zur Bronx.«

Zur weiteren Verwirrung trage bei, daß Riverdale der Sitz des Manhattan College sei, einer kleinen Privatschule ohne jede Verbindung zu Manhattan oder zur Bronx. New Yorks Bürgermeister Rudy Giuliani habe auch das Manhattan College besucht, erzählte er weiter.

Ich lauschte dem unsinnigen Gerede des Detectives, bis ich spürte, daß er nichts mehr zu sagen hatte. Er wirkte völlig anders als der Mann, den ich vor ein paar Tagen in der Penn Station als Partner von Manning Goldman kennengelernt hatte.

»Alles in Ordnung mit Ihnen?« fragte ich ihn schließlich.

Ich hatte zwar noch nie einen Partner verloren, aber bei Sampson war es mir einmal fast passiert. Er war in den Rücken gestochen worden, ausgerechnet in North Carolina. Damals war meine Nichte Naomi entführt worden. Ich habe Therapiegespräche mit Detectives geführt, die ihren Partner verloren hatten, und weiß, daß es alles andere als einfach ist.

»Ich habe Manning Goldman eigentlich nicht wirklich gemocht«, gab Groza zu, »aber ich habe seine Arbeit als Detective respektiert. Niemand sollte so sterben müssen wie er.«

»Nein, so sollte niemand sterben müssen«, pflichtete ich ihm bei.

Doch niemand war sicher, nicht die Reichen, auf keinen Fall die Armen und nicht einmal die Polizei. Es war ein immer wiederkehrender Refrain in meinem Leben und die furchterregendste Wahrheit unseres Zeitalters.

Wir verließen schließlich den stark befahrenen Deegan Expressway und kamen auf einen noch vollgestopfteren und lauteren Broadway. Detective Groza war an jenem Morgen sichtlich erschüttert. Ich ließ es mir nicht anmerken, aber mir ging es nicht anders.

Denn Gary Soneji zeigte uns, wie einfach es für ihn war, in das Zuhause eines Cops einzudringen.

41.

Manning Goldmans Haus lag in einem besseren Viertel von Riverdale namens Fieldston. Die Gegend war für die Bronx überraschend gepflegt. Polizeiautos und jede Menge Fernsehübertragungswagen parkten auf den schmalen, hübschen Straßen des Wohngebiets. Ein

Hubschrauber von FOX-TV schwebte über den Bäumen, seine Insassen spähten durch die Zweige und Blätter.

Goldmans Haus war bescheidener als die benachbarten Gebäude im Tudorstil, trotzdem wirkte es, als ließe es sich gut darin leben. Es war keine typische Gegend für einen Cop, aber Manning Goldman war auch kein typischer Polizist gewesen.

»Goldmans Vater war ein bekannter Arzt in Mamaroneck«, erzählte Groza weiter. »Als er starb, kam Manning zu etwas Geld. Er war das schwarze Schaf der Familie, der Rebell – ein Cop eben! Seine beiden Brüder sind Zahnärzte in Florida.«

Mein erster Eindruck vom Tatort gefiel mir nicht, dabei war ich noch zwei Blocks von ihm entfernt. Zu viele Streifenwagen, zu viele offiziell wirkende Autos. Zuviel Hilfe, zuviel Einmischung.

»Der Bürgermeister war zeitig hier. Er ist ein Wichtigtuer, aber er ist in Ordnung«, sagte Groza. »Wenn in New York ein Cop umgebracht wird, ist das eine Riesensache, eine Topmeldung, die jede Menge Medien anzieht.«

»Vor allem, wenn ein Detective im eigenen Haus umgebracht wird«, ergänzte ich.

Groza parkte schließlich etwa einen Block von Goldmans Haus entfernt auf der von Bäumen gesäumten Straße. Vögel zwitscherten munter, nichts wissend vom Tod.

Als ich auf den Tatort zuging, genoß ich wenigstens einen Aspekt der Angelegenheit: die Anonymität, die mich in New York umfing. In Washington wissen viele Reporter, wer ich bin. Wenn ich zum Tatort eines Mordes komme, handelt es sich meistens um einen großen, besonders grausamen Fall, ein schauerliches Gewaltverbrechen. Hier jedoch wurden Detective Carmine Groza und ich ignoriert, als wir durch die gaffende Menge zu Goldmans Haus gingen. Groza stellte mich allen vor, und ich konnte mir das Schlafzimmer ansehen, in dem Manning Goldman brutal ermordet worden war. Die New Yorker Cops schienen alle zu wissen, wer ich war und warum ich hier war. Ein paarmal hörte ich, wie Sonejis Name gemurmelt wurde. Schlechte Nachrichten sprechen sich schnell herum.

Die Leiche des Detectives war schon aus dem Haus geschafft worden. Mir gefiel es nicht, erst so spät am Tatort des Mordes einzutreffen. Mehrere Leute von der Spurensicherung der New Yorker Polizei untersuchten das Zimmer. Goldmans Blut war überall, es war auf dem Bett verspritzt, an den Wänden, auf dem beigefarbenen Teppichboden, dem Schreibtisch und den Bücherregalen und sogar auf einer goldenen Menora. Ich wußte inzwischen, warum Soneji so versessen darauf war, Blut zu vergießen – sein eigenes Blut war tödlich.

Ich konnte Gary Soneji hier in Goldmans Zimmer spüren, ich konnte ihn direkt vor mir sehen, und es verblüffte mich, daß ich mir seine Präsenz derart intensiv körperlich und emotional vorstellen konnte. Ich erinnerte mich daran, wie Gary Soneji damals nachts mit einem Messer in mein Haus eingedrungen war. Warum war er hierhergekommen? Wollte er mich warnen, trieb er Spielchen mit mir?

»Er wollte eindeutig eine spektakuläre Erklärung abgeben«, murmelte ich, mehr zu mir selbst als an Carmine Groza gewandt. »Er wußte, daß Goldman die Ermittlungen in New York geleitet hat. Er will uns zeigen, daß er alles im Griff hat.«

Da war jedoch noch etwas anderes. Hinter der Sache mußte mehr stecken, als ich bis jetzt bemerkt hatte. Ich ging im Schlafzimmer auf und ab. Plötzlich fiel mir auf, daß der Computer auf dem Schreibtisch eingeschaltet war.

Ich sprach einen Mann von der Spurensicherung an, einen sehr mageren Kerl mit einem kleinen, grimmigen Mund. Er paßte perfekt an den Tatort eines Mordes.

»Lief der Computer, als Detective Goldman gefunden wurde?« fragte ich ihn.

»Ja, der Mac lief. Wir haben ihn bereits auf Fingerabdrücke untersucht.«

Ich warf Groza einen Blick zu.

»Wir wissen, daß er nach Shareef Thomas sucht, und Thomas stammt aus New York. Angeblich ist er jetzt wieder hier. Vielleicht hat Soneji Goldman dazu gezwungen, Thomas' Akte aufzurufen, bevor er ihn ermordet hat.«

Ausnahmsweise antwortete Detective Groza nicht. Er sagte keinen Ton und reagierte nicht. Ich war mir selbst nicht völlig sicher, trotzdem vertraute ich meinen Instinkten, vor allem, wenn es um Soneji ging. Ich folgte seinen blutigen Fußspuren und war mir sicher, nicht weit hinter ihm zu sein.

42.

Die überraschend gastfreundliche New Yorker Polizei hatte für mich eine Übernachtung im Marriott Hotel in der Forty-second Street gebucht. Und sie stellte bereits Nachforschungen nach Shareef Thomas für mich an. Alles nur erdenklich Mögliche war in Angriff genommen worden, aber Soneji war in der Großstadt eine weitere Nacht lang auf freiem Fuß.

Shareef Thomas hatte in D.C. gelebt, stammte aber aus Brooklyn. Ich war mir ziemlich sicher, daß Soneji ihm hierher gefolgt war. Hatte er mir das nicht durch Jamal Autry im Gefängnis ausrichten lassen? Er hatte mit Thomas noch eine Rechnung offen, und Soneji war jemand, der alte Rechnungen immer beglich. Ich mußte es schließlich am besten wissen.

Um halb neun abends verließ ich schließlich die Police Plaza und war körperlich am Ende. Ich wurde mit einem Streifenwagen in die Stadt chauffiert. Ich hatte zu Hause eine Tasche gepackt, war also auf ein paar Tage Aufenthalt vorbereitet, falls es nötig sein sollte. Ich hoffte, daß es nicht dazu kommen würde. Unter den richtigen Umständen bin ich gern in New York, aber hier ging es weder um Weihnachtseinkäufe auf der Fifth Avenue im Dezember noch um ein Spiel der Yankee World Series im Herbst.

Gegen neun rief ich zu Hause an, und unser automatischer Anrufbeantworter – Jannie – meldete sich: »Ist da E. T.? Rufst du zu Hause an?«

Sie hat oft solche hübschen Einfälle. Sie mußte geahnt haben, daß ich es war. Ich rufe immer an, ganz gleich, was los ist.

»Wie geht's dir, mein Liebes, du Licht meines Lebens?«

Schon allein durch den Klang ihrer Stimme fehlte sie mir, es fehlte mir, zu Hause bei meiner Familie zu sein.

»Sampson ist kurz vorbeigekommen, um nach uns zu sehen. Eigentlich wollten wir heute abend boxen. Weißt du noch, Daddy?« Jannie spielte ihre Rolle übertrieben, aber wirkungsvoll. »Bip, bip, bam. Bam, bam, bip«, sagte sie und zauberte durch die Vertonung ein lebhaftes Bild in meinem Kopf.

»Hast du trotzdem mit Damon trainiert?« fragte ich. Ich

stellte mir ihr Gesicht vor, während wir miteinander sprachen. Und Damons Gesicht. Auch das von Nana. Die Küche, in der Jannie telefonierte. Mir fehlte das Abendessen mit meiner Familie.

»Klar haben wir trainiert. Ich habe ihn hinter der Dekkung erwischt. Für heute ist er k.o. Aber ohne dich ist es nicht so gut. Niemand, vor dem man angeben kann.«

»Dann mußt du einfach vor dir selbst angeben«, riet ich ihr.

»Ich weiß, Daddy. Das habe ich auch gemacht. Ich habe mich aufgebaut und zu mir selbst gesagt: ›Tolle Vorstellung!‹«

Ich mußte laut lachen.

»Tut mir leid, daß ich die Boxstunde mit euch beiden Pitbullterriern verpaßt habe. Tut mir leid, leid, leid«, intonierte ich mit einer bluesigen Singsangstimme. »Tut mir leid, leid, leid.«

»Das sagst du immer«, flüsterte Jannie, und ich hörte ihrer Stimme an, wie enttäuscht sie war. »Eines Tages funktioniert das nicht mehr. Merk dir meine Worte! Denk dran, wo du sie zum ersten Mal gehört hast. Denk dran, denk dran, denk dran.«

Ich nahm mir ihren Rat zu Herzen, während ich in dem einsamen Hotelzimmer in New York City einen beim Zimmerservice bestellten Hamburger aß und auf den Times Square hinausschaute. Mir fiel ein alter Psychiaterwitz ein: *»Schizophrenie bewahrt einen immerhin davor, allein essen zu müssen.«*

Ich dachte an meine Kinder und an Christine Johnson und dann an Soneji und Manning Goldman, der in seinem eigenen Haus ermordet worden war. Ich hatte mir *Die Asche meiner Mutter* eingepackt und versuchte, ein paar Seiten zu lesen. Doch in jener Nacht konnte ich mit der wunderbar geschriebenen Geschichte aus dem Ghetto von Limerick nichts anfangen.

Als ich glaubte, wieder einen klaren Kopf zu haben, rief ich Christine an. Wir unterhielten uns fast eine Stunde lang, mühelos und unangestrengt. Etwas zwischen uns hatte sich verändert. Ich fragte sie, ob sie am folgenden Wochenende Zeit für mich habe und vielleicht nach New York kommen wolle, falls ich hierbleiben müßte. Der Vorschlag kostete mich Nerven, und ich fragte mich, ob sie das meiner Stimme wohl anhören konnte.

Christine überraschte mich abermals: Sie wollte gern nach New York kommen. Sie lachte und sagte, es sei zwar erst Juli, aber sie könne durchaus einige frühzeitige Weihnachtseinkäufe erledigen. Ich müsse ihr jedoch versprechen, mir etwas Zeit für sie zu nehmen.

Ich versprach es.

Schließlich mußte ich etwas geschlafen haben, denn ich wachte in einem fremden Bett auf, in einer noch fremderen Stadt, in die Laken gewickelt wie in eine Zwangsjacke.

Mir kam ein seltsamer, unbehaglicher Gedanke: Gary Soneji verfolgte *mich*. Nicht umgekehrt.

43.

Er war der Todesengel. Er hatte das seit seinem elften oder zwölften Lebensjahr gewußt. Damals hatte er einen Menschen umgebracht, einfach nur um herauszufinden, ob er das konnte. Die Polizei hatte die Leiche nicht gefunden. Bis heute nicht. Nur er wußte, wo die vielen

Leichen begraben waren, und er würde es niemand verraten.

Plötzlich kehrte Gary Soneji in die Realität zurück, in die Gegenwart von New York City. Herrgott noch mal, er hatte in dieser Bar in der East Side vor sich hin gelacht und gekichert, vielleicht hatte er sogar Selbstgespräche geführt. Dem Barkeeper im Dowd & McGoey's war schon aufgefallen, daß er mit sich selbst sprach, fast wie in Trance. Der verschlagen wirkende, rothaarige irische Schnösel tat, als poliere er Biergläser, aber er beobachtete ihn ständig aus dem Augenwinkel. Irischen Augen entging nichts. Soneji hatte den Barkeeper mit einem schüchternen Lächeln herangewunken.

»Keine Sorge, ich wollte nur abschalten. Ich habe mich ein bißchen gehenlassen. Was bin ich Ihnen schuldig, Michael?«

Der Name stand auf einem Schild an seinem Hemd. Die geheuchelte Entschuldigung wurde anscheinend akzeptiert, deshalb bezahlte Soneji und verließ die Bar. Er ging auf der First Avenue mehrere Blocks Richtung Süden, dann die East Fiftieth Street entlang nach Westen.

Er entdeckte ein überfülltes Lokal namens Tatou, das vielversprechend aussah. Er dachte an seine Mission: Er brauchte einen Platz in New York, wo er die Nacht verbringen konnte, einen wirklich sicheren Ort. Das Plaza war im Grunde keine besonders gute Idee gewesen.

Das Tatou war bis zum Rand gefüllt mit einer lebhaften Menge, die zum Reden, Gaffen, Essen und Trinken hergekommen war. Im Erdgeschoß befand sich ein Restaurant, im ersten Stock wurde getanzt. Worum ging es hier? Er wollte es verstehen. Die einzige Antwort, die ihm einfiel, war Lifestyle. Elegante Geschäftsmänner und berufstätige Frauen in den Dreißigern und Vierzigern kamen ins Tatou, vermutlich direkt nach der Arbeit in der City. Es war Donnerstag abend, die meisten versuchten, ein interessantes Date für das Wochenende zu ergattern.

Soneji bestellte sich ein Glas Weißwein und beäugte die am Tresen aufgereihten Männer und Frauen. Sie sahen aus, als seien sie völlig einverstanden mit der jetzigen Zeit, so wild entschlossen cool. Such mich aus, wähl mich, nehmt mich bitte zur Kenntnis, schienen sie zu flehen.

Er sprach zwei Anwältinnen an, die leider wie siamesische Zwillinge wirkten. Sie erinnerten ihn an die seltsamen Mädchen in dem französischen Film *La Cérémonie*. Er erfuhr bald, daß Theresa und Jessie seit elf Jahren zusammenwohnten. Herrje! Sie waren beide sechsunddreißig, für sie tickte die Uhr schon sehr laut. Im Vertical Club in der Sixty-first Street trieben sie intensiv Sport, verbrachten die Sommer in Bridgehampton, anderthalb Kilometer vom Wasser entfernt. Sie waren die Falschen für ihn und offenbar auch für alle anderen am Tresen.

Soneji ging weiter, langsam verspürte er ein bißchen Druck. Die Polizei wußte, daß er Verkleidungen benutzte. Allerdings nicht, wie er jeweils an einem bestimmten Tag aussah. Gestern war er noch ein dunkelhaariger, spanisch aussehender Mann Mitte Vierzig gewesen, heute dagegen war er blond, bärtig und paßte genau ins Tatou. Morgen – wer konnte das schon wissen? Er hätte jedoch einen dummen Fehler machen können, er hätte erkannt werden können, und dann wäre alles zu Ende gewesen.

Er lernte eine Artdirectrice kennen, künstlerische Leiterin bei einer großen Werbeagentur in der Lexington Avenue. Jean Summerhill stammte aus Atlanta, so erzählte sie ihm. Sie war klein und sehr schlank, mit einer blonden Mähne. Sie trug einen modisch zur Seite geflochtenen Zopf, und er bemerkte, daß sie sehr von sich angetan war. Auf merkwürdige Weise erinnerte sie ihn an seine Meredith, seine Missy. Jean Summerhill hatte eine eigene Wohnung, und sie lebte allein in der Seventh Avenue.

Sie war zu hübsch, um allein hierzusein, um am falschen Ort nach Gesellschaft zu suchen, aber Soneji verstand, warum es so war, sobald sie sich unterhielten: Jean Summerhill war für die meisten Männer zu klug, zu stark und zu individualistisch. Sie schreckte die Männer ab, ohne es zu wollen, ohne es überhaupt zu merken.

Ihn schreckte sie jedoch nicht ab. Sie sprachen unbefangen miteinander, wie es Fremde manchmal an einem Bartresen tun. Man hat nichts zu verlieren und nichts zu riskieren. Sie stand mit beiden Beinen auf der Erde und war eine Frau mit dem Bedürfnis, immerzu »nett« zu wirken, jedoch mit Pech in der Liebe. Er sagte ihr das, und weil es das war, was sie hören wollte, schien Jean Summerhill ihm zu glauben.

»Es ist einfach, mit Ihnen zu reden«, sagte sie beim dritten oder vierten Drink. »Sie sind sehr ruhig. Introvertiert fast, oder etwa nicht?«

»Ja, ich bin ein bißchen langweilig«, sagte Soneji.

Er wußte, daß er alles andere als langweilig war.

»Vielleicht hat mich meine Frau deshalb verlassen. Missy hat sich in einen reichen Mann verliebt, ihren Chef an der Wall Street. In der Nacht, in der sie es mir erzählt hat, haben wir beide geweint. Jetzt wohnt sie in einer Riesenwohnung am Beeman Place. Echt ein toller Schuppen.«

Er lächelte.

»Wir sind noch immer befreundet. Ich habe Missy erst neulich besucht.«

Jean schaute ihm in die Augen, der Blick hatte etwas Trauriges an sich.

»Wissen Sie, mir gefällt an Ihnen«, sagte sie, »daß Sie keine Angst vor mir haben.«

Gary Soneji lächelte.

»Nein, die habe ich wohl nicht.«

»Und ich habe auch keine Angst vor Ihnen«, flüsterte Jean Summerhill.

»So sollte es auch sein«, sagte Soneji. »Aber verlieren Sie bloß nicht meinetwegen den Kopf. Versprochen?«

»Ich werde mir Mühe geben.«

Die beiden verließen das Tatou und machten sich gemeinsam auf den Weg zu ihrer Eigentumswohnung.

44.

Ich stand ganz allein an der Forty-second Street in Manhattan und wartete ungeduldig darauf, daß Carmine Groza auftauchte. Schließlich holte mich der Detective von der Mordkommission am Vordereingang des Marriott ab. Ich stieg in sein Auto, und wir fuhren nach Brooklyn. Endlich hatte sich in dem Fall etwas Gutes getan, zumindest etwas Vielversprechendes.

Shareef Thomas war in einem Crackschuppen an der Kreuzung zwischen der Bedford und der Stuyvesant Street in Brooklyn gesehen worden. Ob Gary Soneji auch wußte, wo Thomas war? Wieviel, wenn überhaupt etwas, hatte er aus Manning Goldmans Computerakten erfahren?

Um Viertel nach sieben am Samstag morgen war der

Verkehr in der City eine seltene Freude. Wir rasten in weniger als zehn Minuten von Westen nach Osten durch Manhattan und überquerten auf der Brooklyn Bridge den East River. Die Sonne ging eben über einer Reihe hoher Wohnhäuser auf, ein blendender gelber Feuerball, von dessen Anblick ich sofort Kopfschmerzen bekam.

Kurz vor halb acht kamen wir an der Kreuzung zwischen der Bedford und der Stuyvesant Street an. Ich hatte vom üblen Ruf dieser Gegend Brooklyns gehört. Um diese Zeit war sie jedoch fast menschenleer. Rassistische Cops in D.C. sind bei der Schilderung solcher Innenstadtgebiete ziemlich bösartig, sie nennen sie »selbstreinigende Backöfen«. Man macht nur die Tür zu, und der Ofen reinigt sich von selbst. Laßt sie einfach vor sich hin schmoren! Nana hat allerdings noch ein anderes Wort für die meist vor allem auf Vernachlässigung beruhenden Sozialprogramme Amerikas für seine Innenstädte: Völkermord.

Vor einer Bodega hing ein von Hand beschriftetes gelbes Schild, auf dem in roten Buchstaben gekritzelt stand: FIRST STREET IMBISS UND TABAKWAREN. 24 Stunden geöffnet. Der Laden war geschlossen. Soviel zu den Schildern.

Vor dem verlassenen Imbiß parkte ein hellbrauner Lieferwagen. Das Fahrzeug hatte silbrig getönte Fensterscheiben und war mit einem Seitengemälde verziert, welches das mondscheinbeschienene Miami darstellte. Eine einsame Drogensüchtige schlurfte mit wackligen Knien schwankend näher. Sie war der einzige Mensch auf der Straße, als wir ankamen.

Das Gebäude, in dem Shareef Thomas sich aufhalten sollte, war ein zweistöckiges Haus mit verwitterten grauen Schindeln und etlichen eingeschlagenen Fenstern. Es sah aus, als sei es schon vor langer Zeit zum Abriß verurteilt worden. Thomas war angeblich immer noch in dem Crackschuppen. Groza und ich machten es uns im Auto bequem und warteten; wir hofften, daß Gary Soneji auftauchen würde.

Ich rutschte in eine Ecke des Vordersitzes. Ein Stück entfernt sah ich über einem Gebäude aus rotem Backstein eine Tafel mit einem bereits abblätternden Plakat: COP ERSCHOSSEN! $ 10 000 BELOHNUNG. Kein gutes Omen, aber eine faire Warnung.

Etwa gegen neun erwachte die Gegend langsam und zeigte ihr wahres Wesen. Zwei alte Frauen in weißen Hemdblusenkleidern gingen Hand in Hand auf die Pentecostal-Kirche weiter oben in der Straße zu. Sie erinnerten mich an Nana und ihre Freundinnen in D.C. Dadurch wurde mir wieder bewußt, wie sehr ich es vermißte, am Wochenende zu Hause zu sein.

Ein sechs- oder siebenjähriges Mädchen spielte auf der Straße Seilhüpfen. Ich bemerkte, daß das »Seil« eigentlich ein altes Elektrokabel war. Das Mädchen bewegte sich lustlos, fast wie in Trance.

Es machte mich traurig, der Kleinen beim Spielen zuzuschauen. Ich fragte mich, was aus dem Mädchen wohl werden mochte. Hatte sie eine Chance, hier herauszukommen? Ich dachte an Jannie und Damon, die vermutlich enttäuscht darüber waren, daß ich am Samstag morgen nicht zu Hause war. Samstag ist unser freier Tag, wir können nur samstags und sonntags zusammensein.

Die Zeit verstrich nur langsam, das ist bei einer Überwachung fast immer so. Mir kam ein Gedanke, der mit dieser Gegend zu tun hatte: Auch Tragödien können süchtig machen! Gegen halb elf kamen zwei übel aussehende Typen in ärmellosen T-Shirts und abgeschnittenen Jeans in einem schwarzen Lieferwagen ohne Kennzeichen angefahren. Sie bauten ihre Waren auf und verkauften auf der Straße Wassermelonen, Maiskolben und Grünkohl. Die Melonen stapelten sich in der dreckigen Gasse.

Jetzt war es fast elf, und ich machte mir Sorgen. Vielleicht hatten wir eine falsche Information erhalten. In meinem Kopf spielten die Gedanken langsam verrückt. Vielleicht hatte Gary Soneji dem Crackschuppen bereits einen Besuch abgestattet, er war ein Verkleidungskünstler, möglicherweise war er jetzt im Moment sogar dort drin. Ich machte die Autotür auf und stieg aus. Die Hitze fiel mich an, und ich fühlte mich, als beträte ich einen Feuerofen. Es war trotzdem gut, aus dem Auto herauszukommen, aus dieser unerträglichen Enge.

»Was haben Sie vor?« fragte Groza.

Er war offensichtlich darauf gefaßt, den ganzen Tag lang im Auto zu sitzen, sich strikt an die Regeln zu halten und darauf zu warten, daß Soneji auftauchte.

»Vertrauen Sie mir«, sagte ich.

45.

Ich zog mein weißes Hemd aus und knotete es mir lokker um die Taille. Dann kniff ich die Augen zusammen und fixierte abwechselnd nahe und ferne Ziele.

»Alex!« rief Groza.

Ich ignorierte ihn und schlurfte auf den baufälligen Crackschuppen zu. Ich glaubte, die Rolle des Junkies ganz ordentlich zu spielen. Es war nicht besonders schwer. Gott wußte, daß ich solche Typen in meiner

Gegend oft genug gesehen hatte. Mein älterer Bruder war ein Junkie gewesen, bevor er starb.

Der Crackschuppen wurde von einem leerstehenden Gebäude aus betrieben, das am Ende einer Sackgasse stand. Das war die übliche Vorgehensweise in allen Großstädten, die ich besucht hatte: D.C., Baltimore, Philadelphia, Miami, New York. Als ich die mit Graffitis bemalte Tür öffnete, sah ich, daß das hier eindeutig der absolute Tiefpunkt war, selbst was Crackschuppen anlangte. Hier herrschte Endzeit. Und Shareef Thomas hatte auch noch das Virus.

Überall auf dem verdreckten, fleckigen Fußboden lag Abfall herum, leere Sodadosen und Bierflaschen, Verpakkungen aus diversen Schnellimbissen, Wendy's, Roy's und Kentucky Fried. Außerdem Crackröhrchen und Drahtkleiderbügel, die zum Reinigen der Crackpfeifen benutzt wurden. Es war die heiße Jahreszeit, *Summer in the City*.

Ich nahm an, ein derartig heruntergekommener Schuppen werde von einem einzigen »Aufseher« geleitet. Man bezahlt dem Typ zwei oder drei Dollar für einen Platz auf dem Boden und kann außerdem Spritzen, Pfeifen, Zeitungen, Butanfeuerzeuge und vielleicht sogar Sprudel oder Bier kaufen.

»Scheiß drauf«, »Aids« und »Junkies der Welt« war an die Wände gekritzelt. Außerdem herrschte ein dichter, undurchdringlicher Nebel, gegen den der Sonnenschein keine Chance hatte. Der Gestank war widerlich, schlimmer als auf einer städtischen Müllkippe.

Es war jedoch unglaublich still, merkwürdig ruhig. Ich erfaßte dies alles mit einem Blick, sah aber keinen Shareef Thomas. Auch keinen Gary Soneji. Jedenfalls sah ich ihn bis jetzt nicht.

Ein Mann mit einem Schulterhalfter über einem schmutzigen Bacardi-T-Shirt, der wie ein Latino aussah, war zuständig für die Frühschicht. Er war noch nicht richtig wach, aber es gelang ihm trotzdem, wie der Boß auszusehen. Er hatte ein altersloses Gesicht und einen dichten Schnurrbart.

Es war eindeutig, daß Shareef Thomas etliche Stufen tiefer gerutscht war. Falls er hier war, hing er mit den kaputtesten Typen überhaupt herum. Lag Shareef im Sterben? Oder versteckte er sich nur? Wußte er, daß Soneji möglicherweise nach ihm suchte?

»Was willst du, Chef?« fragte der Latino leise und grollend.

Seine Augen waren schmale Schlitze.

»Nur ein bißchen Frieden und Ruhe«, sagte ich. Ich drückte mich fast respektvoll aus, als sei das hier eine Kirche – was es für einige der Menschen hier auch war.

Ich reichte ihm zwei zerknitterte Scheine, und er wandte sich mit dem Geld ab.

»Da hinein«, sagte er.

Ich sah an ihm vorbei in den Hauptraum und hatte plötzlich das Gefühl, als umklammere eine kalte Hand mein Herz und presse es fest zusammen.

Etwa zehn bis zwölf Männer und zwei Frauen saßen oder lagen auf dem blanken Boden und auf ein paar verdreckten, unglaublich dünnen Matratzen. Die Crackjunkies starrten überwiegend ins Leere, taten nichts und saßen fast unbeweglich. Es war, als ob sie langsam dahinschwänden oder sich in dem Rauch und Staub auflösten.

Niemand bemerkte mich, was für mich nur von Vorteil war. Niemanden scherte es, wer in dieses Höllenloch kam oder es verließ. Shareef hatte ich noch immer nicht ausfindig machen können. Auch nicht Soneji.

Im Hauptraum des Crackschuppens war es so finster wie in einer mondlosen Nacht. Es gab kein Licht bis auf hin und wieder angestrichene Streichhölzer, begleitet vom schabenden Geräusch eines Streichholzkopfes, gefolgt von einem langen, ausgedehnten Zischen.

Ich suchte unauffällig nach Thomas, achtete aber darauf, meine Rolle zu spielen: irgendein kaputter Junkie, der auf der Suche nach einem Fleck zum Rauchen war, zum friedlichen Einnicken, der auf keinen Fall gekommen war, um jemanden zu belästigen. Plötzlich bemerkte ich Shareef Thomas auf einer der Matratzen, ziemlich weit hinten in dem finsteren, schmuddeligen Raum. Ich erkannte ihn aufgrund von Fotos, die ich in Lorton studiert hatte. Ich zwang mich, nicht zu ihm hinzuschauen.

Mein Herz fing wie verrückt zu pochen an. Konnte Soneji auch hiersein? Manchmal kam er mir vor wie ein Phantom oder ein Gespenst. Ich fragte mich, ob es einen Hinterausgang gab. Aber zunächst mußte ich einen Platz zum Sitzen finden, bevor Thomas mißtrauisch wurde. Ich schaffte es bis zu einer Wand und rutschte zu Boden. Ich beobachtete Shareef Thomas aus dem Augenwinkel. Dann brachen in dem Crackschuppen völlig unerwartet Wahnsinn und Chaos los.

Die Vordertür wurde aufgerissen, und Groza und zwei Uniformierte stürzten herein. Soviel zum Thema Vertrauen.

»Arschloch«, stöhnte ein Mann neben mir, der aufgewacht war.

»Polizei! Keine Bewegung!« schrie Carmine Groza. »Keiner rührt sich! Bleibt alle ruhig!«

Mein Blick blieb auf Shareef Thomas gerichtet. Er

stand von der Matratze auf, wo er noch vor Sekunden zufrieden wie eine Katze gekauert hatte. Vielleicht war er gar nicht zugedröhnt, vielleicht versteckte er sich.

Ich packte die Glock, die ich unter meinem zusammengerollten Hemd im Kreuz stecken hatte, und hielt sie vor meinen Körper. Ich hoffte wider alle Vernunft, daß ich in dieser Enge nicht schießen mußte.

Thomas zog ein Gewehr hervor, das er neben der Matratze versteckt haben mußte. Die anderen Junkies wirkten unfähig, sich zu bewegen und aus dem Weg zu gehen. Alle rotgeränderten Augen im Raum waren vor Angst weit aufgerissen.

Thomas' Straßenfeger explodierte. Groza und die Uniformierten gingen alle drei zu Boden. Ich konnte nicht beurteilen, ob einer von ihnen getroffen worden war.

»Schluß mit dem Scheißdreck!« schrie der Latino an der Tür.

Er hatte sich auch zu Boden geworfen und schrie, ohne den Kopf in die Schußlinie zu heben.

»Thomas!« brüllte ich, so laut ich konnte.

Shareef bewegte sich mit überraschender Behendigkeit. Schnelle, sichere Reflexe, auch unter dem Einfluß von Crack. Er zielte mit dem Gewehr auf mich. Seine dunklen Augen funkelten. Mit dem Anblick eines Gewehrs, das auf einen gerichtet ist, läßt sich nichts vergleichen. Ich hatte jetzt keine andere Wahl mehr und zog den Abzug der Glock durch. Shareef Thomas wurde wie von einem Blitz in der rechten Schulter getroffen. Er wirbelte heftig nach links herum, aber er ging nicht zu Boden, sondern drehte sich geschmeidig im Kreis. Das hier war nichts Neues für ihn. Für mich auch nicht. Ich mußte ein zweites Mal schießen und traf ihn in Kehle oder Unterkiefer. Thomas wurde nach hinten geschleudert und krachte gegen die pappdeckeldünne Wand. Das ganze Gebäude bebte. Seine Augäpfel verdrehten sich nach hinten, und sein Mund klaffte weit auf. Er war tot, bevor er auf dem Boden des Crackschuppens aufschlug.

Ich hatte unser einziges Bindeglied zu Gary Soneji erschossen.

46.

Ich hörte, wie Carmine Groza in sein Funkgerät brüllte. Die Worte brachten mich zum Frösteln.

»Officer in der Macon Street vier-eins-zwei angeschossen! *Officer angeschossen!*«

Ich hatte noch nie den Tod eines Officers miterlebt. Als ich jedoch den vorderen Teil des Crackschuppens erreichte, war ich mir sicher, daß einer der Uniformierten sterben würde. Warum war Groza auf diese Weise hier eingedrungen? Warum hatte er die Streifenpolizisten mitgebracht? Doch das alles spielte jetzt keine große Rolle mehr.

Der Uniformierte lag auf dem Rücken auf dem müllübersäten Boden neben der Vordertür. Seine Augen wurden schon glasig, und ich nahm an, daß er unter Schock stand. Aus seinem Mundwinkel sickerte Blut.

Das Gewehr hatte hier sein grausiges Werk getan, so, wie es mich erledigt hätte. Blut hatte die Wände und den verkratzten Holzboden bespritzt. Ein Muster aus versengten Einschußlöchern war in die Wand über dem Körper des Streifenpolizisten eintätowiert. Keiner von uns konnte mehr etwas für ihn tun.

Ich stand neben Groza und hielt immer noch die

Glock in der Hand. Ich biß mir wieder und wieder auf die Lippen. Ich versuchte, nicht wütend auf Groza zu werden, weil er überreagiert und das hier verursacht hatte. Ich mußte erst meine Beherrschung zurückgewinnen, bevor ich etwas sagte.

Ein Uniformierter links von mir murmelte unablässig: »Herrgott, Herrgott.« Ich merkte, wie traumatisiert er war. Er wischte sich ständig mit der Hand über Stirn und Augen, als wolle er die blutige Szene auslöschen.

Der Rettungswagen kam innerhalb von Minuten. Wir beobachteten, wie zwei Sanitäter verzweifelt versuchten, das Leben des Streifenpolizisten zu retten. Er war jung, ungefähr Mitte Zwanzig, das rötliche Haar war zu einem kurzen Bürstenschnitt gestutzt. Die Vorderseite seines blauen Hemdes war blutgetränkt.

Im hinteren Teil des Crackschuppens bemühte sich ein weiterer Sanitäter um Shareef Thomas, aber ich wußte schon, daß Thomas tot war.

Schließlich sprach ich leise und sehr eindringlich mit Groza. »*Wir* wissen, daß Thomas tot ist, aber es gibt keinen Grund, daß Soneji es erfahren muß. So könnten wir ihn kriegen. Indem Soneji glaubt, daß Thomas lebendig in einem New Yorker Krankenhaus liegt.«

Groza nickte.

»Ich rede mit jemandem von der Stadt. Vielleicht können wir Thomas in ein Krankenhaus bringen. Vielleicht können wir das vor der Presse verlauten lassen, einen Versuch ist es wert.«

Detective Grozas Stimme klang nicht sehr sicher, er sah auch nicht allzu gut aus. Ich war mir sicher, daß das beides auch für mich galt. Plötzlich hatte ich wieder das unheilverkündende Plakat vor Augen: COP ERSCHOSSEN! $10 000 BELOHNUNG.

47.

Niemand aus dem Menschenjägertrupp der Polizei würde je den Anfang erkennen, auch nicht die Mitte und schon gar nicht das Ende. Niemand von ihnen konnte sich vorstellen, worauf alles hinauslief, worauf es vom ersten Augenblick in der Union Station an hinauslaufen sollte.

Gary Soneji verfügte über alle Informationen, die ganze Macht. Er wurde endlich wieder berühmt. Er war wieder jemand, sein Name tauchte alle zehn Minuten in den Nachrichten auf. Es war nicht besonders aufregend, daß sie mittlerweile Fotos von ihm zeigten. Niemand wußte, wie er heute aussah, gestern ausgesehen hatte, morgen aussehen würde. Und sie konnten schließlich nicht jeden in New York festnehmen.

Er verließ gegen Mittag die Wohnung der verstorbenen Jean Summerhill. Die hübsche Frau hatte eindeutig seinetwegen den Kopf verloren, genau wie Missy in Wilmington. Er schloß mit ihrem Schlüssel hinter sich ab. Dann ging er auf der Seventy-third Street nach Westen, bis er zur Fifth Avenue kam, und schließlich Richtung Süden. Der Zug war wieder auf den Gleisen.

Er kaufte sich einen Kaffee in einem Pappbehälter, der rundum mit griechischen Göttern bedruckt war. Der Kaffee war die übliche Brühe von New York City, aber er trank ihn trotzdem in langsamen Schlucken. Er wollte am liebsten direkt hier auf der Fifth Avenue wieder in Rage geraten, er wünschte sich das wirklich. Er stellte sich ein Massaker vor, sah die *Live*-Berichterstattung von CBS, ABC, CNN und FOX schon bildlich vor sich.

Apropos Berichterstattung: Alex Cross war heute morgen im Fernsehen zu sehen gewesen. Cross und die New Yorker Polizei hatten Shareef Thomas geschnappt. Hurra, das bewies, daß sie wenigstens in der Lage waren, seinen Anweisungen zu folgen.

Während er an all den eleganten, gutgekleideten New Yorkern vorüberging, wurde Soneji wieder einmal daran erinnert, wie schlau er doch war, um wie vieles intelligenter als jedes dieser verklemmten Arschlöcher. Wenn nur einer dieser beschissenen Rotzaffen in der Lage gewesen wäre, nur einen Augenblick lang in seinen Kopf schauen zu können, dann hätten sie Bescheid gewußt.

Doch das konnte niemand, hatte noch nie jemand gekonnt. Niemand war fähig, das Rätsel zu lösen. Weder den Anfang noch die Mitte oder das Ende.

Plötzlich wurde er sehr zornig, fast so sehr, daß er sich nicht mehr beherrschen konnte. Er spürte das Aufwallen seiner Wut, während er durch die belebten Straßen ging. Er konnte kaum noch richtig sehen, Galle stieg ihm in die Kehle.

Er schleuderte den fast noch vollen Becher Kaffee gegen einen vorübergehenden Geschäftsmann. Er lachte direkt in das schockierte, empörte Gesicht. Er brüllte vor Lachen über den Anblick, wie Kaffee von der Adlernase und dem eckigen Kinn des New Yorkers troff. Schwarzer Kaffee befleckte das teure Hemd und die dazu passende Krawatte.

Gary Soneji konnte tun, was er wollte, und meistens tat er es auch.

Seid auf der Hut!

48.

Um sieben Uhr an jenem Abend war ich wieder in der Penn Station. Weil die übliche Pendlermenge fehlte, war es samstags nicht besonders voll hier. Die Morde, die sich hier und in der Union Station in Washington ereignet hatten, beherrschten meine Gedanken. Die finsteren Zugtunnel waren für Soneji gleichbedeutend mit dem »Keller«, dem Symbol seiner qualvollen Kindheit. So weit hatte ich das wahnwitzige Puzzle schon zusammengesetzt. Und wenn Soneji aus dem Keller nach oben kam, ging er in mörderischer Wut auf die Welt los ...

Ich sah Christine die Treppe von den Zugtunneln heraufkommen.

Trotz des verhängnisvollen Schauplatzes lächelte ich und verlagerte das Gewicht von einem Fuß auf den anderen. Ich fühlte mich benommen und erregt zugleich, erfüllt von Hoffnung und einem Verlangen, das ich seit langer Zeit nicht mehr empfunden hatte. Sie war wirklich gekommen.

Christine hatte eine kleine schwarze Tasche mit dem Aufdruck »Sojourner Truth School« bei sich. Sie reiste mit leichtem Gepäck. Sie war schön, wirkte stolz und begehrenswerter denn je, falls das überhaupt möglich war. Sie trug ein kurzärmliges weißes Kleid mit rundem Halsausschnitt und die üblichen flachen Schuhe, dieses Mal aus schwarzem Leder. Mir fiel auf, daß sich die Leute nach ihr umschauten, wie sie das immer taten.

In einer Bahnhofsecke küßten wir uns, wahrten unsere Privatsphäre, so gut wir konnten. Unsere Körper preßten sich aneinander, und ich spürte Christines Wärme, ihre Haut, ihr Fleisch. Ich hörte, wie ihre Tasche zu Boden fiel. Ihre braunen Augen schauten in die meinen, zunächst groß und fragend, dann aber weich und hell.

»Ich habe mich ein bißchen davor gefürchtet, daß du nicht hier bist«, sagte sie. »Ich hatte schon Visionen, du wärst zu einem Einsatz gerufen worden und ich stünde ganz allein mitten in der Penn Station.«

»Das hätte ich auf keinen Fall zugelassen«, sagte ich. »Ich bin froh, daß du gekommen bist.«

Wir küßten uns wieder, preßten uns noch enger aneinander. Ich wollte nicht aufhören, Christine zu küssen, sie fest in den Armen zu halten. Ich wollte sie an einen Ort bringen, an dem wir allein sein konnten. Mein Körper zog sich krampfhaft zusammen, es war so schlimm und so gut.

»Ich hab's versucht«, sagte sie und grinste, »aber ich hab's nicht geschafft, dir fernzubleiben. Ich habe ein bißchen Angst vor New York, aber ich bin hier.«

»Wir werden uns großartig amüsieren. Du wirst schon sehen.«

»Versprochen? Wird es unvergeßlich werden?« zog sie mich auf.

»Unvergeßlich. Versprochen!« sagte ich.

Ich hielt sie fest in den Armen und konnte sie nicht loslassen.

49.

Der Anfang von »unvergeßlich« spielte sich folgendermaßen ab:

Der Rainbow Room um halb neun an einem Samstagabend. Christine und ich schwebten Arm in Arm aus dem glitzernden Aufzug und wurden sofort in eine andere Ära versetzt, einen anderen Lebensstil, vielleicht sogar in ein anderes Leben. Auf einem dekorativen Plakat neben der Aufzugtür stand in silberner Schrift auf schwarzem Grund: »Der Rainbow Room. Fühlen Sie sich wie in einem Musical von MGM.« Hunderte von kleinen Scheinwerfern ragten aus blendendem Chrom und Kristall. Es war mehr als schön, einfach vollkommen.

»Ich bin mir nicht sicher, ob ich für ein MGM-Musical richtig angezogen bin. Aber es ist auch nicht besonders wichtig. Was für eine wunderbare Idee!« sagte Christine, als wir uns an den aufgedonnerten, unverschämt gut aussehenden Platzanweisern und Platzanweiserinnen vorbei einen Weg bahnten. Wir wurden zu einer Bar geführt, die eine Aussicht auf den Art-deco-Ballsaal bot, aber auch einen Panoramablick auf New York. Samstagabends war der Saal bis auf den letzten Platz besetzt, jeder Tisch war belegt und die Tanzfläche überfüllt.

Christine trug ein schlichtes schwarzes Etuikleid und das gleiche Halsband wie bei Kinkead's. Die Brosche hatte ihrer Großmutter gehört. Weil ich über einsneunzig bin, hatte sie sich diesmal nicht gescheut, Abendschuhe mit hohen Absätzen anzuziehen anstelle der üblichen flachen Schuhe. Es war mir nie zuvor bewußt gewesen, aber es gefiel mir, mit einer Frau zusammenzusein, die mit hohen Absätzen fast so groß war wie ich.

Auch ich hatte mich in Schale geworfen und mich für einen sommerlich leichten anthrazitgrauen Anzug entschieden, mit einem weißen Hemd und einer blauen Seidenkrawatte. Zumindest heute abend war ich eindeutig kein Detective aus D.C. Ich sah nicht aus wie Dr. Alex Cross aus Southeast, sondern eher wie Denzel Washington als Jay Gatsby. Ich mochte das Gefühl, jedenfalls für einen Abend in der Großstadt, vielleicht sogar für ein ganzes Wochenende. Wenig später wurden wir zu einem Tisch vor einem großen Fenster mit Blick auf die funkelnde East Side von Manhattan geführt. Auf der Bühne spielte eine fünfköpfige lateinamerikanische Band, die ihre Sache ziemlich gut machte. Die sich langsam drehende Tanzfläche war immer noch voll. Die Leute amüsierten sich bestens, die Menschen schienen die Nacht durchtanzen zu wollen.

»Es ist komisch, schön und wunderbar, und ich glaube, es ist etwas ganz Besonderes«, sagte Christine, sobald wir saßen. »Das sind in etwa alle Superlative, die du heute abend von mir zu hören bekommen wirst.«

»Und dabei hast du mich noch nicht mal tanzen sehen«, sagte ich.

»Ich weiß schon, daß du tanzen kannst.« Christine lachte. »Frauen wissen immer, welche Männer tanzen können und welche nicht.«

Wir bestellten Drinks, für mich Scotch pur, für Christine einen Sherry von Harvey's. Wir suchten eine Flasche Sauvignon blanc aus und verbrachten eine köstliche Weile nur damit, das Spektakel des Rainbow Room in uns aufzunehmen.

Die lateinamerikanische Combo wurde von einer Big

Band abgelöst, die Swing spielte und sich sogar in ein bißchen Blues versuchte. Viele Leute beherrschten tatsächlich noch den Jitterbug, langsamen Walzer und Tango, und etliche waren sogar ziemlich gut.

»Bist du schon mal hiergewesen?« fragte ich Christine, als der Kellner unsere Drinks brachte.

»Nur als ich mir zu Hause allein in meinem Schlafzimmer *Herr der Gezeiten* angeschaut habe«, sagte sie und lächelte wieder. »Und du? Kommst du oft hierher, Seemann?«

»Ich war bloß einmal hier, als ich in New York Jagd auf den Axtmörder mit der gespaltenen Persönlichkeit gemacht habe. Er ist direkt aus dem Panoramafenster da drüben gesprungen. Dem dritten von links.«

Christine lachte.

»Es würde mich nicht überraschen, wenn das stimmte, Alex. Es würde mich kein bißchen überraschen.«

Die Band stimmte »Moonglow« an, ein wunderbares Lied, und wir standen auf und tanzten. Eine unsichtbare Kraft zog uns einfach an. In jenem Moment fielen mir nicht viele Dinge auf der Welt ein, die ich mir mehr wünschte, als Christine in den Armen zu halten. Ehrlich gesagt, fiel mir überhaupt nichts Besseres ein.

Irgendwann hatten Christine und ich uns stillschweigend darauf geeinigt, das Risiko einzugehen und abzuwarten, was passierte. Wir hatten beide Menschen verloren, die wir sehr geliebt hatten. Wir wußten, was es hieß, verletzt zu werden, und doch waren wir hier, bereit, uns wieder auf die Tanzfläche des Lebens zu wagen. Ich glaube, ich hatte mir seit dem allerersten Mal, als ich Christine bei der Sojourner-Truth-Schule sah, einen langsamen Tanz mit ihr gewünscht.

Jetzt zog ich sie eng an mich, und mein rechter Arm

legte sich um ihre Taille, meine linke Hand umfaßte ihre rechte. Ich spürte ihr tiefes Einatmen, merkte, daß auch sie ein bißchen nervös war.

Ich begann, leise zu summen, vielleicht war ich auch ein bißchen ins Schweben geraten. Meine Lippen berührten die ihren, und ich schloß die Augen, spürte die Seide ihres Kleides unter meinen Fingern. Ja, ich konnte ziemlich gut tanzen, aber sie konnte es auch.

»Schau mich an«, flüsterte sie, und ich öffnete die Augen wieder. Sie hatte recht, so war es viel besser.

»Was tut sich hier? Was passiert mit uns? Ich glaube nicht, daß ich mich je so gefühlt habe, Alex.«

»Ich mich auch nicht. Aber ich könnte mich daran gewöhnen. Ich weiß, daß es mir gefällt.«

Ich streifte ihre Wange leicht mit den Fingern. Die Musik wirkte, und Christine schien mit mir eins zu werden. Anmutige, mondbeschienene Choreographie, mein ganzer Körper war in Bewegung. Ich merkte, daß mir das Atmen schwerfiel.

Eine große Harmonie umfing Christine und mich. Wir konnten beide gut tanzen, aber zusammen war es etwas ganz Besonderes. Ich bewegte mich langsam und geschmeidig mit ihr. Ihre Handfläche reagierte magnetisch auf meine. Ich drehte sie langsam; eine spielerische Drehung unter meinem Arm hindurch.

Wir vereinigten uns wieder, und unsere Lippen waren nur Zentimeter voneinander entfernt. Ich konnte durch meine Kleider hindurch die Wärme ihres Körpers spüren. Unsere Lippen streiften sich, nur einen Moment lang, dann war die Musik zu Ende. Ein neuer Song fing an.

»Das ist wirklich schwer zu überbieten«, sagte sie, als wir nach dem langsamen Tanz zu unserem Tisch zurückkehrten. »Ich habe gewußt, daß du tanzen kannst. Hab's nie bezweifelt. Aber ich habe nicht gewußt, daß du so gut tanzen kannst.«

»Das war noch gar nichts. Warte ab, bis sie eine Samba spielen«, antwortete ich. Ich hielt sie immer noch an der Hand, konnte nicht loslassen. Wollte es auch nicht.

»Ich glaube, ich kann Samba tanzen«, sagte sie.

Wir tanzten viel, hielten uns ständig an den Händen, und ich glaube, wir aßen sogar etwas zu Abend. Aber ich konnte Christines Hand nicht loslassen und sie meine nicht. Wir redeten viel, doch später konnte ich mich an das meiste, was gesagt worden war, nicht mehr erinnern. Ich glaube, so etwas geschieht nur hoch über New York City im Rainbow Room.

Als ich an jenem Abend zum ersten Mal auf meine Uhr schaute, war es fast eins, und ich konnte es nicht fassen. Zu diesem verblüffenden Verlust des Zeitgefühls war es schon etliche Male gekommen, wenn ich mit Christine zusammen war. Ich bezahlte unsere Rechnung, und mir fiel auf, daß der Rainbow Room inzwischen fast leer war. Wo waren die anderen alle hingegangen?

»Kannst du ein Geheimnis für dich behalten?« flüsterte Christine, als wir im nußbaumgetäfelten Aufzug in die Halle hinunterfuhren.

Wir waren allein in der Kabine mit dem weichen Licht, und ich hielt Christine in den Armen.

»Ich behalte jede Menge Geheimnisse für mich«, sagte ich.

»Gut, also hör zu«, sagte Christine, als wir mit einem ganz schwachen Rumpeln im Erdgeschoß ankamen. Sie hielt mich im Aufzug fest, als die Tür aufgegangen war. Sie hatte nicht vor, mich aus dem Aufzug hinaustreten zu lassen, ehe sie gesagt hatte, was sie sagen wollte.

»Ich weiß es wirklich zu schätzen, daß du für mich im Astor ein Einzelzimmer bestellt hast«, sagte sie. »Aber ich glaube nicht, Alex, daß ich es brauche. Ist das in Ordnung?«

Wir standen ganz reglos im Aufzug und küßten uns wieder. Die Tür ging zu, und der Aufzug schwebte langsam zum Dach hinauf zurück. Wir küßten uns während des Hinauffahrens, wir küßten uns während der erneuten Fahrt ins Erdgeschoß, und die Rundfahrt dauerte bei weitem nicht lange genug.

»Aber weißt du was?« sagte sie schließlich, als wir zum zweiten Mal das Erdgeschoß des Rockefeller Center erreichten.

»Ob ich was weiß?« fragte ich.

»Angeblich kommt das dabei heraus, wenn man in den Rainbow Room geht.«

50.

Es war unvergeßlich. Genau wie in dem magischen Song »Unforgettable« von Nat King Cole.

Wir standen vor der Tür zu meinem Hotelzimmer, und ich ging völlig in diesem Augenblick auf. Ich hatte Christines Hand losgelassen, um die Tür aufzuschließen – und war verloren. Ich fummelte mit dem Schlüssel herum und verfehlte das Schloß. Sie legte ihre Hand auf meine, und wir steckten den Schlüssel ins Schloß, drehten ihn gemeinsam um.

Eine kleine Ewigkeit verstrich, jedenfalls kam es mir so vor. Ich wußte, daß ich nichts davon vergessen würde.

Ich würde auch nicht zulassen, daß Skepsis oder Zynismus es schmälerten.

Mir war klar, was mit mir geschah. Ich spürte die schwindelerregende Wirkung einer Rückkehr zur Intimität. Mir war nicht bewußt gewesen, wie sehr sie mir gefehlt hatte. Ich war abgestumpft, hatte zugelassen, daß ich in den letzten Jahren wie betäubt lebte. Das ist das einfachste, so einfach, daß man nicht einmal merkt, daß das eigene Leben zu einem tiefen Graben geworden ist.

Die Zimmertür ging auf, und ich mußte daran denken, daß wir beide in diesem Moment etwas von unserer Vergangenheit aufgaben. Auf der Schwelle wandte sich Christine mir zu. Ich vernahm das schwache Rascheln ihres Seidenkleids. Ihr schönes Gesicht reckte sich meinem entgegen. Ich streckte die Hände nach ihr aus, berührte ihr Kinn mit meinen Fingerspitzen. Ich fühlte mich, als hätte ich den ganzen Abend lang nicht richtig durchatmen können, seit dem Augenblick, in dem ich sie in der Penn Station gesehen hatte.

»Musikerhände, Pianistenfinger«, sagte sie. »Ich habe es gern, wie du mich berührst, das habe ich schon immer geahnt. Ich habe keine Angst mehr, Alex.«

»Ich bin so froh, ich habe auch keine mehr.«

Die schwere Holztür des Hotelzimmers schien sich von selbst zu schließen. Es spielte im Grunde keine Rolle mehr, wo wir jetzt waren. Die blinkenden Lichter von draußen, vielleicht ein Boot, das über den Fluß glitt, vermittelten den Eindruck, daß sich der Boden sacht bewegte, beinahe so, wie sich die Tanzfläche im Rainbow Room unter unseren Füßen bewegt hatte.

Ich hatte für das Wochenende das Hotel gewechselt, war ins Astor auf der East Side von Manhattan umgezogen. Ich hatte etwas Besonderes gewollt. Das Zimmer lag im zwölften Stock, mit Blick auf den Fluß.

Es drängte uns zu dem Panoramafenster, magisch angezogen vom Lichterkaleidoskop der New Yorker Skyline im Südosten. Wir beobachteten den lautlosen, auf seltsame Weise sogar schönen Verkehrsstrom, der an den United Nations vorbei zur Brooklyn Bridge floß.

Ich dachte daran, daß ich die Brücke heute schon überquert hatte, auf dem Weg zu einem Crackschuppen in Brooklyn. Es schien so lange her zu sein. Ich sah das Gesicht von Shareef Thomas vor mir, dann das des toten Polizisten und das von Soneji, aber ich verdrängte diese Bilder sofort wieder. Hier war ich kein Detective. Christines Lippen berührten meine Haut, glitten zärtlich über meine Kehle.

»Wo warst du eben? Du warst weit weg, nicht wahr?« flüsterte sie. »Du warst an einem finsteren Ort.«

»Nur ganz kurz.« Ich gestand die Wahrheit, meinen Patzer. »Eine Rückblende zu meiner Arbeit. Es ist vorbei.« Ich hielt wieder ihre Hand.

Sie küßte mich sanft auf die Wange, hauchzart, dann ganz sacht auf die Lippen.

»Du kannst nicht lügen, nicht wahr, Alex? Du schaffst nicht einmal eine winzige Notlüge.«

»Ich versuche, nicht zu lügen. Ich kann Lügen nicht leiden. Wenn ich dich anlüge, wer bin ich dann?« fragte ich und lächelte. »Was hätte das für einen Sinn?«

»Das liebe ich an dir«, flüsterte sie. »Und vieles, vieles andere. Jedesmal, wenn ich mit dir zusammen bin, entdecke ich etwas Neues.«

Ich liebkoste ihren Scheitel, dann küßte ich sie auf die Stirn, die Wangen, die Lippen und schließlich in die weiche Halsgrube. Sie zitterte leicht. Ich auch. Gott sei Dank hatten wir beide keine Angst mehr. Oder etwa doch? Ich konnte den stolpernden Puls unter ihrer Haut spüren.

»Du bist schön«, flüsterte ich. »Weißt du das?«

»Ich bin viel zu groß und zu mager. *Du* bist schön, wirklich. Alle sagen das.«

Alles fühlte sich wie elektrisch geladen und so unglaublich richtig an. Es schien wie ein Wunder, daß wir uns gefunden hatten, und jetzt waren wir zusammen hier. Ich war so froh, glücklich darüber, daß sie beschlossen hatte, mir eine Chance zu geben, und daß auch ich uns noch eine Chance gegeben hatte.

»Schau in den Spiegel dort. Sieh dir an, wie schön du bist«, sagte sie. »Du hast ein wundervolles Gesicht. Aber man muß auch Angst um dich haben, nicht wahr, Alex?«

»Heute nacht brauchst du keine Angst zu haben«, sagte ich.

Ich wollte sie ausziehen, alles für sie und mit ihr tun. Ein merkwürdiges, seltsames Wort ging mir durch den Kopf: Verzückung. Sie strich mir mit der Hand über die Hose und spürte, wie erregt ich war.

»Hmmm«, flüsterte sie und lächelte.

Ich zog den Reißverschluß ihres Kleides auf. Ich konnte mich nicht daran erinnern, die Nähe einer Frau je so gewollt zu haben, jedenfalls seit langer Zeit nicht mehr. Ich streichelte ihr Gesicht, prägte mir jede Einzelheit ein, jeden ihrer Züge. Christines Haut war weich und seidig unter meinen Fingern.

Wir fingen mitten im Hotelzimmer wieder an zu tanzen. Keine Musik war zu hören, aber wir hatten unsere eigene. Meine Hand legte sich um ihre Taille, preßte sie dicht an mich. Und abermals die mondbeschienene Choreographie. Wir schaukelten sachte hin und her, ein sinnlicher Cha-cha-cha neben dem breiten Panoramafenster.

Ich hatte meine Hände auf ihren Po gelegt. Sie schmiegte sich in eine Stellung, die ihr gefiel. Ich mochte sie auch, ungeheuer gern sogar.

»Du tanzt wirklich gut, Alex. Das habe ich einfach gewußt.«

Christine faßte nach unten und zog an meinem Gürtel, bis die Schnalle aufging. Dann zog sie auch meinen Reißverschluß auf, streichelte mich sanft. Ich liebte ihre Berührung, überall, an allen Stellen meines Körpers. Ihre Lippen waren wieder auf meiner Haut. Alles an ihr war erotisch, unwiderstehlich, absolut unvergeßlich.

Wir wußten beide, daß es langsam geschehen mußte; in dieser Nacht war es nicht nötig, etwas zu überstürzen. Eile hätte es verdorben, und es durfte auf keinen Fall verdorben werden.

Ich mußte daran denken, daß wir beide schon einmal an diesem Punkt gewesen waren, aber niemals so. Wir waren zum ersten Mal an diesem ganz besonderen Ort. So etwas konnte nur einmal geschehen.

Meine Küsse wanderten langsam über ihre Schultern, und ich fühlte, wie ihre Brüste sich hoben und senkten, spürte ihren flachen Bauch und den Druck ihrer Beine. Ich umschloß Christines Brüste mit den Händen. Plötzlich wollte ich alles, wollte sie ganz, sofort. Ich sank auf die Knie. Ich fuhr mit den Händen an ihren weichen Beinen entlang, an ihren Hüften. Dann stand ich wieder auf. Ich zog den Reißverschluß ihres schwarzen Etuikleides ganz auf, und es rutschte an ihren langen Armen entlang zu Boden, bildete einen schimmernden schwarzen Teich um ihre Knöchel herum, um ihre schlanken Füße.

Schließlich, als alle Kleidungsstücke abgelegt waren, schauten wir uns an. Christine hielt meinen Blick fest und ich den ihren. Dann schweiften ihre Augen schamlos an meiner Brust hinunter, über meine Hüften. Ich war nach wie vor stark erregt und wünschte mir nur noch, in ihr zu sein.

Sie trat einen halben Schritt zurück. Ich bekam keine Luft, ich konnte es kaum mehr ertragen. Aber ich wollte nicht, daß es aufhörte. Ich fühlte wieder, erinnerte mich daran, wie gut es sein konnte.

Sie strich ihr Haar hinters Ohr. Eine schlichte, anmutige Bewegung.

»Mach das noch mal.« Ich lächelte.

Sie lachte und wiederholte die Geste.

»Ich tue alles, was du willst. Bleib dort«, flüsterte sie. »Rühr dich nicht, Alex. Komm nicht näher, wir könnten womöglich beide Feuer fangen. Das ist mein Ernst!«

»Es könnte den Rest des Wochenendes andauern«, sagte ich und fing an zu lachen.

»Das hoffe ich.«

Ich hörte ein winziges Klicken.

War das unsere Zimmertür? Hatte ich sie abgeschlossen?

War jemand da draußen?

Herrgott noch mal, das durfte nicht wahr sein.

51.

Ich war plötzlich nervös und paranoid und drehte mich zur Zimmertür um. Sie war zu und abgeschlossen. Niemand war da, kein Grund zur Sorge, Christine und ich waren in Sicherheit. Heute nacht würde uns beiden nichts Schlimmes geschehen.

Dennoch hatten sich mir in diesem Moment der Furcht und des Zweifels die Nackenhaare gesträubt. Soneji hatte die Angewohnheit, mir so etwas anzutun. Verdammt noch mal, was wollte er von mir?

»Stimmt etwas nicht, Alex? Eben warst du weit weg von mir.« Christine berührte mich und holte mich dadurch zurück. Ihre Finger waren wie Federn auf meiner Wange.

»Sei einfach hier bei mir, Alex.«

»Ich bin hier. Ich habe nur gedacht, ich hätte etwas gehört.«

»Das weiß ich. Niemand ist da. Du hast die Tür hinter uns abgeschlossen. Wir sind gut aufgehoben, alles ist in Ordnung.«

Ich zog Christine wieder eng an mich, und sie fühlte sich warm und unglaublich aufregend an. Ich zog sie auf das Bett hinunter und rollte mich auf sie, stützte dabei mein Gewicht mit den Handflächen ab. Ich senkte den Kopf und küßte wieder ihr wunderschönes Gesicht, dann ihre Brüste. Ich spielte mit den Lippen an den Brustwarzen, streichelte sie mit der Zunge. Ich küßte sie zwischen den Beinen, küßte ihre langen Beine, ihre schmalen Knöchel, ihre Zehen. *Sei einfach hier bei mir, Alex.*

Sie bog sich mir entgegen und atmete heftig, lächelte jedoch dabei. Sie bewegte ihren Körper an meinem, wir fanden einen gemeinsamen Rhythmus. Wir atmeten beide immer schneller.

»Bitte, tu's jetzt«, flüsterte sie und biß mich in der Nähe des Schlüsselbeins in die Schulter. »Bitte jetzt, sofort. Ich will dich in mir.«

Sie rieb mit ihren Handflächen meine Lenden. Ein Feuer brach aus. Ich konnte spüren, wie es sich in meinem Körper ausbreitete. Ich drang langsam in sie ein, so tief, wie ich konnte. Mein Herz hämmerte, meine Beine fühlten sich schwach an. Mir wurde flau im Magen, und ich war so erregt, daß es fast weh tat.

Dann war ich ganz in ihr. Ich wußte, daß ich mir das schon lange gewünscht hatte, daß ich dafür geschaffen war, mit dieser Frau in diesem Bett zu sein.

Anmutig und athletisch rollte sie sich auf mich und setzte sich stolz und aufrecht auf. Wir fingen langsam an zu schaukeln. Ich spürte, wie die Empfindungen unserer Körper brandeten und sich brachen, brandeten und sich brachen. Ich hörte meine Stimme »Ja, ja, ja!« rufen, merkte dann, daß es unser beider Stimmen waren.

Und dann sagte Christine etwas Magisches. Sie flüsterte: »Du bist der Richtige!«

Dritter Teil

Der Keller aller Keller

52.

Paris

Dr. Abel Sante war fünfunddreißig Jahre alt, mit langem schwarzem Haar, einem jungenhaft guten Aussehen und einer schönen Freundin namens Regina Bekker, die Malerin war, und zwar eine sehr gute, wie er dachte. Er hatte soeben Reginas Wohnung verlassen und ging gegen Mitternacht durch die Nebenstraßen des sechsten Arrondissements nach Hause.

Die schmalen Straßen waren still und leer. Um diese Tageszeit sammelte er liebend gern seine Gedanken oder versuchte auch manchmal, an überhaupt nichts zu denken. Abel Sante sinnierte über den Tod einer jungen Frau, die heute gestorben war, eine Patientin von ihm, sechsundzwanzig Jahre alt. Sie hatte einen liebevollen Mann und zwei hübsche Töchter. Abel Sante sah den Tod aus einer Perspektive, die er für richtig hielt: Warum sollten das Verlassen der Welt und die Wiedervereinigung mit dem Kosmos furchterregender sein als das Zur-Welt-Kommen, das überhaupt nicht furchterregend war?

Dr. Sante wußte nicht, woher der Mann – ein Stadtstreicher in einer schmutzigen grauen Jacke und zerfetzten, ausgebeulten Jeans – plötzlich aufgetaucht war. Plötzlich war er neben ihm, hing fast an seinem linken Ellbogen.

»Schön«, sagte der Mann.

»Entschuldigen Sie, wie bitte?« fragte Abel Sante erschrocken und löste sich hastig von seinen Gedanken.

»Es ist eine schöne Nacht, und unsere Stadt ist wirklich geeignet für einen späten Spaziergang.«

»Stimmt. War nett, Sie kennenzulernen«, sagte Sante zu dem Stadtstreicher. Ihm war aufgefallen, daß das Französisch des Mannes einen leichten Akzent hatte. Vielleicht war er Engländer oder Amerikaner.

»Sie hätten ihre Wohnung nicht verlassen sollen, sie hätten über Nacht bleiben sollen. Ein Gentleman bleibt immer über Nacht – natürlich nur, wenn er nicht zum Gehen aufgefordert wird.«

Dr. Abel Santes Rücken und Hals versteiften sich. Er nahm die Hände aus den Hosentaschen. Plötzlich hatte er Angst, große Angst. Er stieß den Stadtstreicher mit dem linken Ellbogen weg.

»Was soll das heißen? Verschwinden Sie!«

»Ich rede von Ihnen und Regina. Regina Becker, die Malerin. Ihre Arbeiten sind nicht übel, aber leider nicht gut genug.«

»Scheren Sie sich zum Teufel!«

Abel Sante beschleunigte den Schritt. Er war nur wenige Straßen von zu Hause entfernt. Der andere, der Stadtstreicher, hielt mühelos mit. Er war größer und athletischer, als Sante zunächst bemerkt hatte.

»Sie hätten ihr Kinder schenken sollen. Das ist meine Meinung.«

»Hauen Sie ab! Weg!«

Plötzlich hatte Sante beide Fäuste gehoben und fest geballt. Das war doch hirnrissig! Er war bereit zu kämpfen, wenn es sein mußte. Er hatte sich seit zwanzig Jahren nicht mehr geprügelt, aber er war kräftig und gut in Form.

Der Stadtstreicher holte aus und stieß ihn zu Boden, mühelos, als sei das überhaupt nichts. Dr. Santes Puls raste. Er konnte auf dem linken Auge, an dem er getroffen worden war, nicht mehr richtig sehen.

»Sind Sie total verrückt? Haben Sie den Verstand verloren?« schrie er den Mann an, der plötzlich stark und eindrucksvoll aussah, sogar in der dreckigen Kleidung.

»Ja, natürlich«, antwortete der Mann. »Natürlich habe ich den Verstand verloren. Ich bin Mr. Smith – und Sie sind der nächste.«

53.

Gary Soneji rannte ähnlich einer wahrhaft grausigen Großstadtratte durch die tiefen, finsteren Tunnel, die sich wie Gedärme unter dem New Yorker Bellevue Hospital hindurchschlängeln. Von dem widerlichen Gestank nach getrocknetem Blut und Desinfektionsmitteln wurde ihm übel. Er konnte die Mahnungen an Krankheit und Tod, die ihn hier umgaben, nicht ausstehen.

Eigentlich war das jedoch unwichtig, denn er war heute in der richtigen Stimmung. Er stand unter Strom, hatte abgehoben. Er war der Tod. Und der Tod war nicht auf Urlaub in New York.

Er hatte sich für seinen großen Morgen perfekt ausstaffiert: frisch gebügelte weiße Hosen, weißer Arztkittel, weiße Turnschuhe, ein laminierter Krankenhausausweis an einer Kette aus silbrigen Perlen um den Hals. Er war zur Morgenvisite hier. Bellevue. Genau so sah seine Vorstellung von einer Visite aus!

Es gab keine Möglichkeit, irgend etwas zum Stillstand zu bringen: seinen Zug aus der Hölle, sein unabänderliches Schicksal, sein letztes Hurra. Niemand konnte das alles zum Stillstand bringen, weil niemand je erraten würde, wohin der letzte Zug fuhr. Nur er wußte das, nur Soneji selbst konnte es verhindern.

Er fragte sich, wieviel von dem Puzzle Cross schon zusammengesetzt hatte. Cross spielte als Denker nicht ganz in seiner Liga, aber der Psychologe und Detective besaß auf bestimmten Spezialgebieten einige primitive Instinkte. Vielleicht unterschätzte er Dr. Cross, wie er es schon einmal getan hatte. Konnte er diesmal wieder gefaßt werden? Vielleicht, aber im Grunde spielte das keine Rolle. Das Spiel würde auch ohne ihn bis zum bitteren Ende weitergehen. Das war das Schöne daran, das Verteufelte an dem, was er getan hatte.

Gary Soneji stieg im Keller des bekannten Manhattaner Krankenhauses in einen Aufzug aus rostfreiem Edelstahl. In der engen Kabine befanden sich außer ihm noch zwei Pfleger, und Soneji bekam einen Moment lang Paranoia. Möglicherweise waren sie New Yorker Cops, die verdeckt ermittelten. Die New Yorker Polizci hatte sogar ein Büro im Haupttrakt des Krankenhauses, auch unter »normalen« Umständen. Bellevue. Herrgott, was für ein sensationelles Irrenhaus. Ein Hospital, in dem sich ein Polizeirevier befand.

Er beäugte die Pfleger mit dem lässigen, desinteressierten Blick des coolen Großstädters. Das konnten keine Polizisten sein, dann würden sie nicht so blöd aussehen. Sie waren das, was sie zu sein schienen – Krankenhausschwachköpfe mit müden Bewegungen und trägen Gedanken.

Einer schob eine Edelstahlrollbahre mit *zwei* kaputten Rädern. Es war ein Wunder, daß überhaupt je ein Patient ein Krankenhaus in New York City lebendig verließ. Die Krankenhäuser wurden hier mit etwa demselben Personal wie ein McDonald's-Restaurant geführt, vermutlich mit noch beschränkterem. Er kannte einen Patienten, der das Bellevue nicht lebendig verlassen würde. In den Nachrichten hieß es, Shareef Thomas werde während seiner Behandlung hier festgehalten. Thomas würde leiden, bevor er das sogenannte »Tal der Tränen« verließ, ihm stand eine Welt des Leidens bevor.

Gary Soneji verließ den Aufzug im ersten Stock. Er seufzte vor Erleichterung. Die beiden Pfleger gingen weiter ihrer Arbeit nach, sie waren keine Cops. Nein, sie waren blöder, absolute Blödmänner.

Er sah überall Krücken, Rollstühle, Gehhilfen aus Metall, die Krankenhausutensilien erinnerten ihn an seine Sterblichkeit. Die Flure im ersten Stock waren in einem gebrochenen Weiß gestrichen, die Türen und Heizkörper in einem Rosaton, der an ausgelutschten Kaugummi erinnerte. Im hinteren Teil der Etage befand sich eine seltsame Cafeteria, trüb beleuchtet wie ein U-Bahn-Schacht. Wer in diesem Lokal aß, sollte unverzüglich im Bellevue in die geschlossene Abteilung gesteckt werden!

Soneji erhaschte sein Spiegelbild in einer Edelstahlsäule. Der Herr der tausend Gesichter! Es stimmte. Jetzt hätte ihn selbst seine Stiefmutter nicht erkannt, und falls doch, hätte sie sich ihre dämlichen Lungen aus dem Leib geschrien. Sie hätte gewußt, daß er den ganzen Weg zur Hölle gekommen war, um sie zu holen.

Er ging den Flur entlang und sang sehr leise im bekannten Reggae-Rhythmus: »I shot the Shareef, but I did not shoot the deputy.«

Niemand beachtete ihn. Gary Soneji paßte bestens ins Bellevue.

54.

Soneji hatte ein perfektes Gedächtnis, deshalb würde er sich später an alle Einzelheiten dieses Morgens erinnern. Er würde den ganzen Vorgang mit unglaublicher Detailtreue wieder vor sich abspielen lassen können, das galt für alle seine Morde. Er erfaßte die schmalen Flure mit den hohen Decken, als hätte er sich eine Überwachungskamera auf den Kopf montiert. Seine Konzentrationsstärke verschaffte ihm einen Riesenvorteil: Alles, was um ihn herum vorging, war ihm auf fast übernatürliche Weise bewußt.

Ein Wachmann quasselte vor der Cafeteria mit zwei jungen Schwarzen. Die waren allesamt geistesgestört, vor allem der Spielzeugpolizist. Keinerlei Bedrohung von dieser Seite.

Überall hüpften alberne Baseballmützen herum. New York Yankees. San Francisco Giants. San Jose Sharks. Keiner der Mützenträger sah aus, als könne er sich beim Baseballspielen mit Ruhm bekleckern, schon gar nicht ihm etwas tun oder ihn aufhalten.

Weiter vorn befand sich die Polizeistation des Krankenhauses, es brannte jedoch kein Licht. Im Moment war niemand zu Hause. Wo waren die Krankenhauscops? Warteten sie irgendwo auf ihn? Warum sah er keinen von ihnen? War das ein erstes Anzeichen für eventuelle Schwierigkeiten?

Auf einem Schild am Patientenaufzug stand: Ausweis erforderlich. Soneji hielt den seinen bereit, für die heutige Maskerade war er Francis Michael Nicolo, Krankenpfleger.

An der Wand hing ein gerahmtes Plakat: Rechte und

Pflichten der Patienten. Wohin er auch schaute, sah er Schilder hinter trübem Plexiglas. Es war schlimmer als auf einem New Yorker Highway: Radiologie, Urologie, Hämatologie. Ich bin auch krank, wollte Soneji den Verantwortlichen zurufen. Ich bin so krank wie der schlimmste Fall hier drin. Ich sterbe. Und keinen kümmert's. Niemand hat sich je um mich gesorgt.

Er benutzte den mittleren Aufzug, um in den vierten Stock zu fahren. Bis jetzt gab es keine Probleme, keine Behelligungen, keine Polizei. Er stieg im vierten Stock aus, gespannt darauf, Shareef Thomas wiederzusehen, voller freudiger Erwartung auf den Schock und die Angst in seinem Gesicht. Der Flur im vierten Stock hatte etwas von einem tiefen Keller an sich. Nichts schien die Geräusche zu dämpfen. Das ganze Gebäude wirkte, als sei es völlig aus Beton.

Soneji schaute den Flur entlang, dorthin, wo Shareef festgehalten wurde, wie er herausgefunden hatte. Sein Zimmer war ganz hinten. Aus Sicherheitsgründen isoliert, richtig? Das war also die allmächtige New Yorker Polizei in Aktion. Was für ein Witz! Alles war ein Witz, wenn man lange und gründlich genug darüber nachdachte.

Soneji senkte den Kopf und ging auf Shareef Thomas' Krankenzimmer zu.

55.

Carmine Groza und ich warteten in dem Privatzimmer des Krankenhauses auf Soneji, darauf hoffend, daß er auftauchte. Wir waren schon seit Stunden hier. Woher sollte ich wissen, wie Soneji jetzt aussah? Das war ein Problem, aber wir konnten nur eins nach dem anderen lösen.

Wir hatten kein Geräusch an der Tür gehört. Doch plötzlich schwang sie auf. Soneji platzte in das Zimmer, rechnete damit, Shareef Thomas vorzufinden. Er starrte Groza und mich an. Sein Haar war silbergrau gefärbt und glatt zurückgekämmt. Er wirkte tatsächlich wie ein Mann in den Fünfzigern oder Anfang Sechzig – aber die Größe kam ungefähr hin. Er riß die hellblauen Augen weit auf, als er mich sah. Und es waren seine Augen, die ich als erstes erkannte.

Er verzog das Gesicht zu dem verächtlichen, wegwerfenden Grinsen, das ich schon so oft gesehen hatte, das mich manchmal in meinen Alpträumen verfolgte. Er fühlte sich allen anderen so verdammt überlegen. Er *wußte,* daß er überlegen war.

Soneji sagte nur drei Wörter: »Sogar noch besser.«

»New Yorker Polizei! Keine Bewegung!« bellte Groza seine Warnung in autoritärem Ton.

Soneji grinste nur weiter dreckig, als bereite ihm dieser Überraschungsempfang einen Riesenspaß, fast als habe er ihn selbst geplant. Es war kaum zu fassen, wie selbstbewußt und arrogant er war.

Ich registrierte aufgrund der Wölbung um seinen Oberkörper herum, daß er eine kugelsichere Weste trug. Er war geschützt und auf alles vorbereitet, was wir tun könnten.

In der linken Hand hielt Soneji etwas fest umklammert. Ich konnte nicht erkennen, was es war. Er war mit halb erhobenem Arm ins Zimmer gekommen. Jetzt warf er eine kleine grüne Flasche nach Groza und mir, nur mit einem Schlenker der Hand. Die Flasche klirrte, als sie auf dem Holzboden aufprallte. Sie sprang hoch und schlug wieder auf. Plötzlich begriff ich, aber zu spät, Sekunden zu spät.

»Eine Bombe!« schrie ich Groza an. »Auf den Boden! Runter!«

Groza und ich tauchten vom Bett ab, wichen der grünen Flasche aus. Wir schafften es, Stühle als Schutzschilde vor uns zu zerren. Der Blitz im Zimmer war unglaublich hell, ein gezackter weißer Lichtstreifen mit einer leuchtendgelben Nachglut. Dann schien alles um uns herum Feuer zu fangen.

Sekundenlang war ich geblendet. Dann hatte ich das Gefühl zu verbrennen. Flammen loderten um meine Schuhe und Hosen herum. Ich hielt mir die Hände vor mein Gesicht, vor Mund und Augen.

»Um Gottes willen!« schrie Groza.

Ich hörte ein Zischen, wie Schinken auf einem Grill. Ich betete, daß es nicht von meiner Haut kam. Dann mußte ich würgen, röchelte, Groza ging es genauso. Immer noch loderten neue Flammen hoch, züngelten um mein Hemd herum, und durch das Inferno konnte ich Soneji hören. Er lachte uns aus.

»Willkommen in der Hölle, Cross«, sagte er. »Brenn, Baby, brenn!«

56.

Groza und ich rissen Decken und Laken vom Bett und löschten damit unsere brennenden Hosen. Wir hatten Glück gehabt, jedenfalls hoffte ich das. Wir erstickten die Flammen an unseren Hosenbeinen und Schuhen.

»Er wollte Thomas bei lebendigem Leib verbrennen«, keuchte ich. »Und er hat noch eine Brandbombe. Ich habe eine zweite grüne Flasche gesehen, mindestens noch eine.«

Wir humpelten, so gut wir konnten, den Krankenhausflur entlang, um Soneji zu verfolgen. Draußen waren bereits zwei Detectives verletzt zu Boden gegangen. Soneji war tatsächlich ein Phantom.

Wir folgten ihm mehrere Hintertreppen hinunter. Das Geräusch unserer Schritte hallte laut im Treppenhaus wider. Meine Augen tränten, doch ich konnte noch ausreichend sehen.

Groza benachrichtigte über Funk die anderen Detectives. »Der Verdächtige hat eine Brandbombe! Soneji hat eine Bombe! Vorsicht!«

»Was zum Teufel hat er vor?« rief er mir dann zu, während wir weiterliefen. »Was zum Teufel hat er jetzt wieder geplant?«

»Ich glaube, er will sterben«, stieß ich atemlos hervor. »Und er will berühmt werden. Mit einem Knall abgehen, das ist sein Stil. Vielleicht hier im Bellevue.«

Gary Soneji hatte immer nach Aufmerksamkeit gegiert. Seit seiner Kindheit war er besessen gewesen von Geschichten über die sogenannten »Jahrhundertverbrechen«. Ich war mir sicher, daß Soneji jetzt sterben wollte, aber er würde dabei ein Riesengetöse veranstalten. Er wollte seinen eigenen Tod inszenieren.

Ich keuchte und war völlig außer Atem, als wir schließlich im Erdgeschoß ankamen. Ich hatte vom Rauch eine wunde Kehle, war aber ansonsten körperlich ganz fit. Doch mein Hirn war benebelt, und ich hatte keinen Plan, was ich als nächstes tun sollte.

Da sah ich eine verschwommene, schnelle Bewegung, vielleicht dreißig Meter von mir entfernt, in der Eingangshalle.

Ich schob mich durch die nervöse Menge, die panisch versuchte, das Gebäude zu verlassen. Der Brand im vierten Stock hatte sich bereits herumgesprochen. Zu allem Überfluß war der Eingangsbereich des Bellevue wie immer belebt wie ein U-Bahn-Bahnhof, auch schon, *bevor* im Inneren eine Bombe losgegangen war.

Ich schaffte es, auf die Rampe vor dem Krankenhaus zu gelangen. Draußen regnete es stark, es war grau und scheußlich. Ich hielt überall Ausschau nach Soneji. Eine Gruppe aus Krankenhauspersonal und Besuchern stand unter dem Vordach und rauchte. Die Leute schienen von dem Notfall nichts bemerkt zu haben, vielleicht waren sie aber auch einfach an solche Situationen gewöhnt. Der Backsteinweg, der vom Gebäude wegführte, war überfüllt mit weiteren Menschen, die sich im strömenden Regen drängten. Ihre Regenschirme versperrten mir die Sicht.

Wohin zum Teufel war Gary Soneji gegangen? Wohin konnte er verschwunden sein? Ich hatte das flaue Gefühl, daß er mir wieder entwischt war, und diese Vorstellung war unerträglich.

Draußen auf der First Avenue boten Händler unter bunten, verfleckten Schirmen Gyros, Hot Dogs und Brezeln auf New Yorker Art an.

Soneji war nirgends zu sehen.

Ich hielt weiter Ausschau, suchte verzweifelt die belebte, laute Straße in beiden Richtungen ab. Ich durfte ihn nicht entkommen lassen. Wahrscheinlich würde ich nie wieder eine so gute Chance wie die hier bekommen. In der Menge entstand eine Lücke, und plötzlich konnte ich etwa einen halben Block weit sehen. Dort war er!

Soneji ging in einem Fußgängergrüppchen auf dem Bürgersteig Richtung Norden. Ich rannte los, Groza war immer noch bei mir. Wir hatten beide die Waffen gezogen, konnten jedoch in der Menschenmenge keinen Schuß riskieren, da waren unzählige Mütter, Kinder und alte Leute, Patienten, die aus dem Krankenhaus kamen oder hineingingen.

Soneji warf einen Blick nach rechts, dann nach links und schließlich nach hinten. Er sah uns kommen. Ich war sicher, daß er mich gesehen hatte. Er mußte seine Flucht, den Ausweg aus dem gefährlichen Chaos, improvisieren. Die jüngsten Ereignisse zeigten, daß sich seine Denkfähigkeit verschlechtert hatte. Sein Verstand hatte langsam, aber sicher an Schärfe und Klarheit eingebüßt. Deshalb war er jetzt zum Sterben bereit: Er war es leid, langsam zu sterben, er verlor den Verstand, und er konnte es nicht ertragen.

Ein Bautrupp hatte die halbe Kreuzung abgesperrt. Helme schaukelten im Regen. Der Verkehr versuchte, sich um die Straßenbaustelle herumzumanövrieren, überall wurde pausenlos gehupt.

Ich sah, wie Soneji plötzlich aus der Menge ausscherte und die schlüpfrige Straße entlang auf die First Avenue zurannte. Er schlängelte sich durch den Verkehr, sprintete, so schnell er konnte.

Ich beobachtete, wie Gary plötzlich nach rechts taumelte. Tu uns allen einen Gefallen, geh zu Boden! Er rannte an einem weiß-blauen Stadtbus entlang, der gerade an einer Haltestelle hielt.

Soneji rutschte abermals aus. Fast wäre er gestürzt, doch dann war er in dem gottverdammten Bus. Der Bus hatte nur Stehplätze. Ich konnte erkennen, wie Soneji wild mit den Armen ruderte, den anderen Fahrgästen Befehle zuschrie. Herrgott noch mal, er war mit einer Bombe in diesem Stadtbus.

57.

Detective Groza kam stolpernd neben mir an. Sein Gesicht war rußverschmiert, sein wehendes schwarzes Haar versengt. Er gestikulierte wild nach einem Auto, winkte mit beiden Armen. Eine Polizeilimousine hielt neben uns, und wir stiegen schnell ein.

»Alles in Ordnung mit Ihnen?« fragte ich ihn.

»Ich glaube schon. Zumindest bin ich hier. Also schnappen wir ihn!«

Wir folgten dem Bus die First Avenue entlang, schlängelten uns mit heulender Sirene durch den Verkehr. Fast wären wir mit einem Taxi zusammengestoßen, verfehlten es nur um wenige Zentimeter.

»Sind Sie sicher, daß er noch eine Bombe hat?«

Ich nickte.

»Mindestens eine. Erinnern Sie sich an den wahnsinnigen Bombenleger in New York? Soneji hat vermutlich ihn und seine Taten im Kopf. Der wahnsinnige Bombenleger war berühmt.«

Alles war völlig verrückt und surreal. Der Regen wurde stärker, prasselte laut auf das Dach der Limousine.

»Er hat Geiseln«, sprach Groza in das Funkgerät am Armaturenbrett. »Er befindet sich in einem Bus, der die First Avenue entlangfährt. Er scheint noch eine Bombe zu haben. Es handelt sich um einen Bus der Linie M-15. Alle Wagen sollen diesen Bus verfolgen, aber noch nicht eingreifen. Er hat eine gottverdammte Bombe in diesem Bus.«

Ich zählte ein halbes Dutzend blau-weiße Streifenwagen, die bereits die Verfolgung aufgenommen hatten. Der Stadtbus hielt zwar an den roten Ampeln, aber nicht mehr an den Haltestellen. Im Regen wartende Menschen winkten wütend nach ihm. Niemand von ihnen begriff, was für ein Glück sie hatten, daß sich die Bustüren nicht für sie öffneten.

»Versuchen Sie, näher heranzukommen«, trug ich dem Fahrer auf. »Ich will mit ihm sprechen, jedenfalls rauskriegen, ob er reden will. Einen Versuch ist es wert.«

Die Polizeilimousine beschleunigte, schlängelte sich über die nasse Straße. Wir kamen näher, schoben uns neben den leuchtendblauen Bus. Ein Plakat warb in großen Buchstaben für das Musical *Das Phantom der Oper*. An Bord des Busses war ein Phantom aus dem wahren Leben. Gary Soneji stand wieder einmal im Rampenlicht, so, wie er es liebte. Seine Bühne war jetzt New York.

Ich hatte das Seitenfenster heruntergekurbelt. Regen und Wind peitschten mir ins Gesicht, aber ich konnte Soneji in dem Bus erkennen. Herrgott, er improvisierte immer noch, er hielt nun ein Kind im Arm, ein winziges Bündel in Rosa und Blau. Er brüllte Befehle und ließ den freien Arm zornig kreisen.

Ich beugte mich so weit wie möglich aus dem Auto.

»Gary!« schrie ich. »Was wollen Sie?«

Ich rief nochmals, kämpfte gegen den Verkehrslärm und das laute Dröhnen des Busses an.

»Gary! Ich bin's, Alex Cross!«

Die Fahrgäste im Bus schauten zu mir. Sie waren entsetzt, standen unter Schock.

An der Kreuzung zwischen der Forty-second Street und der First Avenue bog der Bus scharf nach links ab. Ich sah Groza an.

»Ist das die normale Route?«

»Ausgeschlossen«, sagte er. »Er läßt den Bus seine eigene Route fahren.«

»Was ist in der Forty-second Street? Was gibt es da weiter vorn? Wo zum Teufel könnte er hinwollen?«

Groza hob verzweifelt die Hände in die Luft.

»Auf der anderen Seite ist der Times Square, wo sich die übelsten Obdachlosen und Versager der ganzen Stadt herumtreiben. Dort ist auch das Theaterviertel, außerdem Port Authority Bus Terminal, der zentrale Busbahnhof. Und dann nähern wir uns gerade der Grand Central Station.«

»Dann will er zur Grand Central«, erklärte ich Groza. »Ich bin mir ganz sicher. Das ist seine Kulisse, ein Bahnhof!«

Wieder ein Keller, ein berühmter, der sich unter mehreren Häuserblocks erstreckte. Der Keller aller Keller.

Gary Soneji war mittlerweile aus dem Bus herausgesprungen und rannte die Forty-second Street entlang. Er lief auf die Grand Central Station zu, hielt dabei das Baby immer noch im Arm, ließ es sorglos schaukeln und zeigte uns dadurch, wie wenig ihm am Leben des Kindes lag.

Sollte er doch zur Hölle fahren! Er war auf der Zielgeraden, aber nur er wußte, was das für alle anderen zu bedeuten hatte.

58.

Ich bahnte mir einen Weg durch die überfüllte Passage, die von der Forty-second Street ausging. Sie führte in die noch belebtere Grand Central Station. Tausende schon jetzt entnervte Pendler trafen in der Innenstadt ein, um dort zu arbeiten. Sie hatten keine Ahnung, was für ein schlimmer Tag ihnen tatsächlich bevorstand.

Die Grand Central ist die New Yorker Endstation für die Züge aus allen Teilen New Yorks, aus New Haven, Hartford und ein paar anderen Orten. Und für drei IRT-U-Bahnlinien: von der Lexington Avenue, vom Times Square und aus Queens. Das Bahnhofsgebäude erstreckt sich über drei Blocks zwischen der Forty-second und der Forty-fifth Street; auf der oberen Ebene gibt es einundvierzig Gleise, auf der unteren noch mal sechsundzwanzig, die sich Richtung Ninety-sixth Street zu einer viergleisigen Bahnlinie verengen.

Die untere Ebene ist ein riesiges Labyrinth, eines der größten der Welt.

Garys Keller.

Ich arbeitete mich weiter durch die dichtgedrängte Menschenmenge. Mir gelang es schließlich, in einen Wartesaal zu kommen, und ich betrat von dort aus die beeindruckende Bahnhofshalle mit der gewölbten Dekke. Überall waren Bauarbeiten im Gang. An den Wänden hingen riesige Werbeplakate für United Airlines, American Express und Nike-Turnschuhe. Von meinem Platz aus waren die Sperren vor einem Dutzend Gleisen zu sehen.

Detective Groza holte mich in der Bahnhofshalle ein. Wir standen beide unter Hochspannung.

»Er hat das Baby immer noch bei sich«, keuchte er. »Jemand hat ihn gesehen, als er in die untere Ebene gerannt ist.«

Auf, auf zum fröhlichen Jagen! Gary Soneji war auf dem Weg in den Keller. Das war keinesfalls gut für die Tausende von Menschen, die sich im Gebäude drängten. Er hatte eine Bombe, und vielleicht nicht nur die eine.

Ich eilte Groza voraus eine steile Treppe hinunter, unter einem Neonschild durch, auf dem zu lesen war: OYSTER BAR AUF DIESER EBENE. Der ganze Bahnhof wurde ständig umgebaut und renoviert, was noch mehr zur allgemeinen Verwirrung beitrug. Wir schoben uns an überfüllten Bäckereien und Imbißläden vorbei. Jede Menge zu essen für die Zeit, in der man auf den Zug wartete. Hoffentlich nicht auf eine explodierende Bombe. Vor uns bemerkte ich ein Geschäft der Hoffritz-Kette. Womöglich hatte Soneji das Messer, das er in der Penn Station benutzt hatte, bei Hoffritz gekauft. Groza und ich erreichten die nächste Ebene. Wir betraten eine weitläufige Arkade, umgeben von weiteren Gleiszugängen. Schilder wiesen den Weg zu den U-Bahnen und zum Times Square Shuttle. Groza hielt ein Funkgerät am Ohr. Er hörte die neuesten Meldungen aus dem Bahnhofsbereich.

»Er ist unten in den Tunneln. Wir sind nahe dran«, sagte er zu mir.

Groza und ich stürmten die nächste steile Steintreppe hinunter. Hier unten war es unerträglich heiß, wir schwitzten, als wir nebeneinanderher rannten. Das Gebäude vibrierte, die grauen Steinwände und der Boden unter unseren Füßen bebten. Wir waren jetzt in der Hölle, die Frage war nur, in welchem Bereich?

Schließlich entdeckte ich Gary Soneji ein Stück vor

uns. Dann verschwand er wieder. Er hatte das Baby immer noch bei sich, doch vielleicht hielt er auch nur die rosa-blaue Decke in den Armen.

Er war jetzt wieder in Sicht. Dann blieb er plötzlich stehen, drehte sich um und schaute den Tunnel entlang. Er hatte vor nichts mehr Angst, das konnte ich seinen Augen ansehen.

»Dr. Cross!« schrie er. »Schön, wie Sie meine Anweisungen befolgen.«

59.

Sonejis finsteres Geheimnis begleitete ihn immer noch, hielt ihm immer noch die Treue: Was auch immer Menschen in ungeheure Wut brachte, was auch immer sie untröstlich traurig machte, vor allem aber, was auch immer ihnen weh tat – genau das tat er!

Soneji beobachtete, wie Alex Cross näher kam. Großer, arroganter schwarzer Scheißkerl. Bist auch du bereit zu sterben, Cross?

Gerade jetzt, wo dein Leben sich so vielversprechend entwickelt. Deine Kinder werden groß. Und du hast eine schöne neue Geliebte. Aber es wird so kommen. Du wirst für das, was du mir angetan hast, sterben, und du kannst es nicht verhindern.

Alex Cross kam weiter auf ihn zu, stolzierte über den Bahnsteig aus Beton. Er sah nicht aus, als hätte er Angst. Cross hatte ohne Zweifel einen sicheren Gang, das war seine Stärke, aber es war auch seine Torheit.

Soneji fühlte sich jetzt, als schwebe er im Raum. Er

kam sich so frei vor, als könne ihm nichts Böses mehr geschehen, und konnte endlich genau der sein, der er schon immer sein wollte, er konnte nach Belieben handeln. Er hatte sein ganzes Leben damit verbracht, an diesen Punkt zu kommen.

Alex Cross kam immer näher. Er rief eine Frage quer über den Bahnsteig, Cross stellte immer Fragen.

»Was willst du, Gary? Was zum Teufel willst du von uns?«

»Halt's Maul! Was soll ich schon wollen?« rief Soneji zurück. »Dich! Endlich hab' ich dich geschnappt!«

60.

Ich hörte, was Soneji sagte, aber es spielte im Grunde keine Rolle mehr. Die Sache zwischen uns kam jetzt zum Abschluß. Ich ging weiter auf ihn zu. So oder so, das hier war das Ende. Ich lief vier Steinstufen hinunter. Ich konnte den Blick nicht von Soneji wenden, es ging einfach nicht. Ich weigerte mich, jetzt aufzugeben.

Rauch von dem Krankenhausbrand belastete immer noch meine Lungen. Die Luft des Zugtunnels machte es nicht gerade besser. Ich fing an zu husten.

Würde das Sonejis Ende sein? Ich konnte es kaum glauben. Was zum Teufel meinte er damit, er habe mich endlich geschnappt?

»Keine Bewegung! Stehenbleiben! Keinen Schritt weiter!« schrie Soneji.

Er hatte eine Schußwaffe. Und er hatte das Baby.

»*Ich* sage, wer sich bewegt und wer nicht. Das gilt auch für Sie, Cross. Bleiben Sie also einfach stehen.«

Ich blieb stehen, auch sonst bewegte sich niemand. Es war unglaublich still auf dem Bahnsteig tief unten in der Grand Central Station. Vermutlich waren zwanzig Menschen Soneji so nahe, daß eine Bombe sie zumindest verletzt hätte.

Er hielt das Baby in die Höhe, was ihm endgültig die Aufmerksamkeit aller eintrug. Detectives und uniformierte Polizisten standen wie gelähmt in den breiten Torbögen des Tunnels. Wir alle waren hilflos, hatten keinerlei Macht, Soneji an irgend etwas zu hindern. Wir waren gezwungen, ihm zuzuhören.

Er begann, sich in einem kleinen, engen, irren Kreis zu drehen. Sein Körper wirbelte herum, immer und immer wieder, wie ein seltsamer tanzender Derwisch. Er umklammerte das Kind mit einem Arm, hielt es achtlos wie eine Puppe. Ich hatte keine Ahnung, was der Mutter des Kindes zugestoßen war. Soneji schien fast in Trance zu sein. Er wirkte jetzt absolut wahnsinnig – vermutlich war er es auch.

»Der liebe Onkel Doktor Cross ist hier!« schrie er den Bahnsteig entlang. »Was wissen Sie denn überhaupt? Wieviel glauben Sie zu wissen? Lassen Sie zur Abwechslung mal mich die Fragen stellen!«

»Ich weiß nicht genug, Gary«, sagte ich und antwortete so ruhig wie möglich.

Kein Spektakel vor dem Publikum, *seinem* Publikum.

»Sie haben wohl immer noch gern Zuschauer bei Ihren großen Aktionen.«

»Aber ja, Dr. Cross. Ich liebe ein aufmerksames Publikum. Was hat eine großartige Vorstellung für einen Sinn, wenn niemand sie sieht? Ich bin scharf auf den Ausdruck in euren Augen, ich will eure Angst und euren Haß sehen.«

Er drehte sich weiter, wirbelte herum, als agiere er auf einer Drehbühne.

»Sie alle möchten mich gern umbringen. Ihr seid auch alle Killer!« kreischte er.

Soneji vollführte noch eine letzte, langsame Drehung, die Pistole ausgestreckt, das Baby in der linken Armbeuge. Es schrie nicht, weshalb mir übel wurde vor Sorge. Die Bombe konnte in einer von Garys Hosentaschen stecken. Irgendwo war sie, und ich hoffte, daß sie sich nicht in der Babydecke befand.

»Sie sind wieder im Keller, nicht wahr?« fragte ich.

Früher hatte ich eine Zeitlang geglaubt, Gary sei schizophren. Dann wieder war ich mir sicher, er sei es nicht. Im Augenblick war ich mir über gar nichts mehr im klaren.

Er gestikulierte mit dem freien Arm in Richtung der unterirdischen Tunnel und ging dabei langsam weiter auf das Ende des Bahnsteigs zu. Wir hatten keine Chance, ihn aufzuhalten.

»Als Kind habe ich immer davon geträumt, hierher zu entkommen, einen großen, schnellen Zug zur Grand Central Station in New York City zu nehmen. Einfach zu fliehen und frei zu sein. Vor allem zu fliehen.«

»Sie haben es geschafft. Am Ende haben Sie schließlich gewonnen. Haben Sie uns deshalb hierhergeführt? Damit wir Sie fassen?« fragte ich.

»Ich bin noch nicht erledigt, nicht einmal annähernd. Ich bin noch lange nicht fertig mit Ihnen, Cross«, höhnte er.

Da war wieder diese Drohung. Mir sackte der Magen durch, als ich ihn so reden hörte.

»Was ist denn mit mir?« rief ich. »Sie drohen mir ständig, aber ich sehe keine Taten.«

Soneji blieb stehen. Alle beobachteten ihn jetzt, konnten vermutlich nicht realisieren, daß die Szene Wirklichkeit war. Ich war mir nicht einmal sicher, ob ich sie für die Wirklichkeit hielt.

»Das hier ist noch nicht das Ende, Cross. Ich mache Sie fertig, sogar aus dem Grab, wenn es sein muß. Es gibt keine Möglichkeit, das zu verhindern. Denken Sie daran! Vergessen Sie das nie! Ich bin mir sicher, daß Sie es nicht vergessen.«

Dann tat Soneji etwas, was ich nie begreifen werde. Sein linker Arm schoß nach oben, und er warf das Baby in die Luft. Die Zuschauer hielten den Atem an, als das Kind nach vorn flog. Alle stöhnten hörbar, als ein Mann das Baby ungefähr fünf Meter entfernt auffing. Erst jetzt begann es zu weinen.

»Gary, nein!« rief ich Soneji zu. Doch er rannte bereits weiter.

»Sind Sie bereit zu sterben, Dr. Cross?« schrie er zurück. »Sind Sie bereit?«

61.

Soneji verschwand durch eine silberfarbene Metalltür am Ende des Bahnsteigs. Er war schnell und hatte zudem das Überraschungsmoment ausgenutzt. Schüsse knallten – Groza schoß –, aber ich glaubte nicht, daß Soneji getroffen worden war.

»Dahinten sind noch mehr Tunnel und jede Menge Gleise«, erklärte Groza hastig. »Wir betreten ein finsteres, schmutziges Labyrinth.«

»Mag sein, aber wir gehen trotzdem hinein«, sagte ich. »Gary gefällt es hier unten. Wir werden das Beste daraus machen müssen.«

Ich riß einem Bauarbeiter seine Taschenlampe aus der Hand und zog dann meine Glock. Siebzehn Schüsse. Groza hatte eine 357er Magnum, also weitere sechs Salven. Wie viele Schüsse waren nötig, um Gary Soneji zu töten? Würde er jemals sterben?

»Er trägt eine verfluchte schußsichere Weste«, sagte Groza.

»Ja, das habe ich bemerkt.« Ich entsicherte die Glock. »Er ist ein Pfadfinder – allzeit bereit.«

Ich öffnete die Tür, durch die Soneji verschwunden war, und plötzlich war es so finster wie in einem Grab. Ich hielt die Glock gerade vor mich und ging weiter. Das war tatsächlich der Keller schlechthin, seine Privathölle in Übergröße.

Sind Sie bereit zu sterben, Dr. Cross?

Es gibt keine Möglichkeit, das zu verhindern.

Ich duckte mich, schlich weiter, so gut ich konnte. Der Strahl der Taschenlampe zuckte über die Wände. Weiter vorn erkannte ich trübes Licht von eingestaubten Lampen, deshalb schaltete ich die Taschenlampe aus. Meine Lungen schmerzten. Ich konnte immer noch nicht richtig atmen, aber vielleicht wurde mein körperliches Unbehagen zum Teil auch durch Klaustrophobie und Entsetzen verursacht.

Mir gefiel es nicht in Garys Keller. So mußte er sich gefühlt haben, als er noch ein Junge gewesen war. Wollte er uns das mitteilen? Uns die Erfahrung vermitteln?

»Herrgott«, murmelte Groza in meinem Rücken.

Ich vermutete, daß er das gleiche empfand wie ich, desorientiert war und Angst hatte. Irgendwo im Tunnel heulte der Wind, und wir konnten nicht viel sehen. Im Dunkeln muß man seine Phantasie einsetzen, dachte ich, während ich weiterging. Soneji hatte dies als Junge zur Genüge gelernt. Hinter uns waren jetzt Stimmen, doch sie waren noch weit weg. Gespenstisch hallten sie von den Wänden wider. Niemand hatte es eilig, Soneji in dem finsteren, schmuddeligen Tunnel einzuholen.

Die Bremsen eines Zugs kreischten auf der anderen Seite der geschwärzten Steinwand. Hier unten, parallel zu uns, verlief die U-Bahn. Der Gestank nach Müll und Abfall wurde immer schlimmer, je weiter wir gingen. Ich wußte, daß in etlichen dieser Tunnel Stadtstreicher lebten. Bei der New Yorker Polizei gab es eine spezielle Obdachloseneinheit, die auf sie angesetzt war.

»Ist da was?« murmelte Groza mit Angst und Unsicherheit in der Stimme. »Sehen Sie was?«

»Nichts«, flüsterte ich.

Ich wollte nicht mehr Lärm als nötig machen. Ich holte abermals schmerzhaft tief Luft und hörte auf der anderen Seite der Wand das Pfeifen eines Zugschaffners.

In einigen Teilen des Tunnels herrschte trübes Licht. Müll übersäte den Boden, weggeworfene Fast-food-Verpackungen, zerfetzte, verschmutzte Kleidung. Ich hatte bereits zwei riesige Ratten gesehen, die an meinen Füßen vorbeihuschten.

Dann hörte ich direkt hinter mir einen Schrei. Mein Hals und mein Rücken versteiften sich vor Schreck. Es war Groza! Er ging zu Boden. Ich hatte keine Ahnung, womit er getroffen worden war. Er gab keinen weiteren Ton von sich und rührte sich nicht mehr.

Ich fuhr herum, konnte zunächst niemanden sehen. Die Finsternis schien sich sogar noch zu verdichten.

Doch dann erhaschte ich einen Blick auf Sonejis Gesicht: ein Auge, eine Mundhälfte im dunklen Profil. Er schlug mich, bevor ich auch nur die Glock heben konnte. Soneji stieß einen brutalen Urschrei hervor, unverständliche Wörter. Er schlug mich mit gewaltiger Wucht, ein Fausthieb gegen die linke Schläfe. Er erinnerte mich daran, wie unglaublich stark Soneji war und daß er den Verstand verloren hatte. In meinen Ohren rauschte es, und mir drehte sich alles im Kopf, meine Beine waren wacklig. Fast hätte er mich schon mit dem ersten Hieb bewußtlos geschlagen. Vielleicht hätte er es sogar gekonnt, aber er wollte mich bestrafen, wollte seine Rache, es mir langsam heimzahlen. Er schrie wieder, dieses Mal war er nur Zentimeter von meinem Gesicht entfernt.

Schlag zurück, befahl ich mir. Schlag jetzt zurück, du bekommst keine zweite Chance mehr!

Sonejis Kraft war so immens wie bei unserer letzten Begegnung, vor allem in einem Nahkampf wie diesem hier. Er hatte mich im Schwitzkasten, und ich konnte seinen Atem riechen. Er versuchte, mich mit seinen Armen zu erwürgen. Weiße Lichter flackerten und hüpften vor meinen Augen, ich war noch auf den Beinen, aber fast bewußtlos. Er schrie wieder. Ich stieß mit dem Kopf zu. Das überraschte ihn, sein Griff lockerte sich sekundenlang, und ich konnte mich lösen. Ich landete den härtesten Boxhieb meines Lebens und hörte sein Kinn knakken. Doch er ging nicht zu Boden! Was war nötig, um ihm weh zu tun?

Er ging erneut auf mich los, und ich versetzte ihm einen Schlag auf die linke Wange. Ich spürte, wie Knochen unter meiner Faust barsten. Er schrie, stöhnte dann auf, aber er stürzte auch diesmal nicht, hörte nicht auf, mich zu attackieren.

»Du kannst mir nichts tun«, knurrte er keuchend. »Du

wirst sterben. Du kannst es auf keinen Fall verhindern. Du kannst es jetzt nicht mehr verhindern!«

Gary Soneji ging wieder auf mich los. Ich hob die Glock. Tu ihm weh, bring ihn jetzt um, sofort!

Ich schoß. Und obwohl es schnell ging, kam es mir wie eine Zeitlupe vor. Mir war, als könne ich spüren, wie der Schuß in Sonejis Körper eindrang. Er durchbohrte seinen Unterkiefer, mußte ihm die Zunge und Zähne weggerissen haben. Was von Soneji übrig war, griff erneut nach mir, versuchte, mich festzuhalten, sich in mein Gesicht und meine Kehle zu krallen. Ich stieß ihn weg. Tu ihm weh, bring ihn um!

Er wankte mehrere Schritte rückwärts in den finsteren Tunnel. Ich weiß nicht, woher er die Kraft nahm. Ich war zu erschöpft, um ihn zu verfolgen, aber mir war klar, daß es nicht mehr nötig war.

Endlich fiel er zu Boden wie ein schweres Gewicht. Als er aufschlug, explodierte die Bombe in seiner Tasche. Gary Soneji ging in Flammen auf. Der Tunnel hinter ihm war dreißig Meter weit erleuchtet. Soneji schrie sekundenlang, dann verbrannte er schweigend – eine menschliche Fackel in seinem Keller. Er war direkt zur Hölle gefahren.

Es war endlich vorbei.

62.

Es gibt eine japanische Weisheit: *Schnall nach einem Sieg deinen Helmriemen fester*. Ich versuchte, das im Kopf zu behalten.

Ich war am Dienstag früh wieder in Washington und verbrachte den ganzen Tag zu Hause mit Nana, den Kindern und Rosie. Der Morgen fing damit an, daß die Kinder mir etwas einließen, was sie ein »Blubberbad« nannten. Von da an wurde es immer besser. Irgendwann weigerte ich mich nicht nur, meinen Helmriemen fester zu schnallen, ich nahm das verdammte Ding sogar ab.

Ich versuchte, nicht zuviel über Sonejis grauenhaften Tod nachzudenken, auch nicht über seine Drohung gegen mich. Ich hatte früher Schlimmeres mit ihm erlebt. Viel Schlimmeres. Soneji war tot und damit aus unser aller Leben verschwunden. Ich hatte mit eigenen Augen gesehen, wie er zur Hölle fuhr. Und ich hatte dazu beigetragen, daß er dort landete.

Trotzdem hörte ich zu Hause im Laufe des Tages immer wieder seine Stimme, seine Warnung, seine Drohung.

Du wirst sterben. Es gibt keine Möglichkeit, das zu verhindern.

Ich mache dich fertig, sogar aus dem Grab, wenn es sein muß.

Kyle Craig rief aus Quantico an, um mir zu gratulieren und mich zu fragen, wie es mir ging. Er hatte natürlich nach wie vor Hintergedanken. Er wollte mich in seinen Fall »Mr. Smith« verwickeln, aber ich sagte nochmals nein. Es war eindeutig nichts zu machen. Ich war im Augenblick nicht scharf auf Mr. Smith. Kyle drängte mich, seinen Superagenten Thomas Pierce kennenzulernen, und fragte, ob ich seine Faxe über Pierce gelesen hätte. *Nein!*

An jenem Abend fuhr ich zu Christines Haus, und ich wußte, daß ich die richtige Entscheidung bezüglich des Problems Mr. Smith und der Dauerprobleme des FBI mit diesem Fall getroffen hatte. Wegen der Kinder blieb ich nicht über Nacht, aber ich hätte es gewollt.

»Du hast versprochen, daß es dich immer noch gibt, wenn wir beide achtzig sind. Das ist ein ganz guter Anfang«, sagte Christine, als ich mich von ihr verabschiedete.

Am Mittwoch mußte ich ins Büro, um den Fall Soneji auch formal abzuschließen. Es war keine Genugtuung für mich, daß ich ihn umgebracht hatte, aber ich war froh, daß es endlich vorbei war. Bis auf den verflixten Aktenkram eben.

Ich kam gegen sechs von der Arbeit nach Hause. Ich hatte Lust auf ein weiteres »Blubberbad«, vielleicht eine Boxstunde, eine Nacht mit Christine.

Ich betrat mein Haus durch die Vordertür – und die Hölle brach los.

63.

Nana und die Kinder standen vor mir im Wohnzimmer. Außerdem Sampson, mehrere Freunde von der Polizei, Nachbarn, meine Tanten, ein paar Onkel und natürlich alle ihre Kinder. Jannie und Damon eröffneten das Gejohle: »Überraschung, Daddy! Eine Überraschungsparty!« Sofort stimmten alle anderen ein: »Überraschung, Alex! Eine Überraschung!«

»Wer ist Daddy? Wer ist Alex?« Ich verharrte an der Tür und stellte mich dumm. »Was zum Teufel ist hier los?«

Weiter hinten im Zimmer entdeckte ich Christine, sah ihr lächelndes Gesicht. Ich winkte ihr zu, während die besten Freunde der Welt mich umarmten, mir auf den Rücken und die Schultern klopften.

Ich war der Ansicht, Damon benehme sich ein bißchen zu steif, deshalb riß ich ihn vom Boden hoch (es war vermutlich das letzte Jahr, in dem ich das noch schaffte), und wir brüllten gemeinsam diverses Sport- und Kriegsgeheul, das zur Partystimmung zu passen schien.

Es ist im allgemeinen nicht besonders menschenfreundlich, den Tod eines anderen Menschen zu feiern, aber in diesem Fall hielt ich die Party für eine großartige Idee. Es war die richtige, passende Methode, eine Zeit zu beenden, die für alle Beteiligten traurig und von Angst bestimmt war. Jemand hatte zwischen Wohn- und Eßzimmer ein ungelenk beschriftetes Transparent aufgehängt, auf dem stand: *Herzlichen Glückwunsch, Alex! Mehr Glück im nächsten Leben, Gary!*

Sampson führte mich hinters Haus in den Garten, wo noch mehr Freunde auf mich warteten. Sampson trug ausgebeulte schwarze Shorts, ein Paar Kampfstiefel und seine Sonnenbrille. Er hatte eine ramponierte Mütze mit der Aufschrift »Mordkommission« auf und einen Silberring im Ohr. Er war eindeutig in Partystimmung, und ich war es auch.

Detectives aus ganz D.C. waren gekommen, um mir zu gratulieren, aber auch, um bei mir zu essen und zu trinken.

Neben selbstgebackenem Brot und Brötchen waren saftige Grillspieße, Unmengen von Rippchen und eine eindrucksvolle Fülle scharfer Saucen aufgereiht. Mir wurde schon beim bloßen Anblick des üppigen Festschmauses schwindlig. In Aluminiumwannen lagerten bis zum Rand Bier, Ale und Sprudel auf Eis. Es gab frische Maiskolben, bunte Obstsalate und schüsselweise Nudelgerichte.

Sampson packte mich fest am Arm und brüllte, damit

ich ihn über den Lärm fröhlicher Stimmen und über die sich aus dem CD-Player das Herz aus dem Leibe singende Toni Braxton hinweg hören konnte.

»Das ist deine Party, Süßer! Begrüß deine Gäste, die ganze Bande! Ich habe vor, bis zur Sperrstunde hierzubleiben.«

»Ich komme später zu dir!« rief ich ihm zu. »Übrigens, hübsche Stiefel, klasse Shorts, tolle Beine!«

»Danke, danke, danke! Du hast den Mistkerl erwischt, Alex! Du hast es genau richtig gemacht. Soll doch sein Arsch in der Hölle schmoren und verrotten! Mir tut nur leid, daß ich nicht dabei war.«

Christine hatte sich in einer Gartenecke einen ruhigen Platz unter einem Baum ausgesucht. Sie unterhielt sich mit meiner Lieblingstante Tia und meiner Schwägerin Cilla. Es sah ihr ähnlich, daß sie sich als letzte in die Begrüßungsschlange einreihte.

Ich küßte Tia und Cilla, dann umarmte ich Christine. Ich hielt sie fest und wollte sie kaum mehr loslassen.

»Danke, daß du zu dieser total verrückten Party gekommen bist«, sagte ich. »Du bist die schönste Überraschung von allen.«

Sie küßte mich, und dann lösten wir uns voneinander. Ich glaube, es war uns deutlich bewußt, daß Damon und Jannie uns noch nie zusammen gesehen hatten. Jedenfalls nicht so.

»O Mist«, murmelte ich. »Sieh mal dort drüben.«

Die beiden Satansbraten beobachteten uns tatsächlich. Damon zwinkerte überdeutlich, und Jannie machte mit ihren flinken Fingern ein Okayzeichen.

»Sie sind uns weit voraus«, sagte Christine und lachte. »Es paßt ins Bild, Alex. Wir hätten es eigentlich wissen müssen.«

»Warum geht ihr beiden nicht ins Bett?« zog ich die Kinder auf.

»Es ist doch erst sechs, Daddy!« jaulte Jannie, aber sie grinste und lachte, genau wie alle Umstehenden.

Es war eine fröhliche, ausgelassene Party, und alle kamen schnell in Stimmung. Endlich war ich frei von der Droge, zu der Gary Soneji für mich geworden war. Ich bemerkte, daß Nana mit etlichen meiner Polizeifreunde sprach, und im Vorübergehen hörte ich, was sie sagte. Es war typisch für Nana Mama.

»Meines Wissens gibt es keine Entwicklung, die von der Sklaverei in die Freiheit geführt hat, aber es gibt eindeutig eine geschichtliche Entwicklung von der Steinschleuder zur Uzi«, sagte sie zu ihren Zuhörern von der Mordkommission.

Meine Freunde grinsten und nickten, als verstünden sie, was ihre Worte zu bedeuten hatten. Ich verstand es. Im Guten wie im Bösen hatte Nana Mama mir das Denken beigebracht.

Auf der beleuchteten Gartenseite wurde zu allem Möglichen getanzt, vom Marsalis bis zu Hiphop. Sogar Nana tanzte. Sampson war für den Gartengrill zuständig, auf dem scharf gewürzte Würstchen, mariniertes Huhn und mehr Rippchen, als man für ein Picknick für die Fans der Redskins gebraucht hätte, brutzelten.

Ich wurde aufgefordert, ein paar Lieder zu spielen, deshalb hämmerte ich »'s wonderful« herunter und anschließend eine verjazzte Fassung von »Ja Da« – »Ja da, Ja da, Ja da, jing, jing, jing!«

»Das ist wirklich eine blöde kleine Melodie«, mokierte sich Jannie neben mir, »aber auf mich wirkt sie *so* beruhigend, einfach *unwiderstehlich!*«

Am späteren Abend, als die Sonne unterging, kam ich

auch zu ein paar langsamen Tänzen mit Christine. Es war abermals magisch, absolut vollkommen, wie gut unsere Körper zusammenpaßten, wie ich es aus dem Rainbow Room in Erinnerung hatte. Sie schien sich im Kreis meiner Familie und Freunde erstaunlich wohl zu fühlen, die wiederum auch von ihr schwer angetan waren, wie ich feststellte.

Ich sang eine Melodie von Seal mit, während wir im Mondschein tanzten. *»No, we're never going to survive – unless – we get a little cra-azy.«*

»Seal wäre sehr stolz«, flüsterte sie mir ins Ohr.

»Mmm. Wäre er bestimmt.«

»Du bist ein so guter und geschmeidiger Tänzer«, sagte sie an meiner Wange.

»Nicht wahr? Für einen Leisetreter und Plattfuß«, antwortete ich. »Ich tanze aber nur mit dir.«

Sie lachte und boxte mich dann in die Seite.

»Lüg mich nicht an! Ich habe gesehen, wie du mit John Sampson getanzt hast.«

»Stimmt, aber das hatte nichts zu bedeuten. Da ging's nur um billigen Sex.«

Christine lachte, und ich spürte ein leichtes Beben ihres Körpers. Das erinnerte mich daran, wieviel Leben in ihr steckte. Es erinnerte mich daran, daß sie sich Kinder wünschte und sie hätte haben sollen. Ich erinnerte mich an jede Sekunde unseres Abends im Rainbow Room und der Nacht im Astor. Ich hatte das Gefühl, sie schon ewig zu kennen. Sie ist die Richtige, Alex.

»Ich habe morgen früh ein Ferienseminar«, sagte Christine schließlich. Es war schon nach Mitternacht. »Ich bin mit meinem Auto gekommen. Aber ich bin auch noch nüchtern, ich habe fast nur Kindercocktails getrunken. Genieß deine Party noch lange, Alex!«

»Bist du sicher?«

Ihre Stimme klang entschieden.

»Absolut. Mir geht's bestens. Und ich bin schon fast weg.«

Wir küßten uns lange, und als wir nach Luft schnappen mußten, lachten wir beide. Ich brachte sie zu ihrem Auto. »Erlaube mir wenigstens, dich nach Hause zu fahren«, protestierte ich, während ich sie in den Armen hielt. »Ich will es. Ich bestehe darauf!«

»Nein, dann würde mein Auto ja hier stehenbleiben. *Bitte* genieß deine Party und das Zusammensein mit deinen Freunden! Wir können uns morgen sehen, wenn du magst. Ich möchte es so und lasse kein Nein gelten.«

Wir küßten uns wieder, und dann stieg Christine in ihr Auto und fuhr nach Mitchellville.

Sie fehlte mir jetzt schon.

64.

Ich hatte das Gefühl, immer noch Christines Körper zu spüren, ihr neues Parfüm von Donna Karan zu riechen, den Klang ihrer Stimme zu hören. Manchmal hat man einfach Glück im Leben. Manchmal meint es das Universum gut mit einem. Ich ging zurück zur Party. Mehrere meiner Freunde von der Kriminalpolizei waren noch da, darunter auch Sampson. Einige flotte Sprüche darüber, daß Soneji die »Engelslust« gehabt habe, machten die Runde. »Engelslust« nannten sie im Leichenschauhaus die Erektion eines Toten. Auf diesem Niveau war die Party schon angekommen.

Sampson und ich tranken viel zuviel Bier und dann noch etliche Whiskys auf der Treppe zur hinteren Veranda, als alle anderen schon lange gegangen waren.

»Das war mal 'ne höllisch gute Party«, sagte der doppelte John. »Die ultimative Party mit Gesang und Tanz.«

»Sie war verdammt gut. Und natürlich können wir noch stehen, jedenfalls noch aufrecht sitzen. Ich fühle mich echt gut, aber ich werde mich schon bald ziemlich mies fühlen.«

Sampson grinste. Die Sonnenbrille saß ihm leicht schief im Gesicht. Er stützte die riesigen Ellbogen auf die Knie. Man hätte an seinen Armen und Beinen ein Streichholz anzünden können, vermutlich sogar an seinem Kopf.

»Ich bin stolz auf dich, Mann. Wir sind alle stolz. Du bist eindeutig eine tonnenschwere Last losgeworden. Ich habe dich seit langer, langer Zeit nicht mehr soviel lächeln sehen. Und je mehr ich von Mrs. Christine Johnson zu sehen bekomme, desto besser gefällt sie mir, und ich habe sie schon von Anfang an gemocht.«

Von der Verandatreppe aus schauten wir auf Nanas Garten mit den Feldblumen, auf ihre Rosen, die so üppig blühten, und ihre Lilien, blickten auf die Überbleibsel der Party, das viele Essen und die Alkoholreste.

Es war spät. Eigentlich war es schon früher Morgen. Den Feldblumengarten gab es, seit wir beide kleine Kinder gewesen waren. Der Geruch nach Knochenmehl und frischer Erde wirkte in dieser Nacht besonders zeitlos und tröstlich.

»Erinnerst du dich an den Sommer, als wir uns kennengelernt haben?« fragte ich John. »Du hast mich Melonenarsch genannt, was mich verletzt hat, weil's Quatsch war. Ich hatte schon damals 'nen knackigen Hintern.«

»Wir haben uns hier in Nanas Garten kräftig geprügelt,

in den Büschen da drüben. Ich hab's nicht fassen können, daß du dich mit mir anlegst. Das hätte sich sonst niemand getraut, traut sich heute noch keiner. Schon damals hast du deine Grenzen nicht gekannt.«

Ich lächelte Sampson an. Er hatte mittlerweile die Sonnenbrille abgenommen. Es überrascht mich immer wieder, wie sensibel und warm seine Augen sind.

»Wenn du mich Melonenarsch nennst, prügeln wir uns wieder.«

Sampson nickte und grinste. Wenn ich darüber nachdachte, hatte auch ich ihn seit langer Zeit nicht mehr soviel lächeln sehen. Heute nacht war das Leben in Ordnung. So gut wie seit langer Zeit nicht mehr.

»Du hast Mrs. Christine wirklich gern, nicht wahr? Ich glaube, du hast wieder einen ganz besonderen Menschen gefunden. Ich bin mir da ganz sicher. Sie hat dich umgehauen, Champ.«

»Bist du eifersüchtig?« fragte ich ihn.

»Ja, natürlich bin ich das. Und wie. Christine ist ein Hauptgewinn. Aber ich würd's sowieso bloß verpfuschen, wenn ich je so eine liebe und nette Frau fände. Es ist so einfach, mit dir zusammenzusein, Süßer. Das war's schon immer, auch damals, als du noch den kleinen Melonenarsch gehabt hast. Du bist knallhart, wenn's sein muß, aber du kannst auch deine Gefühle zeigen. Wie auch immer, Christine hat dich ebenfalls sehr gern, fast so gern, wie du sie hast.«

Sampson stieß sich von der ausgetretenen Verandatreppe ab, die ich bald würde erneuern müssen.

»Eigentlich müßte ich jetzt nach Hause gehen. Aber ehrlich gesagt, ich gehe zu Cee Walker. Die schöne Diva hat die Party ein bißchen früh verlassen, aber sie war so nett, mir ihren Schlüssel zu geben. Ich komme morgen früh und hole mein Auto. Man sollte lieber nicht fahren, wenn man kaum gehen kann.«

»Lieber nicht«, pflichtete ich ihm bei. »Danke für die Party.«

Sampson winkte zum Abschied, salutierte, ging dann um das Haus herum und blieb dabei an der Ecke hängen.

Ich saß allein auf der Treppe der hinteren Veranda, schaute in Nanas mondbeschienenen Garten und lächelte wahrscheinlich dabei wie ein Vollidiot, der ich manchmal, aber vielleicht nicht oft genug sein kann.

Ich hörte Sampson noch einmal rufen, dann ertönte vor dem Haus sein tiefes Gelächter.

»Gute Nacht, Melonenarsch.«

65.

Ich wurde schlagartig wach und fragte mich, wovor ich Angst hatte, was zum Teufel los war. Mein erster bewußter Gedanke war der, hier in meinem eigenen Bett einen Herzinfarkt zu bekommen.

Ich war desorientiert und fühlte mich benommen, immer noch benebelt von der Party. Mein Herz schlug schnell, donnerte in meiner Brust.

Mir war, als hätte ich irgendwo im Haus ein tiefes, leises Geräusch gehört. Das Geräusch war ganz in der Nähe. Es klang, als hätte ein schweres Teil, vielleicht ein Schläger, etwas im Flur getroffen. Meine Augen hatten sich noch nicht an die Dunkelheit gewöhnt. Ich lauschte auf ein weiteres Geräusch.

Ich hatte Angst. Ich konnte mich nicht erinnern, wo

ich letzte Nacht meine Glock gelassen hatte. Was hatte dieses dumpfe Hämmern im Haus verursacht?

Ich horchte mit der ganzen Konzentration, die ich aufbringen konnte. In der Küche surrte der Kühlschrank. In der Ferne schaltete ein Lastwagen auf den gefährlichen Straßen in einen anderen Gang. Sonst war nichts zu hören. Totzdem beunruhigte mich etwas. War da überhaupt ein Geräusch gewesen? Oder war es nur eine erste Vorwarnung sich ankündigender starker Kopfschmerzen?

Ehe ich begriff, was geschah, tauchte auf der anderen Seite des Betts eine finstere Gestalt auf. Soneji! Er hatte sein Versprechen gehalten. Er war hier im Haus!

»Huuuuuh!« schrie der Angreifer und holte mit einem großen Gegenstand aus, um nach mir zu schlagen.

Ich versuchte, mich herumzuwälzen, aber mein Körper und mein Bewußtsein arbeiteten nicht zusammen. Ich hatte zuviel getrunken, zuviel gefeiert, mich zu sehr amüsiert.

Ich spürte einen kräftigen Schlag gegen meine Schulter, von dem mein ganzer Körper taub wurde. Ich versuchte zu schreien, aber meine Stimme versagte. Ich konnte nicht schreien, konnte mich kaum rühren.

Der Schläger sauste abermals schnell herunter – dieses Mal traf er mich im Kreuz. Jemand versuchte, mich totzuschlagen. Verdammt noch mal! Ich dachte an das hämmernde Geräusch. War er womöglich zuerst in Nanas Zimmer gewesen? Bei Damon und Jannie? Was geschah in unserem Haus?

Ich streckte die Arme nach ihm aus, und es gelang mir, ihn am Arm zu packen. Ich riß heftig daran, und er kreischte wieder, hoch und schrill, aber es war eindeutig eine Männerstimme. Soneji? Wie war das möglich? Ich hatte gesehen, wie er im Tunnel der Grand Central Station gestorben war.

Was widerfuhr mir? Wer war in meinem Schlafzimmer? Wer befand sich in unserem Haus?

»Jannie? Damon?« krächzte ich schließlich, in dem Versuch, nach ihnen zu rufen. »Nana? Nana?«

Ich kratzte an seiner Brust, seinen Armen, spürte etwas Klebriges, vermutlich Blut. Ich kämpfte nur mit einem Arm und war selbst dazu kaum in der Lage.

»Wer sind Sie? Was tun Sie hier? Damon! Damon!« rief ich wieder. Dieses Mal viel lauter.

Er riß sich los, und ich fiel mit dem Gesicht voraus aus dem Bett. Ich prallte hart auf den Boden, und mein Kopf wurde taub. Mein ganzer Körper stand in Flammen. Ich mußte mich auf den Teppich übergeben.

Der Schläger, der Vorschlaghammer, das Stemmeisen, was zum Teufel es auch sein mochte, schlug wieder zu und schien mich in zwei Stücke zu hacken. Ich empfand brennenden Schmerz. Eine Axt! Es muß eine Axt sein!

Überall um mich herum auf dem Boden konnte ich Blut fühlen und riechen. Mein Blut?

»Ich habe dir gesagt, daß du mich nicht daran hindern kannst!« schrie er. »Ich habe es dir gesagt!«

Ich schaute auf und glaubte, das Gesicht über mir zu erkennen: Gary Soneji! Konnte es Soneji sein? Wie war das möglich? Er *konnte* es nicht sein!

Ich begriff, daß ich sterben würde, aber ich wollte nicht sterben. Ich wollte weglaufen, meine Kinder noch einmal sehen. Nur noch einen Blick auf sie werfen. Ich wußte, daß ich den Überfall nicht mehr verhindern konnte. Wußte, daß ich nichts tun konnte, um diesem Horror ein Ende zu bereiten.

Ich dachte an Nana, Jannie, Damon und Christine. Mir schmerzte ihretwegen das Herz. Dann ließ ich Gottes Willen geschehen.

Vierter Teil
Thomas Pierce

66.

Matthew Lewis fuhr die Nachtschicht im Bus jener Linie, die die East Capitol Street in D.C. entlangführte, und pfiff dabei geistesabwesend einen Song von Marvin Gay, »What's Going On«.

Er fuhr diese Route seit neunzehn Jahren und war die meiste Zeit zufrieden damit, daß er diese Arbeit hatte. Außerdem genoß er die Einsamkeit. Lewis galt bei seinen Freunden und seiner Frau Alva, mit der er seit zwanzig Jahren verheiratet war, von jeher als verschlossener Denker. Er war vernarrt in Geschichte, interessierte sich für die Regierungspolitik und manchmal auch ein bißchen für Soziologie. Er hatte diese Interessen in seinem Geburtsland Jamaika entwickelt und sie beibehalten.

In den letzten Monaten hatte er sich mit Weiterbildungs-Kassetten von einer Einrichtung namens Teaching Company in Virginia beschäftigt. Während er um fünf Uhr morgens die East Capitol Street entlangfuhr, lauschte er gebannt einer ausgezeichneten Lektion mit dem Titel: »Der gute König – die amerikanische Präsidentschaft seit der Weltwirtschaftskrise.« Manchmal verinnerlichte er in einer einzigen Nacht zwei bis drei Lektionen oder hörte sich ein besonders gutes Band mehrmals pro Nacht an.

Er bemerkte die jähe Bewegung aus dem Augenwinkel. Er riß das Lenkrad herum, die Bremsen kreischten. Sein Bus scherte scharf nach rechts aus und blieb diagonal zur East Capitol Street stehen.

Der Bus gab ein lautes Zischen von sich. Gott sei Dank gab es keinerlei Gegenverkehr; so weit er sehen konnte, war bis auf eine grüne Lichterkette nichts zu sehen.

Matthew Lewis riß die Bustür auf und stieg aus. Er hoffte, er habe, wen oder was auch immer sich da auf die Straße geschleppt hatte, nicht angefahren.

Er war sich jedoch nicht sicher und fürchtete sich vor dem, was er vorfinden würde. Bis auf die Geräusche von der Kassette im Bus war es still. Sehr unheimlich, es war so schlimm, wie es nur kommen konnte, dachte er erschaudernd.

Dann sah er eine alte Schwarze auf der Straße liegen. Sie trug einen langen, blaugestreiften Bademantel. Der Mantel stand offen, und darunter war ihr rotes Nachthemd zu sehen. Ihre Füße waren nackt. Sein Herz machte einen erschrockenen Satz.

Er lief über die Straße, um ihr zu helfen, hatte das Gefühl, daß ihm gleich schlecht würde. Im Licht der Busscheinwerfer sah er, daß ihr Nachthemd keineswegs rot war. Es handelte sich um über den ganzen Körper verteiltes, leuchtendrotes Blut. Der Anblick war grausig und furchtbar. Nicht unbedingt das Schlimmste, was er in all den Jahren während der Nachtschicht erlebt hatte, dafür aber war es die Gegenwart.

Die Augen der Frau waren offen, und sie war noch bei Bewußtsein. Sie streckte einen gebrechlichen, mageren Arm nach ihm aus. Dies mußte ein gewaltvoller Ehekrach gewesen sein, dachte er. Oder vielleicht ein Raubüberfall bei ihr zu Hause.

»Bitte helfen Sie uns«, flüsterte Nana Mama. »Bitte helfen Sie uns.«

67.

Die Fifth Street war verbarrikadiert und für den Verkehr total gesperrt. John Sampson ließ seinen schwarzen Nissan stehen und rannte das restliche Stück bis zu Alex' Haus. Überall in der ihm so sehr vertrauten Straße heulten Sirenen von Streifen- und Rettungswagen.

Sampson rannte so schnell wie nie zuvor, die furchtbarste Angst seines Lebens umfing ihn. Seine Füße trommelten auf die Trottoirsteine. Sein Herz war in Aufruhr, als wolle es zerspringen. Er bekam keine Luft, und er war sich sicher, daß er sich übergeben mußte, wenn er nicht sofort mit der Rennerei aufhörte. Der Kater der letzten Nacht hatte seine Sinne zwar abgestumpft, aber bei weitem nicht ausreichend.

Immer noch kamen Polizeiwagen an, inmitten der Verwirrung, des Lärms, des Gedrängels. Sampson stieß die Gaffer aus der Nachbarschaft beiseite. Seine Verachtung für ihr Verhalten war nie so offensichtlich, nie so heftig gewesen. Überall, wohin Sampson schaute, weinten Menschen. Menschen, die er kannte, alles Nachbarn und Freunde von Alex. Er hörte, wie Alex' Name geflüstert wurde.

Als er den vertrauten Holzzaun erreichte, der das Grundstück der Cross umgab, vernahm er etwas, das ihm den Magen umdrehte. Er mußte sich auf den weißgestrichenen Zaun stützen.

»Da drin sind alle tot. Die ganze Familie Cross hat's erwischt«, blökte eine pockennarbige Frau in der Menge lautstark. Sie sah aus wie eine Figur aus der Fernsehserie *Cops,* mit demselben Mangel an Feingefühl. Sampson fuhr zum Ursprungsort der schmerzenden Worte herum.

Er bedachte die Frau mit einem bösen Blick und schob sich in den Garten, vorbei an zusammenklappbaren Absperrgittern und gelben Klebebändern.

Er nahm die Treppe der vorderen Veranda mit zwei langen, athletischen Schritten und wäre fast mit Sanitätern zusammengestoßen, die eilig eine Trage aus dem Wohnzimmer trugen.

Sampson blieb unvermittelt stehen. Er konnte es nicht fassen. Auf der Trage lag Jannie, und sie sah so unglaublich klein aus. Er beugte sich über sie und sackte dann schwerfällig auf die Knie. Die Veranda erbebte unter seinem Gewicht. Ein leises Stöhnen drang aus seinem Mund. Keine Spur mehr von Stärke oder Tapferkeit. Ihm brach das Herz, und er unterdrückte einen Schluchzer.

Als sie ihn sah, fing Jannie an zu weinen. »Onkel John, Onkel John.«

Sie nannte seinen Namen mit schwacher, trauriger, verletzter Stimme.

Jannie ist nicht tot, Jannie lebt, dachte Sampson, und die Worte wären fast aus ihm herausgeplatzt. Er wollte den Gaffern die Wahrheit zuschreien. Hört auf mit den verdammten Gerüchten und Lügen! Er wollte alles wissen, alles auf einmal, aber das war nicht möglich.

Sampson beugte sich dicht über Jannie, seine Patentochter, die er liebte, als wäre sie sein eigenes Kind. Ihr Nachthemd war blutverschmiert. Der Kupfergeruch nach Blut war so übermächtig, daß ihm abermals fast schlecht geworden wäre.

Blut verklebte auch Jannies sorgfältig geflochtenes Haar.

Sie war stolz auf ihre Zöpfe, ihr schönes Haar. Lieber Gott im Himmel. Wie hatte das geschehen können? Wie war das möglich? Er mußte daran denken, wie sie noch am Vorabend »Ja Da« gesungen hatte.

»Es ist alles in Ordnung, Baby«, flüsterte Sampson. Die Worte blieben ihm wie Stacheln in der Kehle stecken. »Ich bin gleich wieder bei dir. Ich muß nur schnell nach oben. Ich bin gleich wieder da, Baby. Gleich. Ich versprech's dir.«

»Was ist mit Damon? Was ist mit Daddy?« wimmerte Jannie leise weinend.

Ihre Augen waren vor Angst weit aufgerissen, in einem Entsetzen, das Sampson erneut das Herz brach. Sie war doch noch ein kleines Mädchen. Wie konnte jemand so etwas tun?

»Allen geht es gut, Baby. Es ist alles in Ordnung«, flüsterte Sampson wieder.

Seine Zunge war schwer, und sein Mund so trocken wie Sand, er brachte die Worte kaum heraus. *Allen geht es gut, Baby.* Er betete, daß das die Wahrheit war.

Die Sanitäter taten ihr Bestes, Sampson wegzuschieben, und trugen Jannie hinunter zu einem wartenden Rettungswagen. Vor dem Haus trafen weitere Rettungswagen ein und immer neue Streifenwagen.

Er schob sich in das Haus, in dem es von Polizisten wimmelte, sowohl von Streifenpolizisten als auch von Detectives. Als der erste Alarm gekommen war, mußte das halbe Revier zu Cross' Haus gerast sein. Er hatte noch nie so viele Polizisten auf einmal gesehen. Er war wie üblich spät dran – Alex nannte ihn gern den ewig verspäteten John Sampson. Er hatte im Haus einer Frau übernachtet, bei Cee Walker, und war nicht gleich zu erreichen gewesen. Sein Pieper war ausgeschaltet gewesen, er hatte sich nach Alex' Party eine Nacht freigenommen – nach dem großen Fest.

Jemand mußte geahnt haben, daß Alex nicht auf der Hut war. Doch wer konnte es gewußt haben? Wer hatte so etwas Entsetzliches getan?

Was in Gottes Namen war hier geschehen?

68.

Sampson stürmte die schmale, geschwungene Treppe in den ersten Stock hinauf. Er wollte über den Lärm hinwegrufen, über das Getöse der Polizeiermittlung, wollte Alex' Namen schreien und ihn aus einem der Schlafzimmer herauskommen sehen.

Er hatte in der vergangenen Nacht viel zuviel getrunken und schwankte jetzt noch ein wenig, fühlte sich zittrig, am ganzen Leib wie Gummi. Er stürzte in Damons Zimmer und stieß ein tiefes Stöhnen aus. Der Junge wurde gerade aus seinem Bett auf eine Trage gehoben. Damon sah seinem Vater so ähnlich, sah aus wie Alex, als er in Damons Alter gewesen war.

Ihn hatte es noch schlimmer erwischt als Jannie. Eine Gesichtshälfte war zu rohem Fleisch zusammengeschlagen. Das andere Auge war geschlossen, zur doppelten Größe angeschwollen, um das Auge herum war das Gesicht dunkellila und scharlachrot gefärbt vor Blutergüssen und Platzwunden.

Gary Soneji war tot, er war in der Grand Central Station gestorben. *Er* konnte diese grauenhaften Taten in Alex' Haus einfach nicht begangen haben. Und doch hatte er versprochen, daß er es tun würde!

Noch ergab das alles für Sampson keinen Sinn. Er

wünschte sich, das alles wäre ein Alptraum, aber er wußte, daß er nicht träumte. Ein Detective namens Rakeem Powell faßte ihn an der Schulter, packte ihn heftig und schüttelte ihn.

»Damon lebt, John. Jemand ist hier reingekommen und hat wie wahnsinnig auf die Kinder eingeprügelt. Sieht danach aus, als hätte er es mit seinen Fäusten getan. Brutale Boxhiebe. Er hat wohl nicht vorgehabt, sie umzubringen, oder vielleicht hat der feige Scheißkerl keine ganze Arbeit leisten können. Wer zum Teufel kann das jetzt schon wissen? Damon lebt. John? Alles in Ordnung?«

Sampson stieß Rakeem weg, schüttelte ihn ungeduldig ab. »Was ist mit Alex? Und Nana?«

»Nana ist schlimm zusammengeschlagen worden. Ein Busfahrer hat sie auf der Straße gefunden und hat sie ins St. Tony's gebracht. Sie ist bei Bewußtsein, aber sie ist eine alte Frau, bei alten Leuten reißt die Haut schneller. Auf Alex ist in seinem Schlafzimmer geschossen worden, John. Die sind oben bei ihm.«

»*Wer* ist bei ihm?« ächzte Sampson. Er war den Tränen nahe, er, der sonst nie weinte. Doch jetzt konnte er nicht anders, er konnte seine Gefühle nicht verbergen.

»Herrje, einfach alle«, sagte Rakeem und schüttelte den Kopf. »Sanitäter, wir, das FBI. Kyle Craig ist hier.«

Sampson löste sich von Rakeem Powell und rannte auf das Schlafzimmer zu. Die anderen waren zumindest nicht tot, aber auf Alex war geschossen worden. Jemand war hergekommen, um ihn zu erledigen. Wer konnte das gewesen sein?

Sampson wollte in Alex' Schlafzimmer stürmen, wurde aber von Männern, die er nicht kannte, zurückgehalten, dem Aussehen nach waren sie vermutlich vom FBI. Auch

Kyle Craig war im Zimmer, soviel wußte er bereits. Das FBI war schon hier.

»Sagen Sie Kyle, daß ich hier bin«, wies er die Männer an der Tür an. »Sagen Sie Kyle Craig, daß Sampson hier ist.«

Ein FBI-Agent beugte sich ins Zimmer. Kyle kam sofort zu Sampson hinaus auf den Flur.

»Kyle, was zum Teufel ist los?« Sampson versuchte, vernünftig zu sprechen. »Was ist passiert?«

»Auf Alex ist zweimal geschossen worden. Geschossen und eingeschlagen«, sagte Kyle. »Ich muß mit Ihnen reden, John. Hören Sie mir zu, hören Sie mir einfach zu, bitte.«

69.

Sampson versuchte, seine Ängste und seine wahren Gefühle zu unterdrücken, versuchte, das Chaos in seinem Kopf in den Griff zu bekommen. Detectives und Streifenpolizisten drängten sich in dem schmalen Flur an der Tür. Etliche weinten, andere bemühten sich, ihre Gefühle zu beherrschen.

Das konnte doch alles nicht wahr sein!

Sampson wandte sich vom Schlafzimmer ab. Er hatte Angst davor durchzudrehen, etwas, was ihm noch nie passiert war. Kyle hatte nicht aufgehört zu reden, aber Sampson konnte dem, was Kyle sagte, nicht folgen. Er vermochte sich einfach nicht auf die Worte des Mannes vom FBI zu konzentrieren. Er atmete tief ein, versuchte, gegen die Nachwirkungen des Schocks anzukämpfen. Es war ein Schock. Dann strömten ihm auf einmal heiße Tränen über die Wangen, und es war ihm gleich, ob Kyle das bemerkte. Der Schmerz schnitt tief in sein Herz ein, schnitt bis auf die Knochen, seine Nerven lagen bloß. Er hatte so etwas noch nie erlebt.

»Hören Sie mir zu, John«, drängte Kyle ihn, aber Sampson hörte nicht zu.

Sampsons Körper sackte schwer gegen die Wand. Er fragte Kyle, wie dieser so schnell hierhergekommen sei. Kyle hatte eine Antwort parat, hatte immer auf alles eine Antwort. Trotzdem – nichts davon ergab für Sampson einen Sinn, kein einziges Wort. Schließlich schaute er über Kyles Schulter. Und konnte es nicht fassen, denn durch das Fenster sah er einen FBI-Hubschrauber, der auf dem leeren Grundstück auf der anderen Seite der Fifth Street landete. Das Ganze wurde immer seltsamer.

Eine Gestalt sprang heraus, duckte sich unter den Rotorblättern und kam dann auf Cross' Haus zu. Es schien fast, als schwebe er über das windverwehte Gras im Garten. Der Mann war groß, schlank und trug eine Sonnenbrille mit kleinen runden Gläsern. Sein langes blondes Haar war zu einem Pferdeschwanz gebunden. Er sah nicht nach FBI aus. Er hatte auf jeden Fall etwas Ungewöhnliches an sich, er fiel aus dem Rahmen des üblichen FBI-Klischees. Er wirkte fast zornig, als er die Gaffer beiseite stieß, und erweckte den Eindruck, als habe er das Kommando über alles. Zumindest hatte er das Kommando über sich selbst.

»Wer zum Teufel ist das?« fragte er Kyle Craig. »Wer ist dieses gottverfluchte Arschloch mit dem Pferdeschwanz?«

70.

Ich heiße Thomas Pierce, aber die Presse nennt mich meist nur den »Doc«. Ich habe früher an der Harvard University Medizin studiert, habe meinen Abschluß gemacht, aber keinen Tag lang in einem Krankenhaus gearbeitet, nie als Mediziner praktiziert. Jetzt gehöre ich zur Einheit für Verhaltenswissenschaft des FBI. Ich bin dreiunddreißig Jahre alt. Um die Wahrheit zu sagen, der einzige Ort, an dem ich wirklich wie ein »Doc« aussehen könnte, wäre eine Folge der Fernsehserie *Emergency Room*.

Ich wurde früh an jenem Morgen vom Trainingslager in Quantico nach Washington gerufen. Meine Anweisungen lauteten, bei der Ermittlung den Überfall auf Dr. Alex Cross und seine Familie betreffend zu helfen. Ehrlich gesagt, wollte ich aus mehreren Gründen eigentlich nicht in den Fall hineingezogen werden. Der wichtigste war, daß ich schon in einer schwierigen Ermittlung steckte, die mich meine ganze Energie kostete – der Fall Mr. Smith.

Ich wußte instinktiv, daß etliche Leute wütend auf mich sein würden, weil auf Alex Cross geschossen worden und ich so schnell am Tatort war. Ich wußte mit absoluter Gewißheit, daß ich für einen Opportunisten gehalten werden würde, obwohl nichts weiter von der Wahrheit entfernt läge. Ich konnte es jedoch nicht ändern. Das FBI wollte mich dort haben, deshalb verdrängte ich den unguten Gedanken, ich versuchte es jedenfalls. Ich tat meine Pflicht, genau wie Dr. Cross das unter vergleichbar unglücklichen Umständen für mich getan hätte.

Eins war mir vom Augenblick meiner Ankunft an bewußt: daß ich genauso schockiert und empört aussah wie alle anderen, die sich um das Haus in der Fifth Street versammelt hatten. Für etliche sah ich vermutlich sogar zornig aus. Ich *war* zornig. In meinem Kopf herrschte Chaos, ich war voller Angst vor dem Unbekannten, auch voller Panik vor dem Versagen. Ich war einer Geistesverfassung nahe, die eigentlich »durchgeknallt« genannt werden müßte. Zu viele Tage, Wochen, Monate hintereinander hatte ich mich mit Mr. Smith beschäftigt, und jetzt diese neuerliche Katastrophe.

Ich hatte einmal bei einem Seminar über die Erstellung von Täterprofilen an der University of Chicago einen Vortrag von Alex Cross gehört. Er hatte Eindruck hinterlassen. Ich hoffte, daß Cross überlebte, aber die Meldungen verhießen nichts Gutes. Nichts, was ich bis jetzt gehört hatte, ließ viel Raum für Hoffnung.

Ich nahm an, daß das der Grund dafür war, warum ich sofort hinzugezogen worden war. Der niederträchtige Anschlag auf Cross bedeutete fette Schlagzeilen und setzte sowohl die Polizei von Washington als auch das FBI unter ungeheuren Druck. Ich war aus dem allereinfachsten Grund in der Fifth Street: um den Druck zu lindern. Ich spürte eine ungute Aura, die Nachwehen der kürzlich verübten Gewalt, als ich mich dem ordentlichen, mit weißen Schindeln gedeckten Haus von Cross näherte. Etliche Polizisten, an denen ich vorbeikam, hatten verweinte Augen, viele schienen fast unter Schock zu stehen. Es war alles sehr merkwürdig und beunruhigend.

Ich fragte mich, ob Alex Cross seit meinem Aufbruch aus Quantico gestorben war. Ich hatte schon ein Gespür für die entsetzliche und unerwartete Gewalt entwickelt, die sich in dem bescheidenen, friedlich aussehenden

Haus abgespielt hatte, und wünschte mir, daß sonst niemand am Tatort wäre, damit ich alles ohne viel Ablenkung in mich aufnehmen könnte. Auch deshalb war ich hierhergeholt worden, um den Tatort eines umfaßbaren Blutbads in Augenschein zu nehmen, um ein instinktives Gefühl dafür zu bekommen, was in den frühen Morgenstunden geschehen sein mochte, um alles schnell und effektiv zu erfassen.

Aus dem Augenwinkel sah ich, daß Kyle Craig aus dem Haus kam. Er hatte es wie immer eilig. Ich seufzte. Jetzt ging es los. Kyle überquerte die Fifth Street im Laufschritt, kam zu mir, und wir schüttelten uns die Hände. Ich war froh darüber, daß er hier war. Kyle ist klug und bestens organisiert. Außerdem unterstützt er diejenigen, die mit ihm zusammenarbeiten, bedingungslos. Er ist berühmt dafür, daß er Nägel mit Köpfen macht.

»Sie bringen Alex gerade ins Krankenhaus«, sagte er. »Sein Zustand ist äußerst kritisch.«

»Wie sieht die Prognose aus? Sagen Sie mir die Wahrheit, Kyle.« Ich mußte alles wissen. Ich war hier, um die Fakten zusammenzutragen. Damit fing immer alles an. Kyle wich meinem Blick aus.

»Nicht gut. Sie sagen, er wird es nicht schaffen. Sie sind sogar sicher, daß er es nicht überleben wird.«

71.

Die Medienvertreter fingen Kyle und mich ab, als wir auf das Haus von Cross zugingen, es waren bereits zwei Dutzend Reporter und Kameraleute am Tatort. Die

Geier versperrten uns wirksam den Weg, wollten uns nicht durchlassen. Sie wußten, wer Kyle war, wußten möglicherweise sogar auch über mich Bescheid.

»Warum ist das FBI so schnell hinzugezogen worden?« rief ein Reporter über den Straßenlärm und die allgemeine Unruhe hinweg. Über uns schwebten zwei Pressehubschrauber. Sie liebten solche Katastrophen.

»Wir haben gehört, daß es eine Verbindung zum Fall Soneji gibt. Ist das wahr?«

»Lassen Sie mich mit ihnen reden«, flüsterte Kyle mir zu.

Ich schüttelte den Kopf.

»Die werden sowieso mit mir darüber reden wollen. Die kriegen schnell raus, wer ich bin. Bringen wir also den dämlichen Scheißkram hinter uns.«

Kyle runzelte die Stirn, nickte dann aber langsam. Ich versuchte, meine Ungeduld zu zügeln, als ich auf die Reportermeute zuging.

Ich wedelte mit den Händen über dem Kopf, und das brachte etliche von ihnen zur Ruhe. Journalisten reagieren äußerst sensibel auf Visuelles, wie ich schon mehrmals erfahren mußte, auch die Zeitungsjournalisten, die sogenannten Wortschmiede. Sie sehen alle viel zuviele Filme. Vielleicht kommen deshalb visuelle Signale bei ihnen am besten an.

»Ich beantworte Ihre Fragen«, erbot ich mich und brachte ein dünnes Lächeln zustande, »jedenfalls so gut ich kann.«

»Erste Frage: Wer sind Sie?« rief ein Mann ganz vorn im Rudel mit einem schütteren roten Bart und einer Bekleidung wie aus einem Laden der Heilsarmee. Er sah wie der scheue Romanautor Thomas Harris aus. Vielleicht war er es.

»Die ist einfach zu beantworten«, sagte ich. »Ich bin Thomas Pierce und gehöre zur verhaltenswissenschaftlichen Einheit des FBI.«

Das brachte die Reporter einen Moment lang zum Schweigen. Denjenigen, die mein Gesicht nicht kannten, war zumindest mein Name geläufig. Die Tatsache, daß ich im Fall Cross hinzugezogen worden war, bedeutete schon eine Meldung an sich. Ein Blitzlichtgewitter blendete mich, aber das war nichts Neues mehr für mich.

»Lebt Alex Cross noch?« rief jemand. Ich hatte eigentlich erwartet, daß das die erste Frage sein würde, aber die Medienmeute ist manchmal unberechenbar.

»Dr. Cross lebt. Wie Sie sehen, bin ich eben erst angekommen, deshalb kann ich Ihnen nicht viel sagen. Bis jetzt haben wir keine Verdächtigen, keine Theorien, keine Spuren, keine besonders interessanten Gesprächsthemen.«

»Was ist mit dem Fall Mr. Smith?« rief eine Reporterin mir zu. Sie war eine dunkelhaarige Frau, Typ Moderatorin, wirkte flink und aufgeweckt wie ein Backenhörnchen. »Wird der Fall Mr. Smith jetzt auf Eis gelegt? Wie können Sie an zwei großen Fällen gleichzeitig arbeiten, Doc?« fragte die Reporterin und lächelte herausfordernd. Sie war offenbar klüger und gewitzter, als sie aussah.

Ich zuckte zusammen und verdrehte die Augen, erwiderte dann aber ihr Lächeln.

»Wie gesagt, keine Verdächtigen, keine Theorien, keine Spuren, keine interessanten Gesprächsthemen«, wiederholte ich. »Ich muß jetzt ins Haus. Das Interview ist beendet. Danke für Ihr besorgtes Interesse, ich weiß, daß es in diesem scheußlichen Fall echt ist. Ich bewundere Alex Cross ebenfalls sehr.«

»Haben Sie ›bewunderte‹ oder ›bewundere‹ gesagt?« rief ein anderer Reporter hinten in der Menge.

»Warum sind Sie auf diesen Fall angesetzt worden, Mr. Pierce? Hat Mr. Smith etwas damit zu tun?«

Ich zog bei dieser Frage wider Willen die Augenbrauen hoch. Ich spürte ein unangenehmes Pochen im Kopf. »Ich bin hier, weil ich manchmal Glück bei meinen Ermittlungen habe, in Ordnung? Vielleicht habe ich wieder Glück. Ich muß jetzt wirklich in den Schützengraben, aber ich verspreche Ihnen, daß ich Sie informiere, falls wir auf etwas stoßen. Ich bezweifle stark, daß Mr. Smith gestern nacht Alex Cross überfallen hat. Und ich habe ›bewundere‹ gesagt, also die Gegenwartsform gebraucht.«

Ich zog Kyle Craig mit mir fort, hielt seinen Arm, vor allem, um mich zu stützen. Er grinste, sobald wir der Meute den Rücken gekehrt hatten.

»Das war verdammt gut«, sagte er. »Ich glaube, es ist Ihnen gelungen, die Leute höllisch zu verwirren, sogar über die üblichen verständnislosen Blicke hinaus.«

»Tollwütige Hunde aus dem vierten Stand.« Ich zuckte die Achseln. »Mit blutverschmierten Lippen und Wangen. Cross und seine Familie könnten ihnen im Grunde nicht gleichgültiger sein. Keine einzige Frage nach den Kindern. Edison hat einmal gesagt: ›Wir wissen über alles nicht ein Millionstel Prozent!‹ Die Presse kapiert das nicht, sie wollen immer alles schwarz auf weiß, sie verwechseln Simplifizierung und Einfalt mit der Wahrheit.«

»Seien Sie nett zur Polizei von D.C.«, redete Kyle mir gut zu. Vielleicht war es auch nur eine freundschaftliche Warnung. »Die Leute sind emotional stark aufgeladen. Das dort auf der Veranda ist übrigens Detective John Sampson. Er ist ein Freund von Alex, genauer gesagt, Alex' bester Freund.«

»Großartig«, murmelte ich, »das ist genau der Mensch, den ich im Moment nicht sehen will.«

Ich warf einen Blick auf Detective Sampson. Seine Miene glich einem schlimmen Gewitter kurz vor dem Ausbruch. Ich wollte weg von hier, wollte nichts mehr damit zu tun haben, konnte das alles nicht ertragen.

Kyle tätschelte mir die Schulter.

»Wir brauchen Sie hier. Soneji hatte versprochen, daß das hier eintritt«, erklärte er mir unvermittelt. »Er hatte es vorhergesagt.«

Ich starrte Kyle Craig an. Er hatte diese Neuigkeit, die bei mir einschlug wie eine Bombe, mit seiner üblichen unbewegten, ruhigen Stimme vorgetragen, etwa so, wie Sam Shepard unter Valium sprechen würde.

»Sagen Sie das noch einmal, vor allem den letzten Teil.«

»Gary Soneji hat Alex davor gewarnt, daß er ihn erledigen werde, selbst wenn er sterben sollte. Soneji hat gesagt, es gäbe keine Möglichkeit, ihn daran zu hindern. Es sieht aus, als ob er sein Versprechen gehalten hätte. Ich will, daß Sie mir sagen, wie. Erklären Sie mir, wie Soneji das geschafft hat. *Deshalb* sind Sie hier, Thomas.«

72.

Meine Nerven waren schon bis zum äußersten angespannt. Mein Bewußtsein war derart geschärft, daß es fast schmerzhaft war. Ich konnte nicht fassen, daß ich hier in Washington war und zu diesem Fall hinzugezogen wurde. *Erklären Sie mir, wie Gary Soneji das geschafft hat. Sagen Sie mir, wie es geschehen konnte.* Das war alles, was ich tun mußte.

Eins hatte die Presse richtig aufgefaßt. Man konnte mit

Recht behaupten, daß ich als Ersteller von Täterprofilen im Augenblick das As beim FBI bin. Ich müßte an Tatorte von Gewaltverbrechen gewöhnt sein, aber ich bin es nicht. Sie rufen zu viele Störgeräusche herauf, zu viele Erinnerungen an Isabella, an Isabella und mich. An eine andere Zeit, einen anderen Ort, ein anderes Leben.

Ich habe eine Art sechsten Sinn, was nichts Übernatürliches ist, überhaupt nichts dergleichen. Es ist nur einfach so, daß ich Rohmaterial und Fakten besser verarbeiten kann als die meisten Menschen, jedenfalls besser als die meisten Polizisten. Ich habe sehr starke Empfindungen, und manchmal sind meine aufgrund dieser Gefühle entstandenen Ahnungen nicht nur dem FBI, sondern auch Interpol und Scotland Yard nützlich gewesen. Meine Methoden unterscheiden sich jedoch radikal von den berühmten Ermittlungsverfahren des FBI. Trotz allem, was sie behaupten, glauben die Verhaltenswissenschaftler des FBI an genormte Vorgehensweisen mit wenig Spielraum für überraschende Eingebungen. Ich hingegen verlasse mich auf ein größtmögliches Spektrum von Eingebungen und Instinkten, die dann streng wissenschaftlich aufbereitet werden.

Das FBI und ich sind eigentlich diametrale Gegensätze, und doch muß ich zu seinem Lob sagen, daß es mich immer wieder einsetzt. Solange ich keinen üblen Pfusch fabriziere, was jederzeit möglich ist. Zum Beispiel jetzt.

Ich hatte in Quantico gearbeitet, Bericht erstattet über die grauenerregende und vielschichtige Ermittlung gegen »Mr. Smith«, als die Nachricht von dem Überfall auf Cross eintraf. Genauer gesagt, war ich noch nicht einmal einen ganzen Tag in Quantico gewesen, weil ich eben erst aus England zurückgekommen war, wo »Smith« seine »heiße« Mordspur fortgesetzt hatte, die ich im Zuge meiner Verfolgung immer nur noch lauwarm vorfand.

Jetzt war ich in Washington, inmitten eines tobenden Gewitters wegen des Überfalls auf die Familie Cross. Ich schaute auf meine Uhr, eine TAGHeuer 6000, die mir Isabella geschenkt hatte – der einzige materielle Besitz, an dem mir wirklich etwas liegt. Es war kurz nach acht, als ich den Vorgarten von Cross betrat, ich merkte mir die Zeit. Etwas daran beunruhigte mich, aber ich wußte noch nicht genau, was.

Ich blieb neben einem verbeulten, rostigen Rettungswagen stehen. Seine Lichter blinkten, und die Hintertür stand offen. Ich schaute hinein und sah einen Jungen, es mußte sich um Damon Cross handeln. Der Junge war übel zusammengeschlagen worden. Sein Gesicht und seine Arme waren blutüberströmt, aber er war bei Bewußtsein und redete leise mit den Sanitätern, die versuchten, sanft und beruhigend auf ihn einzugehen.

»Warum hat er die Kinder nicht umgebracht? Warum hat er nur auf sie eingeprügelt?« fragte Kyle.

Diese Frage beschäftigte uns beide.

»Er war nicht voll bei der Sache.«

Ich sagte das erste, was mir einfiel, vermittelte meinen ersten Eindruck. »Er stand unter dem Zwang einer symbolischen Geste Cross' Kindern gegenüber, aber mehr war es nicht.«

Dann wandte ich mich Kyle zu.

»Ich weiß es nicht genau, Kyle. Vielleicht hat er Angst bekommen oder es eilig gehabt. Vielleicht hatte er Angst, Cross zu wecken.«

Alle diese Gedanken schwirrten in meinem Kopf herum. Ich hatte das Gefühl, dem Täter begegnet zu sein.

Ich schaute an dem alten Haus hinauf, Cross' Haus.

»Okay, gehen wir ins Schlafzimmer, wenn Sie nichts dagegen haben. Ich will es sehen, bevor die Spurensicherung dort ihre Nummer abzieht. Ich muß unbedingt Alex Cross' Zimmer sehen, ich habe das Gefühl, hier ist was oberfaul. Das war ganz bestimmt nicht Gary Soneji oder sein Geist.«

»Woher wissen Sie das?« Kyle packte mich am Arm und blickte mir fest in die Augen. »Woher wollen Sie das so sicher wissen?«

»Soneji hätte die beiden Kinder und die Großmutter umgebracht.«

73.

Überall in dem Eckschlafzimmer war Alex Cross' Blut verspritzt. Ich bemerkte eine Stelle, wo eine Kugel direkt hinter Cross' Bett durch das Fenster ausgetreten war. Die Bruchstelle war sauber, die Kreislinien waren gleichmäßig. Der Schütze hatte stehend geschossen, direkt über das Bett hinweg. Ich machte mir die ersten Notizen und fertigte außerdem eine Skizze des kleinen, relativ schmucklosen Schlafzimmers an.

Es gab ein weiteres Beweisstück.

In der Nähe des Kellers war ein Schuhabdruck entdeckt worden. Die Polizei arbeitete außerdem an einer ersten »Personenbeschreibung« des Täters, denn in der überwiegend von Schwarzen bewohnten Gegend war gegen Mitternacht ein Weißer gesehen worden. Einen Moment lang war ich fast froh, daß ich so überraschend aus Virginia hierherbeordert worden war. Es gab genügend Material, das ich aufnehmen und verarbeiten mußte, fast zuviel. Ich betrachtete in Gedanken versunken das zerwühlte Bett, in dem Cross offenbar auf einer handgenähten Steppdecke geschlafen hatte, und die Fotos seiner Kinder an der Wand.

Alex Cross war ins St. Anthony's Hospital gebracht worden, ansonsten war sein Schlafzimmer genau in dem Zustand, wie es der mysteriöse Täter hinterlassen hatte. War das seine Absicht gewesen? Handelte es sich um eine erste Nachricht an uns? Sicher war es so.

Ich schaute die Papiere durch, die auf Cross' kleinem Schreibtisch lagen. Es waren Notizen über Gary Soneji, die der Attentäter unberührt liegengelassen hatte. War das wichtig? Jemand hatte ein kurzes Gedicht an die Wand über dem Schreibtisch geklebt: *Reichtum decket alle Sünden – Arme sind nur nackt zu finden.*

Außerdem hatte Cross gerade ein Buch mit dem Titel *Push* gelesen, einen Roman. Ein gelbes, liniertes Blatt Papier steckte darin, und ich las darauf: *Schreib dieser begabten Autorin etwas über ihr wunderbares Buch!*

Die Zeit, die ich in dem Zimmer verbrachte, verging wie im Flug, fast als hätte ich jedes Gefühl für Zeit und Raum verloren. Ich trank einige Tassen Kaffee und erinnerte mich dabei an einen Satz aus der ungewöhnlichen Fernsehserie *Twin Peaks:* »Verdammt gute Tasse Kaffee, und heiß!«

Letztendlich hatte ich fast anderthalb Stunden in Cross' Schlafzimmer verbracht, vertieft in forensische Einzelheiten, gegen meinen Willen von dem Fall angezogen. Er war ein bösartiges, verstörendes Puzzle, aber ein sehr faszinierendes. Alles an der Sache mutete extrem und äußerst ungewöhnlich an. Ich hörte Schritte auf dem Flur und schaute auf, in meiner Konzentration gestört. Die

Schlafzimmertür flog auf und krachte gegen die Wand. Kyle Craig steckte den Kopf herein, er sah äußerst besorgt aus, und sein Gesicht war kalkweiß. Etwas war geschehen.

»Ich muß sofort weg. Alex hat einen Herzstillstand!«

74.

Ich komme mit«, sagte ich zu Kyle.

Ich merkte, daß er dringend Gesellschaft brauchte. Und ich wollte Alex Cross sehen, bevor er starb. Falls es soweit kommen sollte, doch es klang ganz danach, und ich hatte ein ungutes Gefühl.

Auf der Fahrt zum St. Anthony's fragte ich Kyle behutsam nach dem Ausmaß von Dr. Cross' Verletzungen und wie die Leute im Krankenhaus seinen Zustand einschätzten. Dann teilte ich Kyle meine Vermutungen über die Ursache des Herzstillstands mit.

»Es liegt bestimmt am Blutverlust. Im Schlafzimmer ist überall eine Menge Blut, auf den Laken, auf dem Boden, an den Wänden. Soneji war besessen von Blut, stimmt's? Ich habe davon heute morgen vor meinem Abflug in Quantico erfahren.«

Kyle schwieg einen Moment lang, dann stellte er die Frage, mit der ich gerechnet hatte.

»Bedauern Sie manchmal, daß Sie kein Arzt geworden sind?«

Ich schüttelte den Kopf, runzelte leicht die Stirn.

»Wirklich nicht. Etwas Unwiederbringliches ist in mir zerbrochen, als Isabella starb. Das läßt sich nie wieder kitten, Kyle, jedenfalls fürchte ich das. Ich könnte kein Arzt sein. Mit fällt es schwer, überhaupt noch an die Möglichkeit des Heilens zu glauben.«

»Das tut mir leid«, sagte er ernst.

»Und mir tut das mit Alex Cross leid, er ist Ihr Freund«, antwortete ich.

Im Frühling 1993 hatte ich meinen Abschluß an der medizinischen Fakultät der Harvard University gemacht. In meinem Leben ging es in schwindelerregender Geschwindigkeit aufwärts, als die Frau, die ich mehr liebte als das Leben, in unserer Wohnung in Cambridge ermordet wurde. Isabella Calais war meine Geliebte und meine beste Freundin. Und sie war eins der ersten Opfer von »Mr. Smith«. Nach dem Mord ließ ich mich kein einziges Mal im Massachusetts General Hospital blicken, wo ich als Assistenzarzt angenommen worden war, ich nahm mit dem Krankenhaus nicht einmal mehr Kontakt auf. Ich wußte, daß ich nie würde praktizieren können. Auf seltsame Weise war mein Leben mit dem Isabellas zu Ende gegangen, jedenfalls schien es mir so.

Achtzehn Monate nach dem Mord bekam ich eine Stelle bei der verhaltenswissenschaftlichen Einheit des FBI, die manche Witzbolde auch die »Abteilung für Verhaltensgestörte« nennen. Sobald ich dort meine Fähigkeiten unter Beweis gestellt hatte, bat ich darum, auf den Fall Mr. Smith angesetzt zu werden, wogegen sich meine Vorgesetzten anfangs sträubten, schließlich aber nachgaben.

»Vielleicht werden Sie es sich eines Tages doch noch anders überlegen«, sagte Kyle.

Ich hatte das Gefühl, er glaube wirklich, daß ich es mir anders überlegen würde. Kyle ist davon überzeugt, daß alle so denken wie er: mit vollkommen klarer Logik und einem Minimum an emotionalem Gepäck.

»Das glaube ich nicht«, widersprach ich, ohne dabei streitlustig oder übertrieben nachdrücklich zu klingen. »Aber wer weiß?«

»Vielleicht, wenn Sie Smith endlich gefaßt haben«, insistierte er.

»Ja, vielleicht.«

»Sie glauben doch nicht, daß Smith ...«, fing er an, doch im gleichen Moment verwarf er den absurden Gedanken wieder, daß Mr. Smith etwas mit dem Überfall zu tun haben könnte.

»Nein«, sagte ich, »das glaube ich nicht. Smith hat diesen Anschlag nicht verübt. Wenn er es gewesen wäre, wären sie alle tot und verstümmelt.«

75.

Im St. Anthony's Hospital trennte ich mich von Kyle, streifte herum und spielte »Doktor«. Es war kein schlechtes Gefühl, sich zu überlegen, wie es hätte sein können, in einem Krankenhaus zu arbeiten. Ich versuchte, soviel wie möglich über Alex Cross' Zustand und seine Überlebenschancen herauszufinden. Die Schwestern und Ärzte vom Krankenhauspersonal waren überrascht, daß ich von Traumata und Schußverletzungen soviel verstand, aber niemand bedrängte mich, weil er den Grund dafür wissen wollte. Sie waren zu sehr damit beschäftigt, Alex Cross das Leben zu retten. Er hatte seit Jahren ehrenamtlich und unentgeltlich für das Krankenhaus gearbeitet, und keiner hier ertrug den Gedanken, ihn sterben zu sehen. Auch die Pfleger mochten und respektierten Cross und nannten ihn sogar einen »echten Bruder«.

Wie ich vermutet hatte, war der Herzstillstand vom Blutverlust verursacht worden. Laut dem behandelnden Arzt hatte Alex Cross wenige Minuten nach seinem Eintreffen in der Notaufnahme massive Herzrhythmusstörungen bekommen, und sein Blutdruck war lebensgefährlich tief auf 60 zu 0 gesunken.

Nach der Prognose des Krankenhausteams bestand die Gefahr, daß er während der Operation starb, die nötig war, um seine gravierenden inneren Verletzungen zu beheben, doch ohne die Operation würde er es auf keinen Fall schaffen. Je mehr Einzelheiten ich hörte, desto sicherer war ich, daß sie recht hatten.

Ich traf Kyle wieder auf dem geschäftigen und chaotischen Flur im vierten Stock von St. Anthony's. Viele Menschen, die dort arbeiteten, kannten Cross persönlich, alle waren sichtlich durcheinander und konnten es nicht verbergen. Die Stimmung im Krankenhaus war angespannt und voller Emotionen, und ich wurde gegen meinen Willen in die Tragödie mit hineingerissen, noch stärker als in Cross' Haus. Kyle war noch immer bleich, mit gerunzelter Stirn, über die einzelne Schweißtropfen liefen. In seinen Augen lag ein distanzierter Ausdruck, während er den Krankenhausflur beobachtete. »Haben Sie was herausgefunden? Ich weiß, daß Sie herumgeschnüffelt haben.«

Er hatte zu Recht den Verdacht, daß ich meine Ermittlung schon begonnen hatte. Er kannte meinen Stil und mein Motto: *Nimm nichts als gegeben hin, stell alles in Frage!*

»Er ist jetzt im OP. Sie rechnen kaum damit, daß er durchkommt«, überbrachte ich ihm die schlechte Nachricht völlig neutral, weil ich wußte, daß er es so wollte. »Das glauben jedenfalls die Ärzte. Aber was zum Teufel wissen Ärzte schon?« fügte ich hinzu.

»Ist das auch Ihre Meinung?« fragte Kyle.

Seine Pupillen hatten sich zu ganz winzigen dunklen Punkten verengt. Die Sache ging ihm mehr zu Herzen, als ich es jemals bei ihm erlebt hatte, für seine Verhältnisse reagierte er äußerst emotional. Mir wurde klar, wie nahe er und Cross sich stehen mußten.

Ich seufzte und schloß die Augen, fragte mich, ob ich ihm wirklich sagen sollte, was ich dachte. Schließlich machte ich die Augen wieder auf und sagte:

»Vielleicht ist es besser, wenn er nicht durchkommt, Kyle.«

76.

Kommen Sie«, sagte er und zog mich mit. »Ich will, daß Sie jemanden kennenlernen.«

Ich folgte Kyle in ein Zimmer ein Stockwerk tiefer in der dritten Etage. Die Patientin, die dort lag, war eine alte schwarze Frau. Ihr Kopf war in Webril gewickelt, eine Art Stretchbandage, der Kopfverband ähnelte einem Turban. Ein paar graue Haarsträhnen schauten darunter hervor. Heftpflaster verdeckten die Hautabschürfungen auf ihrem Gesicht. Sie hing an zwei Tropfen, einem mit Blut und einem mit Antibiotika. Außerdem war sie an einen Herzmonitor angeschlossen.

Sie schaute erschrocken auf, als seien wir Eindringlinge, aber dann erkannte sie Kyle.

»Wie geht es Alex? Sagen Sie mir die Wahrheit«, brachte sie mit rauher, doch entschlossener Flüsterstimme heraus. »Hier will mir niemand die Wahrheit sagen. Bitte, Kyle!«

»Er ist jetzt im OP, Nana. Wir werden erst mehr wissen, wenn er herauskommt«, sagte Kyle, »und vielleicht selbst dann noch nicht.«

Die alte Frau kniff die Augen zusammen und schüttelte resigniert den Kopf.

»Ich habe Sie nach der Wahrheit gefragt, wenigstens die habe ich doch verdient. Also, Kyle, wie geht es Alex? Ist er noch am Leben?«

Kyle seufzte laut. Es war ein erschöpfter Laut und gleichzeitig ein trauriger. Er und Alex Cross hatten jahrelang zusammengearbeitet.

»Alex' Zustand ist äußerst kritisch«, sagte ich, so sanft ich konnte, »das heißt ...«

»Ich weiß, was kritisch bedeutet«, unterbrach sie mich. »Ich war siebenundvierzig Jahre lang Lehrerin. Englisch, Geschichte, Algebra.«

»Entschuldigen Sie«, sagte ich. »Ich wollte nicht überheblich klingen.«

Ich machte eine kurze Pause und sprach dann weiter.

»Bei seinen inneren Verletzungen handelt es sich um Rißwunden, vermutlich mit einem hohen Maß an Verunreinigung. Die schlimmste Verletzung hat er im Unterleib: Ein Schuß hat die Leber durchschlagen und dabei offenbar die Leberarterie verletzt, hat man mir gesagt. Die Kugel ist an der Magenrückseite steckengeblieben, wo sie jetzt auf das Rückgrat drückt.«

Sie war zusammengezuckt, hörte aber aufmerksam zu, wartete darauf, daß ich zu Ende sprach. Falls Alex Cross auch nur annähernd so stark war wie diese Frau, so willensstark, dann mußte er ein ganz besonders guter Detective sein.

»Wegen der verletzten Arterie ist es zu einem starken Blutverlust gekommen. Der Inhalt des Magens und des Dünndarms könnten eine Infektion mit Kolibakterien verursachen. Es besteht eine erhebliche Entzündungsgefahr im Bauchraum – Peritonitis und möglicherweise Pankreatitis, die tödlich verlaufen können. Die Schußwunde ist die eigentliche Verletzung, eine eventuelle Infektion ist aber die Komplikation. Der zweite Schuß hat sein linkes Handgelenk durchschlagen, allerdings ohne Knochen zu verletzen oder die Pulsader zu treffen. Das ist alles, was wir bis jetzt wissen. Es ist die Wahrheit.«

Ich verstummte. Mein Blick ruhte auf der alten Frau, und sie blickte mir einen Moment lang fest in die Augen.

»Danke«, flüsterte sie schließlich resigniert. »Ich weiß es zu schätzen, daß Sie so offen mit mir waren. Sind Sie Arzt hier im Krankenhaus? Sie reden, als ob sie einer wären.«

Ich schüttelte den Kopf.

»Nein. Ich bin vom FBI, aber ich habe Medizin studiert.«

Ihre Augen wurden größer und wirkten noch aufmerksamer als zu Anfang unseres Besuchs. Ich spürte, daß sie über ungeheure Kraftreserven verfügte.

»Alex ist Arzt *und* Detective.«

»Ich bin auch Detective«, sagte ich.

»Und ich bin Nana Mama, Alex' Großmutter. Wie heißen Sie?«

»Thomas«, antwortete ich. »Ich heiße Thomas Pierce.«

»Danke, daß Sie mir die Wahrheit gesagt haben.«

77.

Paris

Die Polizei hätte es nie zugegeben, aber Mr. Smith hatte Paris in seiner Gewalt. Er hatte die Stadt im Sturm erobert, aber nur er wußte, warum. Die Nachrichten über seine furchterregende Präsenz verbreiteten sich rasch über den Boulevard Saint-Michel und dann in der Rue de Vaugirard. Man hatte bisher nicht angenommen, daß sich solche Dinge im 6. Arrondissement »très luxe« abspielen könnten. Die verführerisch eleganten Läden am Boulevard Saint-Michel lockten Touristen und Pariser gleichermaßen an. Das Panthéon und der schöne Jardin du Luxembourg lagen ganz in der Nähe. Blutrünstige Morde hatten hier nichts verloren.

Die Verkäufer aus den teuren Läden waren die ersten, die ihre Arbeitsstätten verließen und zur Rue de Vaugirard Nummer elf eilten. Sie wollten Mr. Smith sehen oder wenigstens sein Werk, sie wollten den sogenannten Außerirdischen mit eigenen Augen sehen.

Einkäufer und sogar Inhaber verließen die noblen Bekleidungsläden und Cafés. Wer nicht direkt in die Rue de Vaugirard lief, schaute wenigstens in die Richtung des Geschehens, wo mehrere schwarzweiße Streifenwagen und ein Armeebus parkten. Über der gespenstischen Szene flatterten und gurrten Tauben. Auch sie schienen einen Blick auf den berühmten Verbrecher werfen zu wollen.

Auf der anderen Seite des Boulevard Saint-Michel befand sich die Sorbonne mit ihrer düsteren Kapelle, der riesigen Uhr, der offenen Kopfsteinterrasse. Ein zweiter Bus voller Soldaten parkte davor. Studenten schlenderten zögernd die Rue Champollion entlang, um einen Blick auf das Geschehen zu erhaschen. Die winzige Straße war nach Jean-François Champollion benannt worden, einem französischen Ägyptologen, der beim Entziffern des Steins von Rosette den Schlüssel zu den ägyptischen Hieroglyphen entdeckt hatte.

Der Polizeiinspektor René Faulks schüttelte den Kopf, als er in die Rue Champollion einbog und die Menschenmenge sah. Allerdings verstand Faulks die krankhafte Faszination, die »Mr. Smith« auf Durchschnittsmenschen ausübte. Es war die Furcht vor dem Unbekannten, vor allem die Furcht vor dem plötzlichen, grauenhaften Tod, die das Interesse der Menschen auf diese absurden Morde lenkte. Mr. Smith hatte sich seinen zweifelhaften Ruf erworben, weil seine Taten so völlig unfaßbar waren. Er schien wirklich ein »Außerirdischer« zu sein, nur wenige Leute konnte begreifen, daß ein Mensch aus Fleisch und Blut so handeln konnte, wie Smith es regelmäßig tat.

Der Inspektor ließ seinen Blick schweifen, und dieser blieb schließlich an der elektronischen Anzeigetafel an der Ecke des Lycée Louis le Grand hängen. Heute warb es für die »Tour de France Femina« und außerdem für etwas, was sich »Formation d'artistes« nannte. Noch mehr Wahnsinn, dachte er. Ein zynisches Gelächter entrang sich seiner Kehle.

Ihm fiel ein Pflastermaler auf, der sein Meisterwerk, eine Kreidezeichnung, musterte. Der Mann hatte den Polizeieinsatz nicht bemerkt. Das galt auch für eine Obdachlose, die ungeniert ihr Frühstücksgeschirr in einem öffentlichen Brunnen abwusch. Gut für die beiden. Sie hatten Faulks Test für geistige Gesundheit im Zeitalter der Moderne bestanden.

Als er die graue Steintreppe hinaufstieg, die zu einer blaugestrichenen Tür führte, war er versucht, sich der versammelten Gaffermenge auf der Rue de Vaugirard zuzuwenden und zu rufen: »Geht zurück zu euren kleinen Pflichten und eurem noch kleineren Leben! Schaut euch einen künstlerisch wertvollen Film im Cinéma Champollion an. Das hier hat nicht das geringste mit euch zu tun. Smith sucht sich nur interessante und verdienstvolle Subjekte aus, *ihr* habt also absolut nichts zu befürchten.«

An diesem Morgen war einer der besten jungen Chirurgen an der Ecole Pratique de Médecine als vermißt gemeldet worden. Falls Mr. Smith sein Muster nicht geändert hatte, würde der Chirurg innerhalb von zwei Tagen tot und verstümmelt aufgefunden werden. So war es auch bei allen anderen Opfern gewesen. Das war das einzige Detail, das eine Verbindung zu den anderen Toten erkennen ließ. Tod durch Verstümmelung.

Faulks begrüßte zwei Flics und einen rangniederen Inspektor in der teuer eingerichteten Wohnung des Chirurgen. Sie war eindrucksvoll, ausschließlich mit antiken Möbeln und teuren Kunstwerken eingerichtet und bot eine wundervolle Aussicht auf die Sorbonne.

Der Goldjunge der Ecole Pratique de Médecine hatte am Ende doch Pech gehabt. Ohne Zweifel hatte sich für Dr. Abel Sante die Lage plötzlich als sehr finster erwiesen.

»Nichts? Kein Zeichen eines Kampfes?« fragte Faulks den Flic, der am nächsten stand.

»Keine Spur, genau wie bei den anderen. Aber der bedauernswerte reiche Junge ist weg. Er ist verschwunden, und Mr. Smith hat ihn.«

»Vermutlich ist er in Smiths Raumschiff«, sagte ein anderer Flic, ein junger Mann mit langem, rotem Haar und einer modischen Sonnenbrille.

Faulks drehte sich brüsk um.

»*Sie!* Scheren Sie sich hier raus, zum Teufel! Raus auf die Straße zu den anderen Irren und den gottverfluchten Tauben! Ich hoffe, daß Mr. Smith *Sie* in seinem Raumschiff entführt, aber ich habe leider den Verdacht, daß seine Maßstäbe zu exklusiv sind.«

Nach diesem Ausbruch und dem Verschwinden des Verursachers machte sich der Inspektor daran, das Werk von Mr. Smith zu untersuchen. Er mußte ein *procès-verbal* schreiben. Irgendwie mußte er Sinn in die aberwitzigen Geschehnisse bekommen. Ganz Frankreich, ganz Europa wartete auf die neuesten Nachrichten.

78.

Die FBI-Zentrale in Washington liegt an der Pennsylvania Avenue zwischen der Ninth und der Tenth Street. Seit vier Uhr hockte ich in einem Krisenstab mit einem halben Dutzend Sonderagenten, darunter Kyle Craig. In einem Konferenzzimmer diskutierten wir heftig über den Überfall auf Cross.

Um sieben Uhr abends erfuhren wir, daß Alex Cross die Operation erst einmal überstanden hatte. Am Tisch brach Jubel aus. Ich informierte Craig, daß ich nochmals ins St. Anthony's Hospital gehen wollte.

»Ich muß Alex Cross sehen«, erklärte ich ihm. »Ich muß ihn wirklich sehen, auch wenn er nicht sprechen kann. Ganz gleich, in welchem Zustand er ist.«

Zwanzig Minuten später stand ich in einem Aufzug, der mich in den sechsten Stock von St. Anthony's brachte. Dort war es ruhiger als im übrigen Gebäude. Das hohe Stockwerk wirkte gespenstisch, vor allem unter diesen Umständen. Ich betrat den Nachsorgeraum, ein Einzelzimmer etwa in der Mitte des schummrigen Flurs. Ich kam zu spät, denn es war schon jemand bei Cross.

Detective John Sampson hielt Wache am Bett seines Freundes. Sampson war mindestens zwei Meter groß und stark, aber er sah unglaublich müde aus. Es schien, als würde er durch den Streß des langen Tages jeden Moment vor Erschöpfung umfallen.

Sampson sah mich schließlich an, nickte leicht und wandte seine Aufmerksamkeit sofort wieder Dr. Cross zu. Eine seltsame Mischung aus Zorn und Traurigkeit lag in seinem Blick. Ich spürte, daß er wußte, was sich hier abspielen würde.

Alex Cross war an so viele Apparate angeschlossen, daß sein Anblick ein echter Schock war. Ich wußte, daß er Anfang Vierzig war, doch er sah jünger aus. Das war der einzige gute Eindruck.

Ich musterte die Krankenakten am Fuß des Bettes. Er hatte durch die Arterienverletzung einen schweren Blutverlust erlitten. Eine Lunge war kollabiert, und er hatte unzählige Blutergüsse, Hämatome und Platzwunden. Das linke Handgelenk war verletzt, und zudem hatte er eine Blutvergiftung. Die Schwere seiner Verletzungen setzte ihn auf die Liste der potentiellen Todeskandidaten.

Alex Cross war bei Bewußtsein, und ich schaute lange in seine braunen Augen. Was für Informationen waren in ihm verborgen? Hatte er das Gesicht seines Angreifers gesehen? Wer hatte ihm das angetan? Soneji war es nicht. Wer hatte gewagt, sein Schlafzimmer zu betreten?

Er konnte nicht sprechen, und ich entnahm seinen Augen keine Reaktion. Kein Anzeichen dafür, daß er Detective Sampson und mich wahrnahm. Selbst Sampson schien er nicht zu erkennen, wirklich traurig.

Auf jeden Fall wurde Dr. Cross im St. Anthony's vorzüglich versorgt. Am Krankenbett war ein Infusionsgeräteständer mit Armstütze angebracht. Das verletzte Handgelenk steckte in einem Elastoplastverband, und der Arm war an einem Bettgalgen verankert. Dr. Cross bekam durch einen durchsichtigen Schlauch, der zu einem Manometer an der Wand führte, Sauerstoff. Ein hochmodernes Gerät mit Monitor maß den Puls, die Temperatur, den Blutdruck und lieferte die EKG-Daten.

»Warum lassen Sie ihn nicht in Ruhe?« Nach einer Weile machte Sampson schließlich doch den Mund auf. »Warum lassen Sie uns beide nicht allein? Sie können hier nicht helfen. Bitte, gehen Sie.«

Ich nickte, schaute aber noch einige Sekunden in die Augen von Alex Cross, doch leider konnte er mir nichts sagen. Schließlich ließ ich ihn mit Sampson allein. Ich fragte mich, ob ich Alex Cross je wiedersehen würde. Ich bezweifelte es stark. Ich glaubte nicht mehr an Wunder.

79.

In dieser Nacht bekam ich wie üblich Mr. Smith nicht aus dem Kopf, und jetzt gesellten sich auch noch Alex Cross und seine Familie dazu. Ich durchlebte nochmals verschiedene Szenen aus der Klinik und Cross' Haus. Wer war in das Haus eingedrungen? Hatte Gary Soneji jemand anderen dazu gebracht? Es konnte nur so gewesen sein.

Die mich durchströmenden Rückblenden waren nervraubend, gerieten außer Kontrolle. Ich mochte das Gefühl nicht und wußte nicht, ob ich unter den streßbeladenen, fast klaustrophobischen Umständen überhaupt *eine* Ermittlung würde durchführen können, ganz zu schweigen von zwei. Die letzten vierundzwanzig Stunden waren für mich die Hölle gewesen. Ich war von London aus in die Vereinigten Staaten geflogen, in Washington auf dem National Airport gelandet, dann weitergereist nach Quantico, Virginia. Von dort war ich überraschend nach Washington zurückbeordert worden, wo ich mich bis zehn Uhr abends mit dem Puzzle Cross beschäftigt hatte.

Alles wurde nur noch schlimmer, falls es überhaupt noch schlimmer werden konnte, weil ich keinen Schlaf fand, als ich endlich in meinem Zimmer im Washington Hilton & Towers im Bett lag. Mein Körper und mein Geist waren in einem chaotischen Zustand, wehrten sich beharrlich gegen das Schlafen.

Die vorläufig gültige Theorie über den Fall Cross, die ich zuvor in der FBI-Zentrale von den Ermittlern gehört hatte, gefiel mir nicht. Sie bewegten sich auf ausgefahrenen Gleisen, waren wie begriffsstutzige Schüler, die an der Klassenzimmerdecke nach Antworten suchten. Ehrlich gesagt, die meisten Ermittler erinnerten mich an Einsteins scharfsinnige Definition von Geisteskrankheit, von der ich zum ersten Mal in Harvard gehört hatte: *»Die endlose Wiederholung des gleichen Verfahrens, in der Hoffnung auf ein anderes Ergebnis.«*

Ich sah immer wieder das Schlafzimmer vor mir, in dem Alex Cross brutal überfallen worden war. Ich suchte nach einem Hinweis – aber wo war er? Ich hatte Cross'

Blut vor Augen, verspritzt an den Wänden, den Vorhängen, auf den Laken und dem Läufer. Was war mir entgangen? *War* mir überhaupt etwas entgangen?

Ich konnte nicht schlafen, verflucht noch mal.

Schließlich versuchte ich es mit Arbeit als Sedativ, das war mein übliches Gegengift. Ich hatte schon mit ausführlichen Notizen und mit Skizzen vom Tatort angefangen. Jetzt stand ich auf und schrieb weiter, mein Laptop wartete auf dem Tisch, stets einsatzbereit. Mein Magen rebellierte, und mein Kopf pochte zum Verrücktwerden. Ich begann zu tippen:

Könnte Gary Soneji noch am Leben sein? Schließ jetzt noch nichts aus, nicht einmal die absurdeste Möglichkeit!

Laß Sonejis Leiche exhumieren, falls nötig.

Lies Cross' Buch *Morgen, Kinder, wird's was geben.*

Fahr ins Gefängnis nach Lorton, wo Soneji eingesessen hatte.

Nach einer Stunde Arbeit schob ich den Computer beiseite, es war fast zwei Uhr morgens. Ich fühlte mich immer noch benebelt, als hätte ich eine schlimme, quälende Erkältung, und konnte nach wie vor nicht schlafen. Ich war dreiunddreißig Jahre alt und fühlte mich jetzt schon wie ein alter Mann.

Immer wieder sah ich das blutbespritzte Schlafzimmer vor mir. Niemand kann sich vorstellen, was es heißt, Tag und Nacht mit solchen Bildern vor Augen zu leben. Ich hatte Alex Cross vor Augen, so, wie er im St. Anthony's Hospital dagelegen hatte. Dann dachte ich an die Opfer von Mr. Smith, seine »Studien«, wie er sie nannte.

Die grauenhaften Szenen wiederholten sich immer wieder in meinem Kopf. Sie führten immer wieder zum gleichen Ort, einem anderen Schlafzimmer, zur gleichen schrecklichen Erinnerung:

Ich entsann mich mit völliger Klarheit daran, wie ich in jener Schreckensnacht den schmalen Flur unseres gemeinsamen Apartments entlanggerannt war. Ich erinnerte mich daran, wie mir das Herz bis zum Hals klopfte, wie meine Kehle immer mehr anschwoll. Ich erinnerte mich an jeden dröhnenden Schritt, an alles, was ich unterwegs sah. Schließlich entdeckte ich Isabella, und ich glaubte, es müsse ein Traum sein, ein entsetzlicher Alptraum.

Isabella lag in unserem Bett, und ich wußte sofort, daß sie tot war. Niemand hätte das Gemetzel, dessen Spuren ich dort fand, überleben können. Niemand überlebte es – keiner von uns beiden. Isabella war mit dreiundzwanzig Jahren, in der Blüte ihres Lebens, brutal ermordet worden, noch ehe sie Mutter werden konnte, Ehefrau, Anthropologin, ihr Traumberuf. Ich konnte nicht anders, konnte nicht verhindern, daß ich mich über das Bett beugte und sie in die Arme nahm, zumindest das, was von Isabella übrig war.

Wie kann ich je auch nur *ein* Detail davon vergessen? Wie kann ich diesen Anblick aus meinem Bewußtsein vertreiben?

Die schlichte Antwort lautet: Ich werde es nie können.

80.

Ich war wieder auf der Jagd, auf einer der einsamsten Straßen der Erde. Ehrlich gesagt hatte es sonst nicht viel gegeben, was mich in den vier Jahren seit Isabellas Tod am Leben erhalten hatte.

Sobald ich aufwachte, rief ich im St. Anthony's Hospital an. Alex Cross war am Leben, lag aber im Koma, und sein Zustand war weiterhin äußerst kritisch. Ich fragte mich, ob John Sampson an seinem Bett geblieben war, und ich hatte den Verdacht, daß es so gewesen war.

Um neun Uhr morgens war ich wieder im Haus von Alex Cross. Ich wollte den Tatort noch einmal gründlicher auf mich wirken lassen, jede Tatsache in mich aufnehmen, jeden Splitter, jedes Bruchstück. Ich versuchte, alles, was ich wußte – oder in diesem frühen Stadium der Ermittlung zu wissen glaubte –, in einen Zusammenhang zu bringen, und dachte dabei an einen Grundsatz, den wir uns in Quantico häufig vor Augen hielten: Alle Wahrheiten sind Halbwahrheiten und möglicherweise nicht einmal das.

Ein Ungeheuer hatte scheinbar aus dem Grab zurückgeschlagen und einen bekannten Polizisten und seine Familie in ihrem Haus überfallen. Der »Wiedergänger« hatte Dr. Cross vor seinem Kommen gewarnt: Es gebe keine Möglichkeit, das zu verhindern. Es war die grausamste, wirkungsvollste Rache, die man sich nur vorstellen konnte. Aus einem unerfindlichen Grund hatte der Attentäter bei der Hinrichtung jedoch versagt. Kein Familienmitglied, nicht einmal Alex Cross, war getötet worden. Das war für mich das verblüffendste, verwirrendste Puzzleteil. Das war der Schlüssel!

Kurz vor elf Uhr morgens betrat ich den Keller in Cross' Haus. Ich hatte die Hauptstadtpolizei und die Spurensicherung darum gebeten, dort unten nicht herumzutrampeln, bis ich mit der Untersuchung der anderen Stockwerke fertig war. Mein Faktensammeln war ein methodisches Vorgehen, Schritt für Schritt.

Der Attentäter, vielleicht auch die Attentäterin, hatte

sich im Keller versteckt, während oben und im Garten hinter dem Haus eine Party im Gang war. In der Nähe des Kellereingangs hatten wir den Teil eines Fußabdrucks, Schuhgröße 42, gefunden. Das war allerdings keine große Hilfe, falls der Täter nicht gewollt hatte, daß wir den Abdruck fanden.

Eine Sache war eindeutig. Gary Soneji war als Kind in einem Keller eingesperrt worden, er war vom Familienleben im restlichen Haus ausgeschlossen gewesen. Und er war im Keller körperlich mißhandelt worden. In einem Keller wie dem im Haus von Cross. Auch der Attentäter hatte sich eindeutig im Keller versteckt. Das konnte kein Zufall sein.

Hatte er über Gary Sonejis Warnung an Cross Bescheid gewußt? Diese Möglichkeit war massiv beunruhigend. Ich wollte mich noch nicht endgültig auf irgendwelche Theorien oder voreilige Folgerungen festlegen. Ich mußte nur soviel Material und Informationen sammeln, wie ich konnte. Möglicherweise lag es an meinem Medizinstudium, daß ich mich der Lösung von Fällen so näherte, wie es ein medizinischer Wissenschaftler getan hätte: erst alle Fakten sammeln, immer zunächst die Fakten.

Es war still im Keller, und ich konnte meine ganze Aufmerksamkeit auf meine Umgebung konzentrieren. Ich versuchte mir vorzustellen, wie der Angreifer während der Party hier gelauert hatte und was dann später geschehen war, als es ruhig im Haus wurde und Alex Cross schließlich zu Bett ging.

Der Angreifer war ein Feigling.

Er befand sich nicht in einer akuten Zornphase, sondern ging methodisch vor.

Es war kein Verbrechen aus Leidenschaft.

Der Eindringling hatte erst auf die beiden Kinder eingeprügelt, sie aber nicht getötet. Er hatte Alex Cross' Großmutter zusammengeschlagen, sie aber ansonsten verschont. Warum? Nur Alex Cross sollte sterben, und bis jetzt war nicht einmal das eingetreten.

Hatte der Angreifer einfach versagt? Wo war er jetzt? War er noch in Washington? Beobachtete er eben jetzt Cross' Haus? Oder war er im St. Anthony's Hospital, wo die Hauptstadtpolizei Alex Cross bewachte?

Als ich an einem alten Kohlenherd vorbeikam, fiel mir auf, daß die Metalltür einen Spalt offenstand. Ich zog sie mit dem Taschentuch auf und schaute hinein, konnte aber nicht besonders viel sehen und zog deshalb eine Stablampe heraus. Ein paar Zentimeter hellgraue Asche lagen im Herd. Jemand hatte vor kurzem eine leicht entzündliche Substanz verbrannt, möglicherweise Zeitungen oder Zeitschriften.

Wer machte mitten im Sommer ein Feuer?

Auf einer Werkbank neben dem Ofen lag eine kleine Schaufel, mit der ich in der Asche herumstocherte. Ich kratzte behutsam über den Herdboden und hörte plötzlich ein leises Scheppern. Metall stieß auf Metall.

Ich holte mit der Schaufel die Asche heraus, in der etwas verborgen war, das hart und schwer war. Ich hatte keine hohen Erwartungen, schließlich sammelte ich nur Fakten, jede Kleinigkeit, sogar den Inhalt eines alten Herdes. Ich schüttete die Asche auf die Werkbank und strich sie glatt.

Dann entdeckte ich, worauf ich mit der Schaufel gestoßen war. Ich drehte das neue Beweisstück mit der Schaufelspitze um. Na also, endlich hatte ich etwas gefunden, das erste Beweisstück! Es war Alex Cross' Polizeimarke, versengt und verkohlt.

Jemand hatte gewollt, daß wir die Marke fanden.

Der Eindringling will spielen! Er spielt mit uns Katz und Maus.

81.

Ile de France

Dr. Abel Sante war normalerweise ein ruhiger und gefaßter Mensch. Er galt unter Medizinern als hochintelligent, aber überraschend normal. Er war außerdem ein netter Mensch, ein freundlicher Arzt.

Im Moment versuchte er verzweifelt, sein Bewußtsein auf einen anderen Ort zu lenken als den, an dem sein Körper war. Fast jeder andere Ort im Universum wäre ihm dabei recht gewesen.

Er hatte schon mehrere Stunden mit der präzisen Erinnerung an Einzelheiten aus seiner angenehmen, fast idyllischen Kindheit in Rennes verbracht, dann an seine Studienjahre an der Sorbonne und der Ecole Pratique de Médecine. Er hatte Sportereignisse im Tennis und im Golf an sich vorbeiziehen lassen, er hatte seine siebenjährige Liebesbeziehung zu Regina Becker nochmals durchlebt – zu der lieben, bezaubernden Regina.

Er mußte einfach an einem anderen Ort sein, irgendwo existieren, nur nicht an dem Ort, an dem er war. Er mußte in der Vergangenheit leben, vielleicht sogar in der Zukunft, aber nicht in der Gegenwart. Er fühlte sich an *Der englische Patient* erinnert. Er war jetzt Count Almasy, nur war seine Qual noch schlimmer als Almasys grauenhaft verbranntes Fleisch: Er war in der Gewalt von Mr. Smith.

Er dachte ständig an Regina, und ihm wurde bewußt, wie sehr er sie liebte. Was für ein Idiot war er gewesen, daß er sie nicht schon vor Jahren geheiratet hatte. Was für ein arroganter Mistkerl, was für ein Vollidiot er doch war!

Wie sehnsüchtig er sich jetzt wünschte zu leben, sich danach sehnte, Regina wiederzusehen. Das Leben kam ihm in diesem Moment, an diesem schrecklichen Ort, unter diesen ungeheuerlichen Umständen so verdammt kostbar vor. Nein, es war nicht gut, so zu denken. Es bedrückte ihn und brachte ihn zurück in die Realität, in die Gegenwart. Nein! Geh im Geist an einen anderen Ort! Überallhin, nur nicht hierbleiben. Doch sein gegenwärtiger Gedankengang führte ihn wieder in diesen winzigen Raum, ein unendlich kleines X auf dem Globus, wo er gefangengehalten wurde. Ausgeschlossen, daß ihn hier jemand fand, weder die Flics noch Interpol, weder die französische Armee noch die englische, weder die Amerikaner noch die Israelis hatten eine Chance!

Dr. Sante konnte sich die Wut und die Empörung vorstellen, die Panik, die jetzt in Paris und ganz Frankreich herrschte. BEKANNTER ARZT UND DOZENT ENTFÜHRT! Etwa so würde die Schlagzeile von *Le Monde* lauten. Oder aber auch: NEUE GREUELTAT VON MR. SMITH IN PARIS.

Er war das Opfer dieser Greueltat! Er war sich sicher, daß bereits Zehntausende von Polizisten und zusätzlich die Armee nach ihm suchten. Natürlich wurden mit jeder Stunde seines Verschwindens seine Überlebenschancen geringer. Er wußte das, weil er Artikel über Mr. Smiths gespenstische Entführungen und das Schicksal der Opfer gelesen hatte.

Warum ausgerechnet ich? Allmächtiger Gott, er konnte diesen teuflischen Monolog nicht länger ertragen. Er konnte auch diese zusammengekrümmte Stellung, diesen schrecklich engen Raum keine Sekunde länger ertragen. Er konnte es einfach nicht, keine Sekunde länger! Keine Sekunde länger! Er bekam keine Luft!

Er würde hier drin sterben. Hier drin, in diesem verfluchten Speisenaufzug, der zwischen zwei Stockwerken steckengeblieben war, in einem gottverlassenen Haus auf der Ile de France, irgendwo in Paris. Mr. Smith hatte ihn in den Speisenaufzug gesteckt, ihn hineingestopft wie ein Bündel schmutziger Wäsche, und dann dort zurückgelassen – Gott allein wußte, wie lange schon. Es schienen Stunden zu sein, mindestens, aber Abel Sante konnte es nicht mehr genau sagen.

Der quälende Schmerz kam und ging, durchströmte seinen Körper in Wellen. Sein Hals, seine Schultern und seine Brust schmerzten grausam, unerträglich, weit über die Schmerzgrenze hinaus. Es war ein Gefühl, als würde er langsam zu einem eckigen Block zerquetscht. Wenn er nicht schon vorher unter Klaustrophobie gelitten hätte, dann hätte er sie jetzt mit Sicherheit bekommen.

Aber das war nicht das schlimmste, nein, das war es nicht. Am furchterregendsten war, daß er wußte, was ganz Frankreich, was die ganze Welt wissen wollte. Er kannte bestimmte Einzelheiten über Mr. Smiths Identität. Er wußte genau, wie er sprach. Er war der Ansicht, daß Mr. Smith Philosoph sein könne, vielleicht Universitätsprofessor oder Student.

Er hatte Mr. Smith sogar gesehen.

Er hatte aus dem Speiseaufzug herausgeschaut – mit dem Kopf nach unten, wohlgemerkt – und in Smiths harte, kalte Augen geblickt, seine Nase gesehen, seinen Mund. Mr. Smith war das nicht entgangen. Jetzt gab es keine Hoffnung mehr für ihn.

»Hol dich der Teufel, Smith! Fahr zur Hölle! Ich kenne jetzt dein beschissenes Geheimnis, ich weiß alles. Du bist tatsächlich ein Scheißaußerirdischer! Du bist kein Mensch.«

82.

Sie glauben wirklich, daß wir diesen Scheißkerl aufspüren werden? Halten Sie den Typ für so einfältig?«

John Sampson fragte mich direkt, forderte mich heraus. Er war ganz in Schwarz gekleidet und trug eine Sonnenbrille von Ray-Ban. Er sah aus, als wäre er schon in Trauer. Wir flogen gemeinsam in einem Bell-Jet-Hubschrauber des FBI von Washington nach Princeton, New Jersey. Wir sollten eine Zeitlang zusammenarbeiten.

»Glauben Sie wirklich, daß Gary Soneji irgendwie dafür verantwortlich ist? Denken Sie, er ist Houdini? Glauben Sie, er könnte doch noch am Leben sein?« fuhr Sampson fort. »Wie zum Teufel erklären Sie sich das?«

»Ich weiß es noch nicht.« Ich seufzte. »Ich sammle immer noch Fakten. Das ist die einzige Methode, nach der ich arbeiten kann. Ich glaube eigentlich nicht, daß Soneji es getan hat, weil er früher immer allein gearbeitet hat. Immer!«

Ich wußte, daß Gary Soneji in New Jersey aufgewachsen war, bevor er einer der brutalsten Mörder aller Zeiten geworden war. Es sah leider nicht danach aus, als ob seine Serie schon vorbei wäre. Soneji war zumindest ein Teil des augenblicklichen Rätsels.

Alex Cross hatte ausführliche Notizen über Soneji gemacht. Ich entdeckte immer wieder nützliche und interessante Einsichten, und ich hatte noch nicht einmal ein Drittel gelesen. Mir war inzwischen klar, daß Cross ein scharfsinniger Polizist, aber ein noch besserer Psychologe war. Seine Hypothesen und Vermutungen waren nicht nur klug und phantasievoll, sie hatten sich häufig auch als richtig erwiesen. Darin besteht ein wichtiger Unterschied, der vielen Leuten entgeht, vor allem Leuten im mittleren Rang.

Ich sah von meiner Lektüre auf.

»Ich habe bisher immer Glück bei der Suche nach schwierigen Mördern gehabt. Bei allen – bis auf den einen, den ich am dringendsten haben will«, sagte ich zu Sampson.

Er nickte und ließ mich dabei nicht aus den Augen.

»Ist dieser Mr. Smith schon so etwas wie ein Kultmensch? Insbesondere in Europa, in London, Paris und Frankfurt?«

Es überraschte mich nicht, daß Sampson über den Fall auf dem laufenden war, denn die Regenbogenpresse hatte Mr. Smith zu ihrer neuesten Ikone erkoren. Sie spielte den unsinnigen Aspekt hoch, Smith könne ein Außerirdischer sein. Sogar Zeitungen wie die *New York Times* und die Londoner *Times* hatten Artikel gebracht, in denen verbreitet wurde, daß auch die Polizei glaube, Smith könne ein außerirdisches Wesen sein, das gekommen sei, um die Menschen zu erforschen. Genauer gesagt, um sie auszuschlachten.

»Smith ist der böse E. T. geworden. Etwas, worüber Fans der Serie *Akte X* zwischen zwei Folgen nachdenken können. Wer weiß, vielleicht ist Mr. Smith tatsächlich ein Besucher aus dem Weltraum, zumindest aus einer anderen Welt? Mit einem menschlichen Wesen hat er jedenfalls nichts gemein. Dafür verbürge ich mich. Ich habe die Tatorte gesehen.«

Sampson nickte.

»Gary Soneji hatte mit der menschlichen Rasse auch nicht viel gemeinsam«, sagte er mit seiner tiefen, seltsam ruhigen Stimme. »Soneji kam irgendwie auch von einem anderen Planeten. Er war wie ein ALF, eine außerirdische Lebensform.«

»Ich bin mir nicht sicher, ob dieses Psychogramm auch auf Smith paßt.«

»Woran liegt das?« fragte Sampson und kniff die Augen zusammen. »Sie glauben, daß Ihr Massenmörder schlauer ist als unser Massenmörder?«

»Das habe ich nicht behauptet. Gary Soneji war hochintelligent, aber er hat am Schluß Fehler gemacht. Bis jetzt hat Mr. Smith keinen Fehler begangen.«

»Und deshalb werden Sie dieses hirnrissige Rätsel lösen? Weil Gary Soneji Fehler machte?«

»So früh sage ich nichts«, erklärte ich Sampson, »dazu kenne ich das Geschäft zu gut. Sie ja wohl auch.«

»Hat Gary Soneji in Alex' Haus einen Fehler gemacht?« fragte er plötzlich, und seine dunklen Augen wirkten durchdringend.

Ich seufzte laut.

»Ich glaube, daß irgend jemand einen Fehler gemacht hat.«

Der Hubschrauber setzte außerhalb von Princeton zur Landung an. Auf einem Bundeshighway bewegten sich ein paar Autos nahezu lautlos am Flugplatz vorbei, aus denen uns Menschen beobachteten. Mit Sicherheit konnte man davon ausgehen, daß hier alles angefangen hatte. Das Haus, in dem Gary Soneji aufgewachsen war, lag keine zehn Kilometer entfernt. Es war die ursprüngliche Höhle des Ungeheuers.

»Sind Sie sicher, daß Gary Soneji nicht mehr am Leben ist?« fragte John Sampson noch einmal. »Sind Sie sich da absolut sicher?«

»Nein«, sagte ich schließlich. »Noch bin ich mir über gar nichts sicher.«

83.

Nimm nichts als gegeben, stell alles in Frage.

Als wir auf dem kleinen Privatflugplatz aufsetzten, spürte ich, wie sich mir die Nackenhaare sträubten. Irgend etwas stimmte hier nicht. Was empfand ich im Fall Cross?

Hinter den dünnen Begrenzungsstreifen der Rollbahn erstreckten sich kilometerweit Kiefernwälder und Hügel. Die Schönheit der Landschaft, die unglaublichen Grüntöne erinnerten mich an Cézanne: »Die üppigsten Farben ergeben die vollkommene Form.« Ich hatte die Welt nie wieder wie früher gesehen, nachdem ich das gehört hatte.

Hier in der Nähe war Gary Soneji aufgewachsen. War es möglich, daß er noch am Leben war? Nein, das glaubte ich nicht. Aber konnten wir hier Verbindungen finden?

Uns holten zwei Agenten ab, die eine blaue Lincoln-Limousine für uns mitbrachten. Sampson und ich fuhren von Princeton nach Rocky Hill und dann hinüber nach Lambertville, um Sonejis Großvater zu besuchen. Ich wußte, daß Sampson und Alex Cross vor noch nicht einmal einer Woche in Princeton, New Jersey, gewesen waren, trotzdem hatte ich eigene Fragen und eigene Theorien, die ich im Feldversuch auf die Probe stellen mußte.

Außerdem wollte ich die Gegend sehen, in der Gary Soneji aufgewachsen war, wo sein Wahnsinn entstanden und genährt worden war. Vor allem wollte ich mit jemandem sprechen, gegen den weder Cross noch Sampson gründlich ermittelt hatten, einem neuen Verdächtigen.

Nimm nichts als gegeben, stell alles in Frage – und jeden.

Der fünfundsiebzigjährige Walter Murphy, Garys Großvater, wartete auf einer langen, weißgestrichenen Veranda auf uns. Er bat uns nicht ins Haus.

Von der Veranda des Farmhauses hatte man einen hübschen Ausblick. Ich entdeckte überall Polyantharosen, ein undurchdringliches Gestrüpp. Die Scheune daneben wurde von Giftsumach überwuchert. Ich vermutete, daß der Großvater die Pflanzen einfach wild wachsen ließ.

Ich konnte Gary Soneji auf der Farm seines Großvaters spüren. Ich spürte ihn in jedem Winkel.

Walter Murphy war angeblich völlig ahnungslos gewesen, daß Gary zum Mord fähig war. Es gab keinen einzigen Anhaltspunkt dafür.

»Manchmal glaube ich, daß ich mich mit dem Geschehenen abgefunden habe, aber dann ist es plötzlich wieder ganz neu und unfaßbar«, sagte er, während die Mittagsbrise sein langes, weißes Haar zerzauste.

»Standen Sie Gary sehr nahe, auch als er schon älter war?« fragte ich vorsichtig.

Ich musterte seinen Körperbau. Er war kräftig, seine stämmigen Arme sahen aus, als ob sie durchaus noch körperlichen Schaden anrichten könnten.

»Ich erinnere mich an viele lange Gespräche mit Gary,

seit er ein kleiner Junge war, bis zu der Zeit, als ihm unterstellt wurde, diese beiden Kinder in Washington entführt zu haben.« *Unterstellt wurde.*

»Und das hat Sie wirklich völlig überrascht?« fragte ich. »Sie hatten keine Ahnung?«

Walter Murphy sah mich zum ersten Mal direkt an. Ich wußte, daß ihm mein Ton zuwider war, die Ironie, die darin lag. Wie wütend konnte ich ihn machen? Wieviel Jähzorn steckte in dem alten Mann?

Ich beugte mich näher zu ihm hinüber und hörte genauer hin. Ich beobachtete jede Geste, jede Gesichtszukkung. Ich sammelte Fakten.

»Gary wollte immer dazugehören, genau wie alle anderen auch«, sagte er unvermittelt. »Er hat mir vertraut, weil ich ihn so akzeptiert habe, wie er war, und das wußte er.«

»Was hatte Gary denn an sich, das akzeptiert werden mußte?«

Der Blick des alten Mannes schweifte zu den friedlich aussehenden Kiefernwäldern in der Umgebung der Farm. Ich konnte Gary auch in diesen Wäldern spüren. Es war, als beobachte er uns.

»Er konnte manchmal feindselig sein, das gebe ich zu. Er hatte eine spitze Zunge. Gary hatte etwas Überhebliches an sich, an dem sich manche gestört haben.«

Ich blieb an Walter Murphy dran, ließ ihm keine Zeit zum Atmen.

»Aber in Ihrer Gegenwart nicht?« fragte ich. »Sie haben sich nicht an seiner Art gestört?«

Die klaren blauen Augen des alten Mannes kehrten von dem Ausflug in die Wälder zurück.

»Nein, wir haben uns immer nahegestanden. Das weiß ich, auch wenn die teuren Seelenklempner behaupten, daß es für Gary nicht möglich war, Liebe zu empfinden oder für jemanden überhaupt irgend etwas zu empfinden. Ich war nie das Opfer einer seiner Wutanfälle.«

Das war im Grunde eine faszinierende Enthüllung, aber ich witterte, daß es eine Lüge war. Ich warf Sampson einen raschen Blick zu. Er betrachtete mich mit neuen, interessierten Augen.

»Diese Wutanfälle anderen Menschen gegenüber, waren die vorsätzlich geplant?« fragte ich.

»Sie wissen doch verdammt genau, daß er das Haus seines Vaters und seiner Stiefmutter niedergebrannt hat. Die beiden waren drin, außerdem noch sein Stiefbruder und seine Stiefschwester. Gary hätte eigentlich in der Schule sein sollen. Er war Stipendiat an der Peddie-Schule in Highstown. Er hatte sich dort mit anderen Jungen angefreundet.«

»Haben Sie je einen der Freunde von der Peddie kennengelernt?«

Meine Fragen kamen immer schneller, und das machte Walter Murphy zu schaffen. War er so jähzornig wie sein Enkel?

Ein Funke blitzte in den Augen des alten Mannes auf – unverkennbar Zorn. Vielleicht kam jetzt der wahre Walter Murphy zum Vorschein.

»Nein, er hat seine Schulfreunde nie mit hierhergebracht. Sie wollen wohl unterstellen, daß er keine Freunde hatte, daß er nur normaler wirken wollte, als er war! Läuft Ihre Analyse darauf hinaus? Sind Sie Gerichtspsychologe? Ist das hier ein Spielchen?«

»Was war mit Zügen?« fragte ich.

Ich wollte herausfinden, was Walter Murphy mit diesem Begriff anfing. Das war wichtig, ein Test, ein Moment der Wahrheit.

Komm schon, alter Mann. *Züge!*

Er schaute wieder hinüber zu den Wäldern.

»Mmm. Das hatte ich völlig vergessen, ich habe lange nicht mehr an die Eisenbahn gedacht. Fionas Sohn, ihr leiblicher Sohn, hatte eine teure Lionel-Modelleisenbahn. Gary durfte nicht mal im selben Zimmer sein wie die Eisenbahn. Als er zehn oder elf war, ist die Eisenbahn eines Tages plötzlich verschwunden. Der ganze verdammte Zug war weg.«

»Was war damit passiert?«

Walter Murphy hätte fast gelächelt.

»Alle haben gewußt, daß Gary sie geklaut hatte. Kaputtgemacht oder irgendwo verbuddelt. Sie haben ihn einen ganzen Sommer lang verhört, weil sie wissen wollten, wo die Eisenbahn war, aber er hat ihnen nichts gesagt. Sie haben ihn den ganzen Sommer lang immer wieder in den Keller gesperrt, aber er hat's trotzdem nicht verraten.«

»Es war sein Geheimnis, seine Macht über sie«, sagte ich, schob noch ein bißchen »Analyse« nach.

Allmählich wurden mir einige beunruhigende Dinge über Gary und seinen Großvater klar. Ich lernte Soneji langsam kennen und kam dadurch vielleicht näher an denjenigen heran, der in Washington die Familie Cross überfallen hatte. In Quantico wurden gleichzeitig Theorien über mögliche Trittbrettfahrer überprüft. Mir gefiel die Partnertheorie sehr – bis auf die Tatsache, daß Soneji leider nie einen Partner gehabt hatte.

Wer war in Cross' Haus geschlichen? Und wie?

»Ich habe auf dem Weg hierher etliche Protokolle von Dr. Cross gelesen«, sagte ich zu Garys Großvater. »Gary hatte einen immer wiederkehrenden Alptraum, der hier auf Ihrer Farm spielte. Wissen Sie darüber Bescheid? Kennen Sie Garys Alptraum von Ihrer Farm?«

Walter Murphy schüttelte den Kopf, aber er blinzelte und zuckte mit den Lidern. Er wußte etwas.

»Ich hätte gern Ihre Erlaubnis, hier etwas zu suchen«, sagte ich schließlich. »Ich brauche zwei Schaufeln und Spitzhacken, falls Sie welche haben.«

»Und wenn ich nein sage?« Er hob plötzlich die Stimme.

Zum ersten Mal zeigte er sich unverhohlen abweisend. In diesem Moment ging mir ein Licht auf. Der alte Mann spielte ebenfalls Theater, deshalb verstand er Gary so gut! Er schaute immer hinüber zu den Bäumen, um sich solange die nächsten Sätze zurechtzulegen, die er sprechen mußte. Der Großvater war ebenfalls ein Schauspieler! Bloß kein so guter wie Gary.

»Dann besorgen wir uns einen Durchsuchungsbefehl«, antwortete ich. »Machen Sie keinen Fehler, die Durchsuchung findet auf jeden Fall statt.«

84.

Was zum Teufel soll das alles?« fragte Sampson, als wir aus der baufälligen Scheune in Richtung einer Feuerstelle aus grauen Feldsteinen auf einer nahen Lichtung trotteten. »Glauben Sie, daß wir so das Ungeheuer mit den Froschaugen fassen? Indem wir den alten Mann schikanieren?«

Jeder von uns trug eine alte Metallschaufel, und ich hatte außerdem eine rostige Spitzhacke in der Hand.

»Ich habe es Ihnen doch gesagt, es geht ums Faktensammeln. Vertrauen Sie mir ungefähr eine halbe Stunde lang. Der alte Mann ist zäher, als er aussieht.«

Die Feuerstelle aus Steinen war vor langer Zeit für Familienpicknicks errichtet, aber offenbar schon seit Jahren nicht mehr benutzt worden. Sumach und andere Ranken überwucherten die Feuerstelle, als wollten sie sie zum Verschwinden bringen. Direkt neben der Feuerstelle befand sich ein morscher Picknicktisch aus Holzplanken mit zersplitterten Bänken auf beiden Seiten. Ringsum wuchsen Kiefern, Eichen und Zuckerahornbäume.

»Gary hatte einen immer wiederkehrenden Traum, das hat mich hierhergeführt. An diesem Ort hat sich der Traum abgespielt, neben der Feuerstelle und dem Picknicktisch auf der Farm von Opa Walter. Der Traum ist ziemlich grausig. Er taucht mehrmals in den Notizen auf, die Alex über Soneji gemacht hat, als dieser im Gefängnis in Lorton einsaß.«

»Wo Gary auf den Grill gehört hätte, bis er außen knusprig und in der Mitte noch leicht rosa gewesen wäre«, knurrte Sampson.

Ich mußte über seinen schwarzen Humor lachen. Es war seit langer Zeit der erste unbeschwerte Augenblick, und es war ein gutes Gefühl, ihn mit jemandem zu teilen.

Ich wählte einen Platz etwa in der Mitte zwischen der Feuerstelle und einer hohen Eiche, die sich in Richtung Farmhaus neigte. Ich bearbeitete mit der Spitzhacke kräftig den Boden. Gary Soneji. Seine Aura war von Grund auf böse. Sein Opa väterlicherseits. Weitere Fakten.

»In seinen absurden Träumen hat Gary als Junge einen grauenhaften Mord begangen«, erklärte ich Sampson. »Vielleicht hat er das Opfer hier draußen vergraben. Er war sich selbst nicht sicher, er hatte manchmal den Eindruck, er könne Träume nicht mehr von der Realität trennen. Lassen Sie uns hier eine Weile nach Garys altem

Friedhof suchen. Vielleicht sind wir kurz davor, in seinen frühesten Alptraum einzudringen.«

»Vielleicht will ich gar nicht in Gary Sonejis frühesten Alptraum eindringen«, sagte Sampson und grinste. Die Spannung zwischen uns lockerte sich eindeutig, das war um einiges besser.

Ich hob erneut die Spitzhacke und ließ sie mit Wucht niedersausen, wiederholte die Bewegung immer wieder, bis ich in einen geschmeidigen, kontinuierlichen Arbeitsrhythmus kam.

Sampson wirkte überrascht, als er sah, wie ich mit der Spitzhacke umging.

»Sie arbeiten nicht zum ersten Mal auf einem Feld, Junge«, sagte er und begann schließlich, neben mir zu graben.

»Stimmt, ich habe auf einer Farm bei El Toro in Kalifornien gelebt. Mein Vater, sein Vater und auch der Vater meines Großvaters waren alle Kleinstadtärzte. Aber sie lebten trotzdem immer noch auf der Pferdefarm unserer Familie. Ich sollte dorthin zurückkehren und auch dort praktizieren, aber ich habe meine medizinische Ausbildung nie ganz abgeschlossen.«

Wir arbeiteten jetzt beide angestrengt. Das war gute, ehrliche Arbeit, wir gruben auf der Suche nach alten Leichen, nach Gespenstern aus Gary Sonejis Vergangenheit, wir versuchten, Großvater Murphy zu reizen. Wir zogen die Hemden aus und waren bald verschwitzt und eingestaubt.

»War das so eine Art Plantage in Kalifornien? Dort, wo Sie als Junge gelebt haben?«

Ich lachte schnaubend, als ich mir die »Plantage« vorstellte. »Nein, es war eine sehr kleine Farm. Wir hatten alle Mühe, sie zu erhalten. Meine Familie war der Ansicht, daß ein Arzt sich nicht an der Pflege anderer Menschen bereichern sollte. ›Man darf vom Elend anderer nicht profitieren‹, hat mein Vater immer gesagt. Er glaubt das heute noch.«

»Huh. Ihre ganze Familie scheint ein bißchen seltsam zu sein.«

»Das ist eine einigermaßen zutreffende Beschreibung.«

85.

Während ich weiter auf Walter Murphys Anwesen grub, dachte ich zurück an unsere Farm in Südkalifornien. Die große rote Scheune und die beiden kleinen Koppeln standen mir lebhaft vor Augen. Wir besaßen damals sechs Pferde. Zwei davon waren die Zuchthengste Fadl und Rithsar. Jeden Morgen nahm ich den Rechen, die Mistgabel und einen Schubkarren und mistete die Ställe aus, anschließend schob ich den Karren zum Misthaufen. Ich füllte Kalk und Stroh auf, wusch die Tränkeimer aus und füllte frisches Wasser hinein, erledigte kleine Ausbesserungen. So lief jeder Morgen in meiner Jugend ab. Ja, ich konnte tatsächlich mit einer Schaufel und einer Spitzhacke umgehen.

Sampson und ich benötigten eine halbe Stunde, bis wir einen flachen Graben ausgehoben hatten, der sich bis zu der alten Eiche in Murphys Anwesen erstreckte. Der ausladende Baum war von Gary in den Nacherzählungen seiner Träume mehrmals erwähnt worden. Ich hatte eigentlich damit gerechnet, daß uns Walter Murphy die Ortspolizei auf den Hals hetzen würde, aber dazu kam es nicht. Außerdem rechnete ich fast damit, daß Soneji plötzlich auftauchte. Aber auch dazu kam es nicht.

»Jammerschade, daß Gary uns nicht einfach eine Skizze hinterlassen hat.« Sampson ächzte und stöhnte in der heißen, stechenden Sonne.

»Er hat seinen Traum sehr nachdrücklich geschildert. Ich glaube, er wollte, daß Alex hierherkommt. Alex oder sonstjemand.«

»Sonstjemand ist hergekommen. Wir beide. He, Achtung, da unten ist was! Unter meinen Füßen!« rief Sampson plötzlich.

Ich trat auf seine Seite des Grabens, dann schaufelten wir beide weiter, beschleunigten das Tempo. Wir arbeiteten Seite an Seite und schwitzten dabei heftig. Fakten, mahnte ich mich. Auf dem Weg zu einer Antwort geht es nur um Fakten. Sie sind der Anfang einer Lösung. Auf einmal erkannte ich, worauf wir in dem flachen Graben, in Garys Versteck neben der Feuerstelle, gestoßen waren.

»Herrgott noch mal, ich kann's nicht fassen. Herrje!« stammelte Sampson.

»Tierknochen. Sieht ganz nach dem Schädel und dem Oberschenkel eines mittelgroßen Hundes aus«, sagte ich.

»Jede Menge Knochen!« fügte Sampson hinzu.

Wir gruben noch schneller weiter. Unser Atem ging jetzt rasselnd und mühsam, wir hatten schließlich fast eine Stunde lang in der Sommerhitze gegraben, und es waren über dreißig Grad, eine schwüle Hitze. Wir standen bis zu den Hüften in der Erde.

»Verdammt! Wieder ein Treffer. Erkennen Sie das aus einem Ihrer Anatomieseminare wieder?« fragte Sampson.

Wir schauten hinunter auf die Teile eines menschlichen Skeletts.

»Das ist ein Schulterblatt und ein Unterkieferknochen. Könnten von einem kleinen Jungen oder Mädchen stammen«, erklärte ich ihm.

»Ist das also das Werk des kleinen Gary? Ist das Garys erster Mord? Ein anderes Kind?«

»Ich weiß es nicht. Vergessen wir Opa Walter nicht! Wir werden der Sache weiter auf den Grund gehen. Wenn es Gary war, hat er vielleicht ein Zeichen hinterlassen. Das hier wären seine frühesten ›Souvenirs‹, die wären für ihn sehr kostbar gewesen.«

Wir gruben weiter, und kurz darauf entdeckten wir ein weiteres Versteck. Nur unsere angestrengten Atemgeräusche durchbrachen die Stille. Wir fanden abermals Knochen, vielleicht von einem großen Tier, möglicherweise von einem Hirsch, aber vermutlich doch menschlich. Und dann lag noch etwas in diesem Versteck. Ein eindeutiges Zeichen des kleinen Gary, eingewickelt in Alufolie, die ich behutsam entfernte. Es war cinc Lionel-Lokomotive, zweifellos diejenige, die er seinem Stiefbruder gestohlen hatte.

Die Spielzeugeisenbahn, die der Grund für einhundert Tote gewesen war.

86.

Christine Johnson wußte, daß sie zur Sojourner-Truth-Schule fahren mußte, aber sobald sie dort angekommen war, war sie sich nicht mehr sicher, ob sie würde arbeiten können. Sie war nervös, geistesabwesend, nicht sie selbst. Aber vielleicht würde ihr der

Schulalltag dabei helfen, nicht ständig an Alex denken zu müssen.

Während ihrer Morgenrunde blieb sie vor dem Zimmer von Laura Dixons erster Klasse stehen. Laura war eine ihrer besten Freundinnen, und ihre Klassen waren eine Anregung und Freude. Außerdem waren Erstkläßler wirklich eine absolut nette Gesellschaft. »Lauras Babys« nannte Christine sie.

»Oh, schaut nur, wer da zu Besuch kommt! Sind wir nicht die glücklichste erste Klasse auf der ganzen Welt?« rief die Lehrerin, als sie Christine auf der Schwelle bemerkte.

Laura war nicht viel größer als eins fünfzig, aber sie war trotzdem eine stattliche Frau mit breiten Hüften und großen Brüsten. Christine konnte bei der Begrüßung ihrer Freundin ein Lächeln nicht unterdrücken, gleichzeitig war sie jedoch auch den Tränen nahe. Sie merkte, daß sie den Anforderungen in der Schule nicht gewachsen war.

»Guten Morgen, Mrs. Johnson!« riefen die Erstkläßler wie geübte Claqueure im Chor. Gott, sie waren wunderbar! So klug und begeisterungsfähig, so lieb und gut.

»Euch auch einen guten Morgen.« Christine lächelte, sie fühlte sich etwas besser. Auf der Tafel stand ein großes *B,* umgeben von Lauras Zeichnungen einer *B*iene, die um *B*atman und ein blaues *B*oot herumschwirrte.

»Ich will nicht stören«, sagte sie. »Ich bin bloß hier, um mein Schulwissen ein bißchen aufzufrischen. *B* steht für *b*lendender *B*eginn, *B*abys.«

Die Klasse lachte, und sie fühlte sich den Kindern verbunden, Gott sei Dank. In solchen Augenblicken wünschte sie sich sehnsüchtig eigene Kinder. Sie liebte die Erstkläßler, liebte Kinder im allgemeinen, und mit zweiunddreißig war es eindeutig Zeit.

Dann blitzte wie aus dem Nichts das Bild der schrecklichen Szene von vor ein paar Tagen vor ihren Augen auf: Alex, wie er aus seinem Haus in der Fifth Street in einen Rettungswagen getragen wurde. Nachbarn, Freunde hatten sie an den Tatort gerufen. Alex war bei Bewußtsein und sagte zu ihr: »Christine, du bist wie immer wunderschön.«

Und dann brachten sie ihn weg von ihr.

Bei der Erinnerung an jenen Morgen und seine Worte erschauerte sie. Es gab eine chinesische Redensart, die ihr durch den Kopf ging und sie beunruhigte: Die Gesellschaft bereitet den Boden für das Verbrechen, der Verbrecher begeht es nur.

»Alles in Ordnung?« Laura Dixon war neben sie getreten, sie hatte gesehen, daß sich Christine kaum mehr auf den Beinen halten konnte.

»Entschuldigen Sie uns, meine Damen und Herren«, sagte Laura zu ihrer Klasse. »Mrs. Johnson und ich haben vor der Tür kurz was zu besprechen. Ihr dürft euch auch unterhalten, aber leise wie die Damen und Herren, die ihr seid. Ich verlasse mich darauf.«

Dann nahm sie Christine am Arm und trat mit ihr in den leeren Flur.

»Sehe ich *so* schlimm aus?« fragte Christine. »Steht es mir so ins Gesicht geschrieben, Laura?«

Laura schloß sie fest in die Arme, und die Körperwärme ihrer üppigen Freundin beruhigte Christine.

»Versuch nicht, so gottverflucht stark zu sein! Du mußt nicht immer so tapfer sein«, sagte Laura. »Hast du etwas Neues gehört, Schatz? Komm, sag's mir, sprich mit mir.«

Christine sprach leise in Lauras Haar. Es war ein gutes Gefühl, sie festzuhalten, sich an jemandem festhalten zu können. »Sein Zustand ist immer noch äußerst kritisch. Es sind immer noch keine Besuche gestattet, falls man nicht zufällig ein hohes Tier bei der Polizei oder beim FBI ist.«

»Christine, Christine«, flüsterte Laura leise. »Was soll ich bloß mit dir machen?«

»Wieso, Laura? Es geht mir schon wieder gut, wirklich.«

»Du bist so stark, Mädchen. Du bist vermutlich der beste Mensch, den ich je kennengelernt habe. Ich habe dich sehr lieb! Das ist alles, was ich dir jetzt sagen kann.«

»Das ist mehr als genug. Danke!« sagte Christine. Sie fühlte sich etwas besser, nicht mehr ganz so ausgelaugt und leer, aber das Gefühl hielt nicht lange an.

Sie ging zu ihrem Büro zurück, und als sie in den Ostflur einbog, entdeckte sie, daß Kyle Craig vom FBI vor ihrem Zimmer auf sie wartete. Sie eilte den Flur entlang auf ihn zu. Das hatte nichts Gutes zu bedeuten. O lieber Gott, nein! Warum ist Kyle hier? Was hat er mir zu sagen?

»Kyle, was ist los?« Ihre Stimme bebte, geriet fast außer Kontrolle.

»Ich muß mit Ihnen reden«, sagte er und nahm ihre Hand. »Bitte, hören Sie zu. Kommen Sie bitte mit in Ihr Büro, Christine.«

87.

Auch in dieser Nacht konnte ich in meinem Hotelzimmer im Marriott in Princeton nicht schlafen. Die zwei Fälle, die sich in meinem Kopf Konkurrenz machten, waren daran schuld. Ich überflog mehrere Kapitel eines ziemlich langweiligen Buchs über Züge, nur um Fakten zu sammeln.

Ich machte mich mit dem Eisenbahnvokabular vertraut: Halle, Trittbrett, Schlafwagen, Durchsagen, Notbremse. Ich wußte, daß Züge in dem Rätsel, mit dessen Lösung ich beauftragt worden war, eine Schlüsselrolle spielten.

Welche Rolle hatte Gary Soneji bei dem Überfall auf das Haus von Alex Cross gespielt? Wer war sein Partner? Ich setzte mich an den Hotelzimmerschreibtisch, schaltete meinen Laptop an und machte mich an die Arbeit. Wie ich später Kyle Craig berichten sollte, hatte ich mich kaum gesetzt, als der Signalton des Computers ertönte, der mir anzeigte, daß eine E-mail auf mich wartete.

Mir war sofort klar, was das bedeutete: Smith meldete sich bei mir. Seit über einem Jahr nahm er regelmäßig Kontakt zu mir auf. Ich fragte mich manchmal, wer hier eigentlich wen verfolgte.

Die Nachricht war typisch für Smith, ich las sie sehr sorgfältig.

Paris – Mittwoch

In seiner Schrift »Überwachen und Strafen« vertritt der Philosoph Foucault die These, daß sich der Mensch der Moderne von der individuellen Bestrafung weg auf ein Paradigma der allgemeinen Bestrafung zubewegt. Ich für meinen Fall halte das für einen unglückseligen Zufall. Erkennen Sie, wohin mich dieser Gedankengang führen könnte, wie meine ultimative Mission aussehen müßte?

Sie fehlen mir hier auf dem Kontinent, Sie fehlen mir sogar sehr. Alex Cross ist Ihre kostbare Zeit und Energie eigentlich nicht wert.

Ich habe Ihnen zu Ehren hier in Paris einen Mann in meine Gewalt gebracht – einen Arzt! Einen Chirurgen, genau das, was Sie früher einmal werden wollten.

Stets der Ihre
Mr. Smith

88.

Auf diese Weise kommunizierte der Mörder seit über einem Jahr mit mir. Zu jeder Tages- oder Nachtzeit trafen die E-mails auf dem Laptop ein, die ich dann an das FBI weiterleitete. Mr. Smith war wirklich auf der Höhe der Zeit, ein Geschöpf der neunziger Jahre. Ich übermittelte die Nachricht sofort an die Einheit für Verhaltenswissenschaft in Quantico. Einige Kollegen waren noch bei der Arbeit, ich konnte mir ihre Verblüffung und Frustration lebhaft vorstellen. Meine Reise nach Frankreich wurde ohne Diskussion genehmigt.

Wenige Minuten nachdem die Nachricht in Quantico angekommen war, rief Kyle Craig in meinem Zimmer im Marriott an. Mr. Smith räumte mir mal wieder eine Chance ein, ihn zu fassen, im allgemeinen gab er mir dafür nur einen Tag, doch manchmal waren es sogar nur Stunden. Smith forderte mich heraus, den entführten Arzt in Paris zu retten.

Ich glaubte tatsächlich, daß Mr. Smith Soneji weit überlegen war. Sowohl sein Verstand als auch sein methodisches Vorgehen stellten Sonejis primitiveres Agieren weit in den Schatten.

Ich hatte meine Reisetasche und den Computer in den

Händen, als ich John Sampson draußen auf dem Hotelparkplatz entdeckte. Es war kurz nach Mitternacht. Ich fragte mich, was er nachts in Princeton getrieben haben mochte.

»Was zum Teufel soll das, Pierce? Wo wollen Sie hin?« sagte er laut und verärgert. Er überragte mich deutlich, sein Schatten erstreckte sich in dem Licht, das aus dem Gebäude fiel, zehn bis zwölf Meter weit.

»Vor etwa einer halben Stunde hat Smith mit mir Kontakt aufgenommen. Das tut er immer kurz vor einem Mord. Er nennt mir einen Ort und fordert mich heraus, den Mord zu verhindern.«

Sampsons Nasenflügel blähten sich. Er schüttelte unwillig den Kopf, für ihn war nur ein einziger Fall wichtig.

»Also lassen Sie einfach alles stehen und liegen, woran wir hier arbeiten? Sie hatten nicht mal vor, mir Bescheid zu sagen, nicht wahr? Sie wollten mitten in der Nacht aus Princeton abhauen.«

Sein Blick war kalt und distanziert. Ich hatte sein Vertrauen wieder eingebüßt.

»John, ich habe natürlich eine Nachricht für Sie hinterlassen, in der ich Ihnen alles erkläre. Sie liegt am Empfang. Ich habe bereits mit Kyle über die Sache gesprochen, in ein paar Tagen bin ich bestimmt zurück. Smith läßt sich nie viel Zeit, denn er weiß, daß das zu gefährlich ist. Und ich brauche sowieso Abstand, um über diesen Fall erst mal nachzudenken.«

Sampson runzelte die Stirn und schüttelte wieder den Kopf. »Sie haben doch gesagt, es sei wichtig, einen Besuch im Gefängnis von Lorton zu machen. Sie haben gesagt, Lorton sei der einzige Ort, wo Soneji jemanden dazu gebracht haben könnte, seine Dreckarbeit zu erledigen. Sein Partner kommt vermutlich aus Lorton.«

»Ich habe auch weiterhin vor, dem Gefängnis einen Besuch abzustatten. Im Augenblick muß ich jedoch versuchen, einen Mord zu verhindern. Smith hat in Paris einen Arzt entführt. Und er widmet den Mord mir.«

Nichts von dem, was ich sagte, machte Eindruck auf John Sampson.

»Vertrauen Sie mir doch ein bißchen«, sagte ich, aber er drehte sich einfach um und ging weg.

Ich hatte keine Chance, ihm von der zweiten Sache zu erzählen, dem Sachverhalt, der mir die meisten Sorgen machte. Ich hatte auch Kyle Craig nicht davon erzählt. Isabella stammte aus Paris, Paris war ihre Heimatstadt. Ich war seit ihrer Ermordung nicht mehr dort gewesen.

Mr. Smith wußte das.

89.

Es war ein schönes Fleckchen Erde, aber Mr. Smith wollte es beschmutzen, es in seinem Kopf für immer zerstören. Das kleine Steinhaus mit den mit Mörtel verfugten Mauern, den weißen Fensterläden und rustikalen Spitzenvorhängen wirkte friedlich und idyllisch. Eine Hecke umgab den Garten, und unter einem einsamen Apfelbaum stand ein langer Holztisch, an dem sich Freunde, Angehörige und Nachbarn zum Essen und Plaudern versammeln konnten.

Smith breitete sorgfältig einige Seiten der *Le Monde* auf dem Linoleumboden der geräumigen Landhausküche aus. Patti Smith ertönte laut aus seinem CD-Player, das

Lied hieß »Summer Cannibals«, und die offensichtliche Ironie entging ihm nicht.

Auch die Schlagzeile der Zeitung war reißerisch und spektakulär: *Das Alien Mr. Smith nimmt in Paris Chirurgen gefangen!*

Das entsprach der Wahrheit, und wie das der Wahrheit entsprach!

Die fixe Idee, die sich im Bewußtsein der Öffentlichkeit festgesetzt hatte und Angst verbreitete, war die, daß Mr. Smith ein außerirdischer Besucher sein könne, der aus finsteren, unbekannten Gründen die Länder der Erde durchstreife und dort wüte. In den reißerischen Zeitungsartikeln hieß es, daß er keinerlei menschliche Züge aufweise. Er wurde vielmehr als »nicht von dieser Welt« und »unfähig zu jedem menschlichen Gefühl« geschildert.

Sein Name – Mr. Smith – war abgeleitet von »Valentine Michael Smith«, einem Besucher vom Mars in Robert Heinleins Science-fiction-Roman und Kultbuch *Fremder in einer fremden Welt.* Dies war auch das einzige Buch in Charles Mansons Rucksack, als er in Kalifornien gefaßt wurde.

Er musterte den französischen Chirurgen, der beinahe bewußtlos auf dem Küchenboden lag. In einem der FBI-Berichte wurde festgestellt, daß »Mr. Smith Schönheit zu schätzen scheint. Er hat ein künstlerisches Auge mit Sinn für Komposition. Auffällig ist die Methode, mit der er die Leichen arrangiert.«

Ein künstlerisches Auge mit Sinn für Schönheit und Komposition. Ja, das war durchaus richtig. Früher hatte er einmal die Schönheit geliebt, sogar für sie gelebt. Die künstlerischen Arrangements waren die Anhaltspunkte, die er für seine Verfolger hinterließ.

Patti Smith sang ihr Lied zu Ende, gleich anschließend

ertönte von den Doors »People Are Strange«. Auch dieser Oldie war wunderbare Stimmungsmusik.

Smith ließ den Blick durch die Landhausküche schweifen. Ein großer Steinkamin nahm eine ganze Wand ein. Eine zweite Wand war weiß gekachelt und mit alten Regalen zugestellt, auf denen Kupfertöpfe, weiße Café-au-lait-Schalen und alte Marmeladengläser, hier *confitures fines* genannt, standen. Außerdem gab es einen uralten schwarzen Gußeisenherd mit Messingknäufen und ein großes weißes Spülbecken aus Porzellan. Neben dem Spülbecken, über einem Arbeitstisch in Form eines Metzgerhackblocks, hing eine eindrucksvolle Sammlung von Küchenmessern. Die Messer waren schön, in jeder Hinsicht vollkommen.

Er vermied es bewußt, sein Opfer anzuschauen. Natürlich, denn er vermied es immer. Doch schließlich senkte er den Blick und sah in die Augen des Opfers.

Das also war Abel Sante.

Das war die glückliche Nummer neunzehn.

90.

Das Opfer war ein sehr erfolgreicher fünfunddreißigjähriger Chirurg. Er sah gut aus, war hervorragend in Form, auch wenn er jetzt nicht mehr sehr viel Fleisch auf den Knochen hatte. Er schien ein netter Mensch zu sein, ein »ehrenwerter« Mann und guter Arzt.

Was war *menschlich?* Was genau bedeutete *Menschlichkeit?* Das war die grundsätzliche Frage, die sich Mr. Smith immer noch stellte, nach körperlichen Untersuchungen wie dieser hier in fast einem Dutzend Ländern rund um die Welt.

Was war *menschlich?* Was genau bedeutete dieses Wort?

Würde er hier, in dieser französischen Landhausküche, endlich eine Antwort finden? Der Philosoph Heidegger vertrat die Ansicht, das Selbst zeige sich in dem, woran uns wahrhaft etwas liege. War Heidegger auf der richtigen Spur? Woran lag Mr. Smith wahrhaft etwas? Es war sicherlich angemessen, diese Frage zu stellen.

Die Hände des französischen Chirurgen waren eng auf seinem Rücken gefesselt. Die Knöchel waren an die Hände gebunden, die Knie zurückgebogen. Das Ende des Seils war zu einer Schlinge um seinen Hals gezogen. Abel Sante hatte schon begriffen, daß jeder Versuch, sich zu wehren, jedes Um-sich-Schlagen zu heftigem Strangulationsdruck führte. Die Beine würden allmählich taub werden und schmerzen, und dann würde der Drang, sie auszustrecken, überwältigend werden. Doch wenn er dem nachgab, würde das zur Selbststrangulation führen.

Mr. Smith war nun bereit, er ging nach einem genauen Plan vor. Die Autopsie des Körpers würde oben beginnen und dann ihren Weg nach unten nehmen. Er würde der korrekten Reihenfolge nach vorgehen: Hals, Rückgrat, Brust. Dann Abdomen, Beckenorgane, Genitalien. Kopf und Gehirn würden zuletzt untersucht werden, damit bis dahin soviel Blut wie möglich ausgetreten war – für die bestmögliche Sicht.

Dr. Sante schrie, aber hier draußen konnte ihn niemand hören. Es war ein höllisches Geräusch, und Smith hätte beinahe mitgeschrien.

Er drang mit einem klassischen »Y«-Schnitt in die Brust

ein. Der erste Schnitt verlief von Schulter zu Schulter, setzte sich an den Brüsten fort, wanderte dann zum Sternum. Dann schnitt Mr. Smith den Abdomen bis zum Schambereich auf.

Der brutale Mord an einem unschuldigen Chirurgen namens Abel Sante.

Absolut *unmenschlich,* dachte er bei sich.

Abel Sante – er war der Schlüssel zu allem, und keines dieser Polizeigenies hatte das herausbekommen. Sie alle waren als Detectives absolut nichts wert, oder als Ermittler oder als sonst irgend etwas. Es wäre so einfach gewesen, wenn sie nur ein bißchen von ihrem Verstand Gebrauch gemacht hätten.

Abel Sante.

Abel Sante.

Abel Sante.

Als die Autopsie beendigt war, legte sich Mr. Smith mit dem, was von dem armen Dr. Sante übrig war, auf den Küchenboden. Das tat er mit jedem Opfer. Mr. Smith schloß den blutigen Leichnam in die Arme. Er flüsterte und seufzte. So geschah es immer.

Und dann schluchzte Smith laut.

»Es tut mir so leid. Es tut mir so leid. Bitte, verzeiht mir. Jemand muß mir verzeihen«, stöhnte er in dem leeren Bauernhaus.

Abel Sante.

Abel Sante.

Abel Sante.

Konnte es denn niemand verstehen?

91.

Irgendwann auf dem Flug der American Airlines nach Europa fiel mir auf, daß meine Deckenlampe als einzige brannte, während das Flugzeug über den Atlantik hinwegdröhnte. Gelegentlich blieb eine Stewardeß stehen und bot mir Kaffee und andere Getränke an, aber die meiste Zeit starrte ich nur hinaus in die finstere Nacht.

Es hatte nie zuvor einen Massenmörder gegeben, der auch nur annähernd an Mr. Smiths einzigartigen Umgang mit Gewalt herankam, jedenfalls aus wissenschaftlicher Perspektive. In diesem Punkt stimmten die Einheit für Verhaltenswissenschaft in Quantico und ich überein, und sogar unsere Kollegen bei Interpol, der internationalen Schaltstelle für Informationen, pflichteten uns bei. Tatsächlich ist sich die Gemeinde der forensischen Psychologen einig, oder ist es zumindest einmal gewesen, was dic Einschätzung verschiedener Wiederholungstäter oder Serienmörder anbelangt, außerdem über die wichtigsten Charakterzüge ihrer Störungen. Ich ertappte mich dabei, daß ich während des Flugs die Fakten von neuem durchging.

Sogenannte schizophren gestörte Persönlichkeiten neigen dazu, introvertiert und sozialen Beziehungen gegenüber gleichgültig zu sein, die klassischen Einzelgänger. Sie haben keine engen Freunde oder intensive Beziehungen, möglicherweise mit Ausnahme der Familienangehörigen. Sie sind unfähig, auf akzeptable Weise Zuwendung zu zeigen. In ihrer Freizeit wählen sie meistens Beschäftigungen, bei denen sie alleine sind. Sie haben wenig oder gar kein Interesse an Sex.

Narzißten dagegen sind anders. Sie zeigen wenig oder gar keine Teilnahme am Leben anderer, obwohl sie manchmal Interesse heucheln. Echte Narzißten empfinden keinerlei Mitgefühl. Sie haben ein übersteigertes Selbstwertgefühl, reagieren äußerst empfindlich auf Kritik und haben immer das Gefühl, sie hätten ein Recht auf Sonderbehandlung. Sie schwelgen in grandiosen Vorstellungen von Erfolg, Macht, Schönheit und Liebe.

Sogenannte »Persönlichkeiten mit einer Störung im zwischenmenschlichen Bereich« lassen sich im allgemeinen in keiner Weise auf andere ein, es sei denn, sie sind sich hundertprozentig sicher, akzeptiert zu werden. Diese Menschen weichen Berufen und Situationen aus, in denen sozialer Kontakt erforderlich ist. Sie sind im allgemeinen ruhig, werden leicht verlegen und gelten als »latent gefährlich«.

Sadistische Menschen wiederum sind extrem bösartig, so zerstörerisch, wie es Individuen überhaupt werden können. Sie setzen gewohnheitsmäßig Gewalt und Grausamkeit ein, um Macht auszuüben, und genießen es, körperlichen und seelischen Schmerz zuzufügen. Sie erzählen gern Lügen, schlicht und einfach deshalb, weil sie Schmerz verursachen möchten. Sie sind besessen davon, Gewalt anzuwenden, zu quälen und sogar andere umzubringen.

Das alles ging mir durch den Kopf, während ich hoch über dem Atlantik im Flugzeug saß. Am meisten beschäftigte mich jedoch meine Schlußfolgerung Mr. Smith betreffend, die ich vor kurzem in Quantico an Kyle Craig weitergegeben hatte. Zu verschiedenen Zeitpunkten dieser langen und vielschichtigen Ermittlung schien Mr. Smith allen vieren dieser klassischen Mördertypen zu entsprechen und perfekt in das Muster der einen oder anderen Persönlichkeitsstörung zu passen, um dann wenig später wiederum einem anderen zu entsprechen, je nach Laune. Vielleicht war er sogar ein fünfter Typ des psychopathischen Mörders, eine ganz neue Variante unter den gestörten Persönlichkeiten. Vielleicht hatte die Regenbogenpresse in Sachen Mr. Smith aber sogar recht, und er war tatsächlich ein Außerirdischer. Auf jeden Fall war er keinem anderen menschlichen Wesen vergleichbar. Ich wußte das, denn er hatte Isabella ermordet.

Das war der wahre Grund, weshalb ich auf dem Flug nach Paris nicht schlafen konnte. Weshalb ich überhaupt nicht mehr schlafen konnte.

92.

Wer würde je den kaltblütigen Mord an einem geliebten Menschen vergessen? Ich konnte es jedenfalls nicht. In vier Jahren hatte nichts die alptraumhafte Erinnerung an die Tat abgeschwächt. Die Erinnerung, die genau das widerspiegelt, was ich bei der Polizei von Cambridge ausgesagt habe:

Es ist ungefähr zwei Uhr morgens, und ich schließe mit meinem Schlüssel unsere Dreizimmerwohnung in der Inman Street in Cambridge auf. Plötzlich bleibe ich stehen, weil ich das Gefühl habe, daß etwas nicht stimmt.

Einige Details innerhalb der Wohnung werde ich nie vergessen. Ein Plakat hängt in unserem Flur: *Sprache bedeutet mehr als nur sprechen.* Isabella ist eine versteckte Linguistin, liebt Wörter und Wortspiele über alles. Das gilt übrigens auch für mich, und es ist eine wichtige Verbindung zwischen uns.

Isabellas Lieblingslampe, eine Noguchi aus Reispapier.

Ihre geliebten Taschenbücher von zu Hause, die meisten in Folioformat, weiße, gleichmäßige Buchrücken mit schwarzer Schrift, so vollkommen und sauber.

Ich hatte mit ein paar anderen Medizinstudenten, die wie ich soeben den Abschluß gemacht hatten, bei Jillian's ein paar Gläser Wein getrunken. Wir mußten Dampf ablassen, nachdem wir viel zu viele Tage, Nächte, Wochen und Jahre den Druck von Harvard ausgehalten hatten. Wir verglichen die Notizen, die wir uns über die Krankenhäuser gemacht hatten, in denen wir vom Herbst an arbeiten würden, und versprachen uns, in Verbindung zu bleiben, wußten aber, daß wir das Versprechen vermutlich nicht einhalten würden.

Zu dieser Gruppe gehörten drei meiner besten Freunde aus der Zeit des Medizinstudiums: Maria Jane Ruocco, die im Kinderkrankenhaus in Boston arbeiten würde; Chris Sharp, der bald zum Beth Israel aufbrechen würde, und Michael Fescoe, der eine der begehrten Assistenzarztstellen an der New Yorker Universitätsklinik bekommen hatte. Auch ich hatte Glück gehabt, ich würde ans Massachusetts General gehen, eines der besten Lehrkrankenhäuser der Welt. Meine Zukunft war gesichert.

Ich war durch den Wein in Hochstimmung, aber nicht wirklich betrunken, als ich nach Hause kam. Ich war gut gelaunt, ungewöhnlich sorgenfrei, und – ein seltsames, schuldbeladenes Detail – ich war scharf auf Isabella. Ich erinnere mich, daß ich auf der Rückfahrt in meinem Auto, einem zehn Jahre alten Volvo, der meinem finanziellen Status als Medizinstudent entsprach, »With or Without You« sang.

Ich weiß noch, daß ich, nachdem ich das Deckenlicht eingeschaltet hatte, einige Sekunden lang im Flur stand. Isabellas Handtasche lag auf dem Fußboden, und der

Inhalt war in einem Radius von einem bis anderthalb Metern verstreut. Sehr seltsam. Kleingeld, ihre Lieblingsohrringe von Georg Jensen, ein Lippenstift, diverse Schminkutensilien, Puder, Zimtkaugummi – alles lag einfach auf dem Boden.

Warum hatte Isabella ihre Handtasche nicht wieder aufgehoben? Ist sie sauer auf mich, weil ich mit meinen Freunden ausgegangen war? Das hätte Isabella überhaupt nicht ähnlich gesehen. Sie ist eine aufgeschlossene Frau, denkt schon fast übertrieben liberal.

Rückwärts gehe ich durch die schmale, lange Wohnung, schaue mich überall nach Isabella um. Die Wohnung ist wie ein Eisenbahnwaggon geschnitten, von einem schmalen Gang mit einem einzigen Fenster mit Blick auf die Inman Street gehen kleine Zimmer ab. Im Flur stehen Teile unserer gebraucht gekauften Taucherausrüstung, wir hatten eine Reise nach Kalifornien geplant. Zwei Druckluftflaschen, Bleigürtel, Taucheranzüge und zwei Paar Gummiflossen liegen unter anderem im Flur herum. Ich ergreife für alle Fälle eine Harpune. Für welchen Fall? Ich habe keine Ahnung. Wie sollte ich etwas ahnen? Ich werde immer verzweifelter, bekomme Angst. »Isabella!« rufe ich, so laut ich kann. »Isabella? Wo bist du?«

Dann bleibe ich stehen, die ganze Welt scheint stillzustehen. Ich lasse die Harpune los, lasse sie fallen, und sie prallt scheppernd auf den kahlen Hartholzboden.

Was ich in unserem Schlafzimmer sehe, wird mich mein ganzes Leben lang nicht mehr loslassen. Ich habe jedes ekelhafte Detail immer wieder vor Augen, kann es riechen, sogar schmecken. Wahrscheinlich war das der Zeitpunkt, an dem sich mein sechster Sinn herausgebildet hat, das seltsame Gefühl, das jetzt so untrennbar zu meinem Leben gehört.

»O Gott! Gott im Himmel, nein!«

Ich schreie so laut, daß es das Paar, das über uns wohnt, hören kann. Ich weiß noch, daß ich gedacht habe, *das ist nicht Isabella,* diese Worte, die die totale Ungläubigkeit widerspiegeln. Vielleicht habe ich sie sogar ausgesprochen. *Nicht Isabella.* Das kann nicht Isabella sein.

Und doch – ich erkenne das kastanienbraune Haar, das ich so gern streichle; die Schmollippen, die mich zum Lächeln, zum Lachen bringen können und manchmal dazu, daß ich in Deckung gehe; eine fächerförmige Perlmutthaarspange, die Isabella zu besonderen Anlässen trägt.

Mein ganzes Leben hat sich mit einem Herzschlag oder vielmehr mit einem kurzen Aussetzen des Herzschlags verändert. Ich suche bei Isabella nach Anzeichen von Atmung, nach irgendwelchen Lebenszeichen. Ich kann weder an der Oberschenkel- noch an der Halsschlagader einen Puls fühlen. Überhaupt nichts. *Nicht Isabella.* Das darf nicht wahr sein.

Die Zyanose, eine bläuliche Verfärbung der Lippen, des Nagelbetts und der Haut, setzt bereits ein. Unter ihrem Körper hat sich eine große Blutlache gebildet, und der Darm und die Blase haben nachgegeben, aber ich achte nicht auf die Körperausscheidungen. Unter diesen Umständen sind sie absolut belanglos.

Isabellas schöne Haut wirkt wächsern, fast durchsichtig, so als wäre es gar nicht ihre wirkliche Haut. Ihre hellgrünen Augen haben schon den Glanz verloren und sind stumpf geworden. Sie können mich nicht mehr sehen. Ich begreife, daß sie mich nie wieder anschauen werden.

Irgendwann trifft die Polizei von Cambridge in der Wohnung ein. Die Polizisten laufen überall herum und sehen fast ebenso schockiert aus wie ich. Meine Nachbarn sind da und versuchen, mich zu trösten, mich zu beruhigen, dabei haben sie große Mühe, nicht selbst zusammenzubrechen.

Isabella ist fort, und wir haben uns nicht einmal voneinander verabschieden können. Sie ist tot, aber ich kann das nicht glauben. Ein alter Liedtext von James Taylor geht mir durch den Kopf.

»But I always thought that I'd see you one more time again.«

Das Lied heißt »Fire and Rain« und war unser Lied. Das ist es noch immer.

Ein schreckliches Monster war in Cambridge auf freiem Fuß, es hatte weniger als ein Dutzend Blocks von der Harvard University entfernt zugeschlagen. Kurz darauf sollte er einen Namen bekommen: Mr. Smith, eine literarische Anspielung, die nur in einer Universitätsstadt wie Cambridge möglich ist.

Das Schlimmste, das Übelste von allem, das, was ich niemals vergessen oder verzeihen werde, war: Mr. Smith hatte Isabellas Herz herausgeschnitten.

Ich wurde aus meinen Gedanken gerissen, denn das Flugzeug landete auf dem Flughafen Charles de Gaulle. Ich war in Paris.

Genau wie Smith.

93.

Ich checkte im Hôtel de la Seine ein und rief von meinem Zimmer aus das St. Anthony's Hospital in Washington an. Alex Cross befand sich immer noch in einem kritischen Zustand. Ich vermied es, mich mit der französischen Polizei oder dem Krisenstab zu treffen, denn die einheimische Polizei ist selten eine große Hilfe. Ich arbeite lieber allein, und das tat ich dann auch in Paris einen halben Tag lang.

Mittlerweile hatte Mr. Smith Kontakt mit der Sûreté aufgenommen. Es war immer das gleiche Vorgehen, ein zusätzlicher Anruf bei der örtlichen Polizei: ein persönlicher Affront gegenüber allen, die an der Jagd auf ihn beteiligt waren. Es waren schlechte Nachrichten, stets schreckliche Nachrichten.

Ihnen allen ist es nicht gelungen, mich zu fassen. Sie haben wieder versagt, Pierce.

Er hatte offenbart, wo die Leiche von Dr. Abel Sante zu finden sei. Er verhöhnte uns, nannte uns kümmerliche, inkompetente Versager. Jedesmal nach einem Mord verspottete er uns.

Die französische Polizei und Mitarbeiter von Interpol hatten sich in großer Zahl am Eingang zum Parc de Montsouris versammelt. Es war zehn nach eins in der Nacht, als ich dort eintraf. Weil sich möglicherweise massenhaft Gaffer und Presseleute einstellen würden, war die CRS, eine Sondereinheit der Pariser Polizei, zur Sicherung des Tatorts eingeschaltet worden.

Ich entdeckte eine Kollegin von Interpol, die ich kannte, und winkte ihr zu. Sondra Greenberg war von der Idee, Mr. Smith zu fassen, fast so besessen wie ich. Sie war hartnäckig und leistete vorzügliche Arbeit, deshalb standen ihre Chancen, den Fall Mr. Smith zu knacken, mindestens so gut wie die aller anderen.

Sondra sah sehr angespannt und bedrückt aus, als sie auf mich zukam.

»Ich glaube nicht, daß wir diese vielen Leute brauchen, die eigentlich eine Hilfe sein sollten«, sagte ich und lächelte dünn. »Es dürfte nicht so verdammt schwierig sein, die Leiche zu finden, Sandy, er hat uns schließlich mitgeteilt, wo wir suchen sollen.«

»Da bin ich ganz Ihrer Meinung«, stimmte sie zu, »aber Sie kennen doch die Franzosen. Sie haben sich für diese Vorgehensweise entschieden. *Le grand* Suchtrupp für *le grand* Verbrecher aus dem Weltraum.« Ein zynisches Lächeln zuckte um ihre Mundwinkel. »Schön, Sie zu sehen, Thomas. Wollen wir mit unserer kleinen Jagd beginnen? Wie gut ist übrigens Ihr Französisch?«

»Il n'y a rien à voir, Madame, rentrez chez vous!«

Sandy lachte, und einige der französischen Polizisten sahen uns an, als hätten wir beide den Verstand verloren. »Ich werde mich auf der Stelle nach Hause scheren. Das war gar nicht so übel, demzufolge können *Sie* den Flics sagen, was wir von ihnen wollen. Damit sie dann genau das Gegenteil tun, da bin ich mir ziemlich sicher.«

»Natürlich werden sie genau das Gegenteil tun, schließlich sind es Franzosen.«

Sondra war eine große brünette Frau mit einem gertenschlanken Köper, aber ziemlich dicken Beinen, fast so, als wären zwei Frauenkörper miteinander verschmolzen worden. Sie wirkte sehr britisch, war witzig und intelligent, zudem tolerant, letzteres sogar Amerikanern gegenüber. Sondra war gläubige Jüdin und militante Lesbe. Ich genoß die Zusammenarbeit mit ihr, sogar in solch unschönen Augenblicken. Arm in Arm gingen wir in den Parc de Montsouris, zogen wieder einmal gemeinsam in den Kampf.

»Warum, glauben Sie, schickt er uns *beiden* Nachrichten? Warum will er, daß wir beide hier sind?« sinnierte sie, während wir über den feuchten Rasen stampften, der im Licht der Straßenlaternen glitzerte.

»Wir sind die Sterne in seiner gespenstischen Galaxis. Jedenfalls ist das meine Theorie. Außerdem verfügen wir beide über Autorität, und er verhöhnt gern die Autorität, vielleicht hat er sogar eine Spur von Respekt vor uns.«

»Das allerdings bezweifle ich aufrichtig«, sagte Sandy.

»Dann gefällt es ihm vielleicht einfach, wenn wir auf seinen Befehl hin auftauchen, weil er sich uns dann überlegen fühlt. Wie gefällt Ihnen diese Theorie?«

»Ehrlich gesagt, finde ich sie ganz gut. Zum Beispiel könnte er uns dann jetzt beobachten. Wir wissen ja, daß er ein Egomane erster Kategorie ist. ›Hallo, Mr. Smith vom Planeten Mars! Beobachten Sie uns? Macht Ihnen das einen Höllenspaß?‹ Gott, wie ich diesen unheimlichen Scheißkerl hasse!«

Ich warf einen Blick auf die finsteren Ulmen um uns herum. Falls uns tatsächlich jemand beobachten wollte, gab es hier eine Menge Deckung.

»Vielleicht ist er wirklich hier. Wissen Sie, möglicherweise kann er sein Aussehen verändern, dann könnte er dieser *balayeur des rues* sein, dieser *gendarme*, vielleicht sogar diese *fille de trottoir* in Verkleidung.«

Um Viertel nach eins begannen wir mit der Suche. Um zwei Uhr morgens hatten wir die Leiche von Dr. Abel Sante immer noch nicht gefunden, das war seltsam und beunruhigte den gesamten Suchtrupp. Es war offensichtlich, daß Smith es uns diesmal schwermachen wollte, die Leiche zu finden. Das hatte er bisher noch nie getan, im allgemeinen entledigte er sich der Leichen, wie andere Leute das Einwickelpapier von Kaugummi wegwerfen. Was hatte Smith diesmal vor?

Die Pariser Zeitungen hatten offenbar einen Tip bekommen, daß wir den kleinen Park durchsuchen würden, und nun wollten sie für ihre nächsten Ausgaben eine kräftige Portion Blut und Horror. Die Hubschrauber der Fernsehsender schwebten wie Geier über uns, und auf den Straßen waren Polizeisperren aufgebaut worden. Alles war perfekt – nur das Opfer fehlte.

Die Gaffermenge zählte schon einige hundert Menschen, dabei war es tiefste Nacht. Sandy warf einen Blick auf die Leute.

»Mr. Smiths dämlicher Fanclub«, höhnte sie. »›Was für Zeiten! Was für Sitten!‹ Das hat Cicero gesagt.«

Gegen halb drei schlossen wir in einem Einsatzwagen zur Überprüfung unsere Laptops an, und das akustische Signal meines Computers meldete sofort den Eingang einer neuen Nachricht. Das Geräusch erschreckte Sandy und mich. Unmittelbar danach rührte sich auch ihr Laptop. Ein akustisches, elektronisches Duell. Was für eine Welt!

Ich war mir sicher, daß es Smith war. Ich warf einen Blick auf Sandy.

»Was zum Teufel zieht er dieses Mal für eine Show ab?« fragte sie, sie wirkte verunsichert. »Oder vielleicht ist es auch eine Sie, was zieht *sie* für eine Show ab?«

Wir überprüften beide unsere Geräte auf neue Nachrichten. Ich hatte meine schneller auf dem Bildschirm:

Pierce,

willkommen in der realen Welt, bei der realen Jagd! Ich habe Sie angelogen, das war die Strafe für Ihre Untreue. Ich wollte Sie aus der Fassung bringen, was immer das auch heißen mag. Außerdem wollte ich Ihnen ins Gedächtnis rufen, daß Sie mir nicht trauen dürfen und auch sonst niemandem, nicht einmal Ihrer Freundin, Ms. Greenberg. Im übrigen kann ich die Franzosen wirklich nicht leiden. Ich habe es sehr genossen, sie heute nacht hier auf die Folter zu spannen. Den armen Dr.

Abel Sante finden Sie im Buttes-Chaumont Park in der Nähe des Tempels. Ich schwöre es! Ich verspreche es Ihnen.

Vertrauen Sie mir. Haha! Ist das nicht das seltsame Geräusch, das ihr Menschen von euch gebt, wenn ihr lacht? Ich kann das Geräusch nicht richtig nachahmen. Denn Sie müssen wissen, ich habe noch nie richtig gelacht.

Stets der Ihre
Mr. Smith

Sandy Greenberg schüttelte den Kopf und murmelte unhörbare Flüche in die Nachtluft. Sie hatte ebenfalls eine Nachricht bekommen.

»Buttes-Chaumont Park«, wiederholte sie und fügte noch hinzu: »Er schreibt, ich dürfe Ihnen nicht trauen. *Haha!* Ist das nicht das seltsame Geräusch, das wir Menschen von uns geben, wenn wir lachen?«

94.

Der riesige Suchtrupp raste in Richtung Nordosten durch Paris zum Buttes-Chaumont Park. Die Synkopen der heulenden Polizeisirenen wirkten verstörend und beängstigend. Mr. Smith versetzte Paris auch noch in den frühen Morgenstunden in helle Aufregung.

»Jetzt ist er am Drücker«, sagte ich zu Sandy Greenberg, als wir in dem blauen Citroën, den ich gemietet hatte, über die dunklen Pariser Straßen rasten. Die Autoreifen quietschten auf dem glatten Straßenbelag, und dieses Geräusch paßte zu allem anderen, was sich hier abspielte.

»Smith genießt seinen Ruhm, so vergänglich er auch

sein mag. Das jetzt ist seine Zeit, sein großer Auftritt«, sinnierte ich weiter.

Sondra runzelte übertrieben die Stirn.

»Thomas, Sie gestehen Smith immer noch menschliche Emotionen zu. Wann kriegen Sie endlich in Ihren Schädel, daß wir nach einem kleinen grünen Männchen suchen?«

»Ich ermittle empirisch, und deshalb werde ich das erst glauben, wenn ich ein kleines grünes Männchen sehe, dem Blut aus seinem kleinen grünen Mündchen tropft.«

Zwar hatte keiner von uns beiden auch nur den Bruchteil einer Sekunde lang an die Theorien vom »Außerirdischen« geglaubt, aber unsere sarkastischen Sprüche über einen Besucher aus dem Weltraum gehörten einfach dazu bei dieser Menschenjagd, sie halfen uns durchzuhalten, besonders weil wir wußten, daß wir bald an einem schrecklichen, verstörenden Leichenfundort sein würden. Es war fast drei Uhr morgens, als wir im Buttes-Chaumont ankamen. Für mich spielte die späte Stunde keine Rolle, weil ich sowieso kaum noch schlief.

Der Park war menschenleer, aber von den Straßenlaternen und Suchscheinwerfern der Polizei und der Armee hell erleuchtet. Bläulichgrauer Bodennebel war aufgestiegen, aber noch reichte die Sicht für unsere Suche aus. Der Buttes-Chaumont ist ein riesiges Areal, ähnlich dem Central Park in New York. In der Mitte des neunzehnten Jahrhunderts war dort ein künstlicher See angelegt worden, der vom Kanal St. Martin gespeist wurde. Später wurde ein Berg aus Felsgestein aufgeschüttet, der jetzt voller Höhlen und Wasserfälle ist. Das ganze Gebiet ist dicht bewaldet, also durchaus dafür geeignet, herumzustreifen oder eine Leiche zu verstecken.

Es dauerte nur wenige Minuten, bis über Polizeifunk eine Nachricht für uns kam. Dr. Sante war gefunden worden, nicht weit entfernt von der Stelle, an der wir den Park betreten hatten. Mr. Smith hatte das Spiel beendet, zumindest für den Augenblick.

Sandy und ich stiegen am Gärtnerhaus neben dem Tempel aus dem Streifenwagen und liefen die steile Steintreppe hinauf. Die Flics und die französischen Soldaten um uns herum waren nicht nur müde und schokkiert, sie sahen vielmehr aus, als hätten sie Angst. Der Leichenfundort würde ihnen allen mit Sicherheit für den Rest ihres Lebens im Gedächtnis bleiben. Ich hatte als Studienanfänger in Harvard John Websters *Der weiße Teufel* gelesen. Websters unheimliches Werk aus dem siebzehnten Jahrhundert war voller Teufel, Dämonen und Werwölfe – allesamt menschlich. Ich hielt Mr. Smith für einen menschlichen Dämon, und zwar einen der allerschlimmsten Sorte.

Wir arbeiteten uns durch dichte Büsche und Gestrüpp, in der Nähe konnte man das tiefe, jämmerliche Gejaule von Spürhunden hören. Schließlich sah ich die vier übernervösen, bebenden Tiere, die uns vorausliefen. Wie vorherzusehen gewesen war, war auch der neue Fundort eine besondere Stelle, schön gelegen, mit einer phänomenalen Aussicht auf Montmartre und Saint-Denis. Tagsüber kamen die Leute zum Spazierengehen hierher, zum Klettern, um ihre Hunde auszuführen, um das Leben zu genießen, wie es genossen werden sollte. Abends um elf wurde der Park aus Sicherheitsgründen geschlossen.

»Da vorn«, flüsterte Sandy. »Da ist was.«

Einzelne Gruppen von Soldaten und Polizisten sammelten sich dort. Mr. Smith war eindeutig hiergewesen. Über ein Dutzend »Pakete«, alle in Zeitungspapier eingewickelt, waren auf einem schräg abfallenden Rasenstück sorgfältig arrangiert worden.

»Sind Sie sicher, daß wir hier richtig sind?« fragte mich einer der Inspektoren auf französisch. Er hieß Faulks. »Was zum Teufel ist das hier? Soll das ein Witz sein?«

»Es ist kein Witz, das kann ich Ihnen versprechen. Wikkeln Sie ein Bündel aus, ganz gleich, welches«, wies ich den französischen Polizisten an.

Er sah mich an, als sei ich komplett verrückt.

»Wie es in Amerika so schön heißt«, sagte Faulks auf französisch, »das hier ist Ihre Show.«

»Sprechen Sie Englisch?«

Ich spuckte die Worte fast aus.

»Ja«, antwortete er schroff.

»Gut. Hau ab und fick dich ins Knie!«

Dann ging ich hinüber zu dem gespenstischen Arrangement aus »Päckchen« – vielleicht wäre »Geschenke« das bessere Wort gewesen. Es gab viele verschiedene Formen, alle Päckchen waren gewissenhaft in Zeitungspapier eingewickelt. Mr. Smith, der Künstler. Ein großes rundes Paket stach ins Auge, es sah aus, als ob es einen Kopf enthielte.

»Eine französische Metzgerei, das ist sein Motiv für heute nacht. Für ihn ist das alles nur Fleisch«, murmelte ich Sandy Greenberg zu. »Er verhöhnt die französische Polizei.«

Ich wickelte das Zeitungspapier vorsichtig mit Gummihandschuhen auf.

»Um Gottes willen, Sandy!«

Es war kein ganzer Kopf, aber ein halber.

Dr. Abel Santes Kopf war wie ein teures Stück Fleisch sauber vom restlichen Körper getrennt und dann halbiert worden. Das Gesicht war abgewaschen und die Haut vorsichtig abgezogen worden. Lediglich Santes halber Mund schrie uns entgegen, und in dem einen

Auge spiegelte sich ein Moment äußersten Schreckens wider.

»Sie haben recht. Es ist für ihn nur Fleisch«, sagte Sandy fassungslos. »Wie können Sie es überhaupt ertragen, ständig in seiner Nähe zu sein?«

»Ich kann es eben nicht«, flüsterte ich. »Ich kann es überhaupt nicht ertragen.«

95.

Ein Stück außerhalb von Washington hielt eine FBI-Limousine vor Christine Johnsons Wohnung, um sie abzuholen. Christine wartete bereits, hielt direkt hinter der Eingangstür Wache. Sie schlang die Arme um sich, so, wie sie es in letzter Zeit häufig tat, sie lebte ständig in Angst. Christine hatte zwei Gläser Rotwein getrunken und sich zwingen müssen, es dabei bewenden zu lassen.

Als sie zum Wagen eilte, schaute sie sich nervös um, ob ein Reporter ihr vor ihrer Wohnung auflauerte. Sie waren wie Jagdhunde auf einer frischen Fährte: hartnäkkig und oft unglaublich unsensibel und unhöflich.

Ein schwarzer Agent, den sie kannte, ein kluger, netter Mann namens Charles Dampier, stieg aus und hielt ihr die Hintertür auf.

»Guten Abend, Mrs. Johnson«, sagte er so höflich wie einer ihrer Schüler. Sie hatte das Gefühl, er sei ein bißchen in sie verknallt. Sie war daran gewöhnt, daß sich Männer so benahmen, und versuchte, freundlich zu sein.

»Danke.« Sie ließ sich auf den mit grauem Leder bezogenen Rücksitz sinken.

»Guten Abend zusammen«, sagte sie dann zu Charles und dem Fahrer, einem Mann namens Joseph Denjeau.

Auf der Fahrt sprach niemand etwas. Die Männer waren offensichtlich angewiesen worden, sie in Ruhe zu lassen, falls Christine nicht selbst das Gespräch eröffnete. Sie leben in einer seltsamen, kalten Welt, dachte Christine. Und jetzt muß ich wohl auch dort leben. Ich fürchte, das gefällt mir überhaupt nicht.

Bevor die Agenten gekommen waren, um sie abzuholen, hatte sie noch ein Bad genommen, hatte mit dem Rotwein in der Wanne gesessen und ihr Leben Revue passieren lassen. Sie kannte ihre Stärken und Schwächen gut. Ihr war bewußt, daß sie früher immer ein bißchen Angst davor gehabt hatte, ins Tiefe zu springen, aber es hatte sie immer danach gedrängt, und sie war sehr nahe daran gewesen. Sie besaß eindeutig eine wilde Ader, eine Wildheit im positiven Sinne. Sie hatte George in den ersten Jahren ihrer Ehe sogar für ein halbes Jahr allein gelassen, war nach San Francisco geflogen und hatte an der Berkeley University Fotografie studiert, in einer winzigen Wohnung in den Hügeln gewohnt. Sie hatte die Einsamkeit eine Zeitlang genossen, die Möglichkeit nachzudenken, die unkomplizierte tägliche Arbeit, mit ihrer Kamera die Schönheit des Lebens einzufangen.

Irgendwann war sie zu George zurückgekehrt, hatte wieder unterrichtet und schließlich die Stelle an der Sojourner-Truth-Schule angetreten. Wahrscheinlich liebte sie ihren Beruf deshalb so sehr, weil sie von Kindern umgeben war. Sie liebte Kinder und konnte zudem gut mit ihnen umgehen, und sie wünschte sich sehnlichst eigene Kinder.

Heute nacht ließ sie ihre Gedanken schweifen, was

vermutlich an der späten Stunde und dem zweiten Glas Merlot lag. Es war fast Mitternacht, als die dunkle Ford-Limousine über die verlassenen Straßen fuhr, die gewohnte Strecke, fast der übliche Weg von Mitchellville nach D.C. Sie fragte sich, ob es klug sei, so zu fahren, nahm aber an, die Männer wüßten, was sie taten.

Gelegentlich schaute Christine sich um, um zu überprüfen, ob sie verfolgt wurden. Sie kam sich dabei etwas töricht vor, konnte jedoch nicht anders. Sie war Teil eines Falles, der für die Presse äußerst brisant war. Die Medienleute nahmen absolut keine Rücksicht auf ihre Privatsphäre oder ihre Gefühle. Einige Reporter waren sogar in der Schule aufgetaucht und hatten versucht, andere Lehrer auszufragen. Sie hatten so häufig bei ihr zu Hause angerufen, daß sie sich schließlich eine Geheimnummer hatte geben lassen.

Ganz in der Nähe war das Geheul von Polizei- oder Rettungswagensirenen zu hören, und das aufdringliche Geräusch riß sie aus ihren Gedanken. Sie seufzte, sie waren fast da.

Christine schloß die Augen und atmete tief und langsam, senkte den Kopf auf die Brust. Sie war müde und hatte das Bedürfnis, sich auszuweinen.

»Alles in Ordnung, Mrs. Johnson?« wollte Agent Dampier wissen. Er schien Augen am Hinterkopf zu haben. Er hat mich beobachtet, dachte Christine. Er beobachtet alles, was geschieht, und vermutlich ist das gut so.

»Mir geht's bestens.« Sie machte die Augen auf und zeigte ein schwaches Lächeln. »Ich bin bloß ein bißchen müde, zu oft früh aufgestanden und zu spät ins Bett gegangen.«

Agent Dampier zögerte, dann sagte er: »Tut mir leid, daß es nicht anders geht.«

»Danke«, sagte sie leise. »Sie haben es mir durch Ihre Freundlichkeit sehr viel angenehmer gemacht. Und *Sie* sind ein toller Chauffeur«, neckte sie Agent Denjeau, der meistens still war, jetzt aber lächelte.

Die FBI-Limousine schoß eine steile Betonrampe hinunter und fuhr von der Rückseite in das Gebäude hinein. Es handelte sich um den Lieferanteneingang, wie Christine inzwischen wußte. Wieder einmal schlang sie die Arme um sich. Diese ganze Nachtfahrt kam ihr so unwirklich vor.

Beide Agenten begleiteten sie nach oben bis zur Tür, dann traten sie zurück, und sie ging allein hinein. Sie machte behutsam die Tür hinter sich zu und lehnte sich dagegen. Ihr Herz hämmerte.

»Hallo, Christine«, sagte Alex, und sie lief zu ihm hinüber und hielt ihn fest, ganz fest, und alles war plötzlich so viel besser. Alles hatte wieder einen Sinn.

96.

Am ersten Morgen, an dem ich wieder in Washington war, beschloß ich, Cross' Haus in der Fifth Street noch einmal einen Besuch abzustatten. Ich mußte Cross' Notizen über Gary Soneji noch einmal durchlesen, denn mein Gefühl, daß Alex Cross den Attentäter kannte, die Person vor dem brutalen Überfall schon einmal getroffen hatte, hatte sich verstärkt.

Während ich durch die belebten Straßen von D.C. zu seinem Haus fuhr, ging ich die vorliegenden Beweise noch einmal durch. Der erste wirklich bedeutende Anhaltspunkt war die Tatsache, daß das Schlafzimmer, in dem Alex Cross überfallen worden war, keine Verwüstung aufwies. Es gab so gut wie keinen Hinweis auf Chaos, darauf, daß jemand nicht bei Sinnen gewesen sei. Dies war ein deutliches Zeichen dafür, daß sich der Angreifer in einem Zustand befunden hatte, den man kalte, berechnende Wut nennen könnte.

Der zweite bedeutende Faktor war die massive Gewalt, die Alex Cross angetan wurde. Es war ein halbes dutzendmal auf ihn eingeschlagen worden, bevor die Schüsse fielen. Das schien auf den ersten Blick ein Widerspruch zur fehlenden Verwüstung am Tatort zu sein, aber es gab dafür eine Erklärung: Wer auch immer in das Haus eingedrungen war, empfand tiefen Haß für Cross.

Sobald der Attentäter im Haus war, ging er genauso vor, wie Soneji es getan hätte. Der Angreifer hatte sich im Keller versteckt und dann einen Überfall nachgeahmt, den Soneji in früheren Zeiten im gleichen Haus verübt hatte. Es waren keine Waffen gefunden worden, der Attentäter hatte eindeutig einen klaren Kopf behalten. Aus Cross' Zimmer war nichts entwendet worden. Der Täter hatte im Keller Alex Cross' Polizeimarke hinterlassen, und er wollte, daß sie gefunden wurde. Was sagte mir das? Daß der Mörder stolz auf seine Leistung war?

Doch vor allem kehrte ich immer wieder zu dem bis jetzt auffälligsten und bedeutendsten Anhaltspunkt zurück. Er war mir sofort ins Auge gesprungen, als ich in der Fifth Street eintraf: Der Attentäter hatte Alex Cross und seine Familie am Leben gelassen. Selbst falls Cross sterben sollte – der Angreifer hatte das Haus in dem Wissen verlassen, daß Cross noch atmete. Warum? Er hätte

Cross mit Leichtigkeit umbringen können. Oder hatte es schon von Anfang an zu seinem Plan gehört, Cross am Leben zu lassen?

Löse dieses Rätsel, finde die Antwort auf diese Frage – das ist die Aufklärung des Falls!

97.

Das Haus war still und machte einen leeren und traurigen Eindruck, wie es in Häusern ist, wenn ein wichtiger Teil der Familie fehlt.

Ich sah, daß Nana Mama fieberhaft in der Küche arbeitete. Ein Geruch nach frischem Brot, nach gebratenem Huhn und gebackenen Süßkartoffeln zog durchs Haus und wirkte tröstlich und beruhigend. Nana Mama war ins Kochen vertieft, und ich wollte sie nicht stören.

»Geht es ihr gut?« fragte ich Sampson.

Er war damit einverstanden gewesen, sich mit mir in Cross' Haus zu treffen, obwohl ich spürte, daß er immer noch enttäuscht war, weil ich den Fall ein paar Tage lang hatte ruhen lassen. Er zuckte die Achseln.

»Sie will nicht akzeptieren, daß Alex vielleicht nicht zurückkommt, wenn Sie das meinen«, sagte er. »Ich weiß wirklich nicht, was mit ihr passiert, falls er stirbt.«

Sampson und ich gingen schweigend die Treppe hinauf und waren noch auf dem Flur, als Cross' Kinder auftauchten.

Ich hatte Damon und Jannie offiziell noch nicht kennengelernt, aber natürlich schon viel von ihnen gehört. Beide Kinder waren hübsch, auch wenn sie noch mit

Blutergüssen vom Überfall übersät waren. Sie hatten wache Augen und wirkten aufmerksam und intelligent.

»Das ist Mr. Pierce«, sagte Sampson, »ein Freund von uns. Er ist einer von den guten Typen.«

»Ich arbeite mit Sampson zusammen«, erklärte ich ihnen, »ich versuche, ihm zu helfen.«

»Stimmt das, Onkel John?« fragte das kleine Mädchen. Der Junge sah mich nur an, keineswegs feindselig, nur mißtrauisch dem Fremden gegenüber. Ich konnte in Damons braunen Augen seinen Vater wiedererkennen.

»Ja, er arbeitet mit mir zusammen, und er macht das sehr gut«, sagte Sampson, er überraschte mich mit diesem Kompliment.

Jannie trat nahe an mich heran. Sie war trotz der Schürfwunden und einem Bluterguß von der Größe eines Baseballs auf Wange und Hals ein wunderschönes kleines Mädchen. Ihre Mutter mußte eine schöne Frau gewesen sein. Sie schüttelte mir die Hand.

»So gut wie mein Daddy können Sie zwar nicht sein, aber Sie dürfen das Schlafzimmer von meinem Daddy jederzeit betreten«, sagte sie, »natürlich nur, bis er wieder nach Hause kommt.«

Ich bedankte mich bei Jannie und nickte Damon respektvoll zu. Dann verbrachte ich die nächsten anderthalb Stunden damit, nochmals Cross' Notizen und Akten über Gary Soneji durchzugehen, die Akten reichten vier Jahre zurück. Ich suchte nach Sonejis Partner. Ich war überzeugt davon, daß der Anschlag auf Cross, wer auch immer ihn verübt hatte, kein Zufall gewesen war. Es mußte eine enge Verbindung zu Soneji geben, obwohl der immer behauptet hatte, allein zu arbeiten. Es war ein kniffliges Problem. Leider machten auch die Profilersteller in Quantico keine Fortschritte.

Als ich schließlich wieder nach unten ging, war Sampson bei Nana in der Küche. Der ordentliche Raum war gemütlich und warm und brachte Erinnerungen an Isabella zurück, die liebend gern und gut gekocht hatte, Erinnerungen an unser Zuhause und unser gemeinsames Leben.

Nana sah mit demselben scharfen Blick zu mir auf, den ich in Erinnerung hatte.

»Ich erinnere mich an Sie«, sagte sie. »Sie waren derjenige, der mir die Wahrheit über Alex' Zustand gesagt hat. Haben Sie schon eine Spur? Können Sie diese schreckliche Geschichte aufklären?«

»Nein, ich habe noch keine heiße Spur, Nana.« Ich sagte ihr auch diesmal die Wahrheit. »Aber ich glaube, Alex war schon sehr nahe dran. Gary Soneji hat vielleicht die ganze Zeit über einen Partner gehabt.«

98.

Der immer gleiche Gedanke ging mir ständig durch den Kopf: Wem kannst du vertrauen? Wem kannst du wirklich glauben? Früher hatte es einmal einen solchen Menschen gegeben: Isabella.

Gegen elf am folgenden Morgen gingen John Sampson und ich an Bord eines Bell Jet Ranger des FBI; wir waren darauf eingestellt, ein paar Tage unterwegs zu sein.

»Und wer ist nun dieser Partner von Soneji? Wann lerne ich den Kerl endlich kennen?« fragte mich Sampson während des Flugs.

»Sie kennen ihn schon!«

Wir kamen noch vor zwölf Uhr in Princeton an, wo wir mit einem Mann namens Simon Conklin reden wollten. Sampson und Cross hatten ihn schon einmal vernommen. Alex Cross hatte sich über Conklin mehrere Seiten Notizen gemacht während der Ermittlung in dem aufsehenerregenden Entführungsfall vor einigen Jahren, als die Kinder Maggie, Rose, Dunne und Michael »Shrimpie« Goldberg gekidnappt worden waren. Das FBI war Cross' ausführlichen Berichten damals nicht mehr gründlich nachgegangen, man wollte den spektakulären Fall möglichst schnell abschließen.

Ich hatte die Notizen jetzt mehrmals durchgelesen. Simon Conklin und Gary waren an der gleichen Landstraße ein paar Kilometer außerhalb von Princeton aufgewachsen. Die beiden Freunde fühlten sich anderen Kindern überlegen, sogar den meisten Erwachsenen. Gary hatte sich und Conklin die »Größen« genannt. Sie weckten Erinnerungen an Leopold und Loeb, zwei hochintelligente Teenager, die in Chicago einen aufsehenerregenden Mord begangen hatten. Bereits als Jungen waren Simon Conklin und Gary Soneji zu der Überzeugung gelangt, das Leben sei nichts als eine Lügengeschichte, erfunden von denen, die das Sagen hatten. Entweder folgte man der von der jeweiligen Gesellschaft vorgeschriebenen »Geschichte«, oder man schrieb sich seine eigene.

Cross hatte in seinen Notizen doppelt unterstrichen, daß Gary zum schlechtesten Fünftel seiner Klasse an der Princeton High School gehört hatte, ehe er zur Peddie School gewechselt war. Simon Conklin dagegen war der Primus gewesen und hatte später an der Princeton University studiert.

Kurz nach zwölf Uhr mittags stiegen Sampson und ich

auf dem unbefestigten Parkplatz eines trostlosen kleinen Einkaufszentrums zwischen Princeton und Trenton in New Jersey aus dem Auto. Es war heiß und schwül, und rundum war alles von der Sonne ausgebleicht und verbrannt.

»Das Studium in Princeton hat sich für Conklin wirklich ausgezahlt«, stellte Sampson sarkastisch fest. »Ich bin echt beeindruckt.«

Seit zwei Jahren leitete Simon Conklin einen Pornobuchladen, der sich in einem einstöckigen Gebäude aus rotem Backstein befand. Ladentür und Vorhängeschlösser waren schwarz gestrichen. Auf einem Schild stand: NUR FÜR ERWACHSENE.

»Was haben Sie für ein Gefühl bei Simon Conklin? Haben Sie spezielle Erinnerungen ihn betreffend?« fragte ich, während wir auf die Ladentür zugingen. Ich hatte den Verdacht, daß es einen Hinterausgang gab, glaubte aber nicht, daß Conklin vor uns flüchten würde.

»Oh, Simon ist eindeutig ein Spinner der Extraklasse. Er hatte mal einen absoluten Spitzenplatz in meiner persönlichen Liste der größten Irren inne. Aber er hat ein Alibi für die Nacht, in der Alex überfallen wurde.«

»Klar«, sagte ich, »natürlich hat er ein Alibi. Er ist ein cleverer Junge. Vergessen Sie das nicht.«

Wir betraten den schäbigen Laden und zeigten unsere Marken. Conklin kam hinter einer erhöhten Theke hervor. Er war groß, schlaksig und furchtbar mager. Seine leicht trüben braunen Augen schauten durch uns hindurch, als sei er mit den Gedanken woanders. Er war mir auf Anhieb unsympathisch.

Conklin trug verwaschene schwarze Jeans und eine schwarze Lederweste mit Nieten ohne Hemd darunter. Wenn ich nicht schon ein paar verkrachte Harvard-Absolventen gekannt hätte, wäre ich nicht auf die Idee gekommen, daß er einen Abschluß in Princeton gemacht haben und so geendet sein könnte. Er war umgeben von Erotika, Vibratoren, Dildos, Schuhen mit Stilettoabsätzen und Handschellen. Simon Conklin schien ganz in seinem Element zu sein.

»Allmählich machen mir diese unerwarteten Besuche von euch Arschlöchern Spaß. Anfangs war's nicht so, aber jetzt finde ich's langsam geil«, sagte er. »An Sie erinnere ich mich, Detective Sampson. Aber *Sie* sind neu im Vertreterteam. Sie müssen der unwürdige Ersatzmann für Alex Cross sein.«

»Nicht ganz«, antwortete ich im gleichen Ton. »Ich habe bloß bis jetzt keine Lust gehabt, in dieses Scheißhaus hier zu kommen.«

Conklin schnaubte, ein undefinierbares Geräusch, das kein wirkliches Lachen war.

»Sie haben keine Lust gehabt? Das bedeutet, Sie haben Gefühle, die Sie gelegentlich ausleben. Wie komisch! Dann müssen Sie vom Analysestab des FBI sein. Stimmt's?«

Ich wandte mich von ihm ab und musterte den Laden.

»Hi«, sagte ich zu einem Mann, der vor einem Regal mit pulverisierter Spanischer Fliege, Gliedversteifern und ähnlichen Dingen stand. »Haben Sie schon was Passendes gefunden? Sind Sie aus der Gegend von Princeton? Ich bin übrigens Thomas Pierce vom FBI.«

Der Mann murmelte etwas Unverständliches vor sich hin und huschte dann schnell hinaus.

»Aua, das war aber gar nicht nett«, sagte Conklin. Er schnaubte wieder.

»Es kommt durchaus vor, daß ich hin und wieder gar nicht nett bin«, sagte ich zu ihm.

Conklin reagierte mit einem ausgiebigen Gähnen.

»Als auf Alex Cross geschossen wurde, war ich die ganze Nacht mit meiner Freundin Dana zusammen. Ihre sehr gründlichen Kohorten haben schon mit meiner Tussi gesprochen. Wir waren bis Mitternacht auf einer Party in Hopewell, dafür gibt es jede Menge Zeugen.«

Ich nickte und gab mir einen ebenso gelangweilten Anschein wie er.

»Reden wir doch mal über ein anderes, ergiebigeres Thema. Sagen Sie mir, was aus Garys Spielzeugeisenbahn geworden ist. Aus der, die er seinem Stiefbruder geklaut hat.«

Conklin lächelte jetzt nicht mehr.

»Hören Sie, ehrlich gesagt habe ich den ganzen Quatsch ein bißchen satt. Dieses ständige Wiederholen langweilt mich, und ich bin kein Fachmann für alte Geschichte. Gary und ich waren Freunde, bis wir etwa zwölf Jahre alt waren, danach waren wir nicht mehr viel zusammen. Er hatte eigene Freunde und ich auch. Das war's. Und jetzt scheren Sie sich hier raus!«

Ich schüttelte den Kopf.

»Nein, Gary hatte nie andere Freunde. Er hatte nur Zeit für ›Größen‹, und er hat Sie für eine ›Größe‹ gehalten, das hat er Alex Cross gesagt. Ich glaube, daß Sie bis zu Garys Tod sein Freund waren, deshalb haben Sie Dr. Cross gehaßt. Sie hatten einen Grund für den Überfall auf seine Familie, sie hatten ein Motiv, Conklin, und Sie sind der einzige, der eins hatte.«

Conklin schnaubte wieder aus der Nase. »Und falls Sie das beweisen können, komme ich sofort ins Gefängnis. Ich werde wahrscheinlich nicht mal dem Haftrichter vorgeführt. Aber Sie können es nicht beweisen. Denken Sie an Dana, die Party in Hopewell und die vielen Zeugen! Tschüs, ihr Arschlöcher.«

Ich verließ den Laden abrupt und wartete auf dem Parkplatz in der sengenden Hitze auf Sampson.

»Was zum Teufel ist los? Warum sind Sie plötzlich so schnell hinausgegangen?«

»Conklin ist der Anführer«, sagte ich. »Soneji war lediglich sein Jünger!«

99.

Früher oder später werden die meisten Polizeiermittlungen zu einem Katz-und-Maus-Spiel. Bei den komplizierten, langwierigen Ermittlungen ist es eigentlich immer so. Als erstes muß man sich jedoch über etwas klarwerden: Wer ist die Katze, und wer die Maus?

In den nächsten Tagen überwachten Sampson und ich Simon Conklin. Wir ließen ihn merken, daß wir da waren, abwarteten und ihn ständig beobachteten. Ich wollte herausbekommen, ob wir Conklin so unter Druck setzen konnten, daß er etwas tat, was ihn verriet, daß er vielleicht sogar einen Fehler machte. Conklins Reaktion bestand aus einem gelegentlichen Gruß mit dem Mittelfinger. Das war bestens. Sein Radarschirm nahm uns zur Kenntnis, er wußte, daß wir da waren, uns immer in seiner Nähe befanden, ihn beobachteten. Ich merkte, daß wir ihn bereits ziemlich nervös machten, und dabei hatte ich mit dem Spielchen eben erst angefangen.

Nach ein paar Tagen mußte John Sampson nach Washington zurück. Damit hatte ich gerechnet, die Polizei von D.C. konnte ihn schließlich nicht auf unbestimmte Zeit an dem Fall arbeiten lassen. Außerdem brauchten

Alex Cross und seine Familie Sampson in Washington. Ich blieb allein in Princeton, was mir sowieso lieber war.

Am Dienstagabend verließ Simon Conklin sein Haus. Ich folgte ihm in meinem Ford Escort, ließ es ihn bewußt bemerken. Doch irgendwann kehrte ich um, fädelte mich wieder in den dichten Verkehr rund um die Einkaufszentren ein und ließ ihn unbehelligt weiterfahren.

Ich fuhr auf dem direkten Weg zu seinem Haus zurück und parkte ein Stück von der Hauptstraße entfernt an einer Stelle, die durch eine dichte Kiefernhecke und Gestrüpp den Blicken entzogen war. Ich kämpfte mich eilig durch das Dickicht, denn mir war klar, daß ich möglicherweise nicht viel Zeit hatte.

Ich wußte inzwischen, wohin ich gehen mußte. Ich war angespannt und bereit für den letzten Teil des Spiels. Ich hatte das Puzzle zusammengesetzt, verstand jetzt das Spiel und meine Rolle darin. Mein sechster Sinn war hyperaktiv.

Das Haus war aus Backstein und Holz gebaut und hatte an der Vorderfront ein seltsames fünfeckiges Fenster. Losgerissene aquamarinblaue Fensterläden schlugen hin und wieder gegen die Hauswand. Der nächste Nachbar war über anderthalb Kilometer entfernt, niemand würde mich also sehen können, wenn ich durch die Küchentür ins Haus einbrach. Mir war bewußt, daß Simon Conklin möglicherweise ebenfalls umgekehrt und mir hinterhergefahren war, falls er wirklich so intelligent war, wie er selbst glaubte. Doch das machte mir keine Sorgen. Ich hatte eine Hypothese über Conklin und seinen Besuch in Cross' Haus, und ich mußte sie unbedingt überprüfen.

Als ich das Schloß aufbrach, mußte ich plötzlich an Mr. Smith denken, daran, wie besessen er davon war, Menschen zu studieren und in ihr Leben einzudringen.

Im Haus erwartete mich ein absolut unerträglicher Zustand: Es stank nach Möbeln von der Heilsarmee, die mit Körpergeruch und Schweiß getränkt waren. Alles war völlig verschmutzt. Ich hielt mir ein Taschentuch vor Nase und Mund, als ich damit begann, die verwahrloste Höhle zu durchsuchen. Ich hatte Angst davor, hier eine Leiche zu finden. Alles war möglich.

Jedes Zimmer, jeder Gegenstand war eingestaubt und verdreckt. Für Simon Conklin sprach nur, daß er ein leidenschaftlicher Leser zu sein schien. In jedem Zimmer lagen aufgeschlagene Bücher, allein auf dem Bett ein halbes Dutzend. Soziologie, Philosophie und Psychologie schien er besonders zu schätzen: Marx, Jung, Bruno Bettelheim, Malraux, Jean Baudrillard. Drei ungestrichene Bücherregale, die vom Boden bis zur Decke reichten, waren mit Bücherstapeln vollgestopft. Ich hatte den Eindruck, daß das Haus bereits von jemandem durchwühlt worden war. Alles, was ich sah, paßte zu dem, was sich im Haus von Alex Cross abgespielt hatte.

Über Conklins zerwühltem, ungemachtem Bett hing ein gerahmtes Aktfoto, vom Modell mit einem Kußmund neben dem Hintern signiert. Unter dem Bett lag ein Gewehr. Es war ein BAR – dieselbe Marke von Browning, die Gary Soneji in Washington benutzt hatte. Langsam breitete sich Gewißheit in mir aus.

Simon Conklin wußte, daß das Gewehr kein schlüssiger Beweis war, daß es weder seine Schuld noch seine Unschuld bewies. Er wollte, daß es gefunden wurde. So, wie er gewollt hatte, daß Cross' Polizeimarke gefunden wurde. Er trieb gern Spielchen.

Ich stieg die knarrende Holztreppe zum Keller hinunter. Ich ließ die Lichter im Haus ausgeschaltet und benutzte nur meine Stablampe. Im Keller gab es keine Fenster. Auch er war voller Staub und Spinnweben, irgendwo tropfte laut ein Spülbecken. Mehrere wellige Fotoabzüge waren an Schnüre geklammert, die von der Decke baumelten.

Mein Herz schlug schneller, als ich die Bilder musterte. Es handelte sich durchweg um Fotos von Simon Conklin, verschiedene Bilder, auf denen er splitternackt posierte. Sie schienen hier im Haus aufgenommen worden zu sein.

Ich ließ den Kegel meiner Taschenlampe auf gut Glück durch den Keller schweifen. Der Boden war aus Lehm, und man konnte die großen Steine erkennen, auf denen das alte Haus erbaut worden war. Altmodisches medizinisches Zubehör wurde hier aufbewahrt: ein Gehstuhl, eine Bettpfanne mit Aluminiumeinfassung, ein Sauerstoffgerät mit Schläuchen und Hähnen, ein Glukosemeßgerät. Mein Blick wanderte schließlich hinüber zur anderen Seite des Kellers, zur Südwand des Hauses. Gary Sonejis Spielzeugeisenbahn!

Ich war eindeutig im Haus von Garys bestem Freund, seines einzigen Freundes auf der Welt, des Mannes, der in Washington Alex Cross und seine Familie überfallen hatte. Ich war mir dessen ganz sicher. Ich wußte, daß ich den Fall aufgeklärt hatte.

Ich war besser als Alex Cross.

So, endlich hatte ich es gesagt.

Die Wahrheit nahm ihren Lauf.

Wer ist die Katze, und wer die Maus?

Fünfter Teil
Katz und Maus

100.

Ein Dutzend der besten FBI-Agenten hatte sich auf dem Flugplatz in Quantico, Virginia, versammelt. Direkt hinter ihnen standen zwei schwarze Hubschrauber, zum Abheben bereit. Die Agenten wirkten sehr ernst und aufmerksam, aber zugleich auch verblüfft.

Als ich mich vor ihnen aufbaute, zitterten meine Knie. Selten war ich nervöser gewesen, meiner selbst so unsicher. Ich war außerdem noch nie so stark auf einen Mordfall fixiert gewesen.

»Für diejenigen, die mich nicht kennen«, sagte ich und machte eine Pause, nicht der Wirkung halber, sondern wegen meiner Nerven, »ich bin Alex Cross.«

Ich tat mein Bestes, ihnen zu vermitteln, daß ich körperlich in guter Verfassung war. Ich trug locker sitzende Khakihosen und ein langärmliges marineblaues Hemd aus Baumwolle und versuchte, die üblen Blutergüsse und Platzwunden möglichst zu verdecken.

Jetzt war es an der Zeit, eine Menge komplizierter Rätsel zu lösen. Rätsel über den brutalen, feigen Überfall auf meine Familie in Washington und den Täter; schwindelerregende Rätsel über den Serienmörder Mr. Smith und über den FBI-Agenten Thomas Pierce.

Ich sah ihren Gesichtern an, daß etliche Agenten immer noch verwirrt waren. Es hatte eindeutig den Anschein, als hätte mein Auftreten sie völlig durcheinandergebracht. Ich konnte es ihnen nicht verübeln, wußte aber gleichzeitig, daß unser Handeln nötig gewesen war. Es schien die einzige Möglichkeit zu sein, einen grauenhaften, diabolischen Mörder zu fassen. Das war der Plan gewesen, und dieser Plan hatte oberste Priorität.

»Wie Sie sich alle selbst überzeugen können, waren die Gerüchte über mein bevorstehendes Ableben stark übertrieben. Im Grunde geht es mir bestens«, sagte ich und ließ ein Lächeln sehen. Das schien das Eis bei den Agenten etwas zu brechen.

»›Mit seinem Überleben ist nicht zu rechnen‹, ›äußerst kritischer Zustand‹, ›der Überlebensfall wäre bei einer Verfassung wie der von Dr. Cross äußerst ungewöhnlich‹ – die offiziellen Bulletins aus dem St. Anthony's Hospital waren Übertreibungen, manchmal direkte Lügen. Die Verlautbarungen sind allein wegen Thomas Pierce manipuliert worden, sie waren ein Trick. Wenn Sie jemandem die Schuld dafür geben wollen, dann ist es Kyle Craig«, sagte ich.

»Er hat recht«, sagte Kyle. Er stand neben mir, genau wie John Sampson und Sondra Greenberg von Interpol.

»Alex war gegen dieses Vorgehen. Genauer gesagt, er wollte überhaupt nicht in die Sache hineingezogen werden, wenn mich mein Gedächtnis nicht ganz täuscht.«

»Das stimmt, aber dann wurde ich doch hineingezogen, und jetzt stecke ich bis zum Hals in diesem Fall. Bald wird es auch Ihnen so gehen, Kyle und ich werden Ihnen alles erklären.«

Ich holte tief Luft und sprach dann weiter, meine Nervosität hatte sich fast völlig gelegt.

»Vor vier Jahren fand ein Medizinstudent, der gerade seinen Abschluß in Harvard gemacht hatte, seine Freundin in ihrer gemeinsamen Wohnung in Cambridge ermordet auf. So lautete damals der Polizeibericht, der später vom FBI auch bestätigt wurde. Ich will Ihnen jetzt von dem Mord berichten, Ihnen erzählen, was unserer Meinung nach wirklich passiert ist.«

101.

Thomas Pierce hatte den Abend mit Freunden in einer Bar namens Jillian's verbracht. Die Gruppe feierte ihren Abschluß an der medizinischen Fakultät und zechte seit etwa zwei Uhr nachmittags heftig.

Pierce hatte seine Freundin Isabella gebeten mitzukommen, aber sie hatte ihm einen Korb gegeben und gesagt, er solle sich ruhig amüsieren und etwas Dampf ablassen. Schließlich habe er es verdient. An jenem Abend verbrachte – wie schon seit einem halben Jahr – ein Arzt namens Martin Straw den Abend in der gemeinsamen Wohnung von Isabella und Pierce. Straw und Isabella hatten ein Verhältnis, und er hatte versprochen, ihretwegen seine Frau und seine Kinder zu verlassen.

Isabella schlief bereits, als Pierce in die Wohnung in der Inman Street zurückkehrte. Er wußte, daß Dr. Martin Straw zuvor dort gewesen war. Er hatte Straw und Isabella bei anderen Gelegenheiten zusammen gesehen und war ihnen mehrmals in Cambridge und bei Tagesausflügen aufs Land gefolgt.

Als er die Wohnungstür öffnete, spürte er mit jeder Faser seines Körpers, daß Martin Straw dort gewesen war. Straws Geruch war unverkennbar. Thomas Pierce hätte am liebsten geschrien. Er hatte Isabella nie betrogen, nicht einmal in Gedanken.

Sie lag in ihrem gemeinsamen Bett und schlief fest. Er stand einige Momente lang neben ihr, doch sie rührte sich nicht. Er hatte immer geliebt, wie sie schlief, sie liebend gern dabei beobachtet, hatte ihre Haltung im Schlaf immer für Unschuld gehalten.

Er bemerkte, daß Isabella Wein getrunken hatte, konnte den typischen Geruch wahrnehmen.

Sie hatte sich in jener Nacht parfümiert. Für Martin Straw.

Es war Joy von Jean Patou, ein sehr teures Parfum, das er ihr letztes Jahr zu Weihnachten geschenkt hatte. Thomas Pierce begann zu weinen, hatte seine Hände dabei vors Gesicht geschlagen. Isabellas langes, kastanienbraunes Haar war offen, ergoß sich malerisch über die Kissen. Für Martin Straw.

Martin Straw lag immer auf der linken Seite des Bettes. Er hatte einen Defekt in der Nasenscheidewand, der hätte behoben werden müssen, aber auch Ärzte schieben Operationen vor sich her. Er konnte durch das rechte Nasenloch nicht gut atmen. Thomas Pierce wußte das. Er hatte Straw studiert, versucht, ihn zu verstehen. Er wußte auch, daß er jetzt handeln mußte, daß er sich nicht zuviel Zeit lassen durfte.

Er stürzte sich mit seinem ganzen Gewicht auf Isabella, mit all seiner Wucht und Kraft. Sein Werkzeug lag bereit. Sie wehrte sich, aber er konnte sie unten halten. Er umklammerte ihren langen Schwanenhals mit seinen kräftigen Händen, verkeilte seine Füße unter der Matratze, um einen besseren Halt zu haben. Der Kampf entblößte ihre Brüste, und er wurde daran erinnert, wie sexy und schön Isabella war, daß sie perfekt zusammenpaßten, sie galten als »Romeo und Julia von Cambridge«. Was für ein Blödsinn! Ein klägliches Märchen. Die Wahrnehmung von Leuten, die nicht richtig sehen konnten. Sie liebte ihn nicht wirklich – aber wie sehr hatte er sie geliebt! Isabella hatte zum ersten und einzigen Mal in seinem Leben Gefühle in ihm geweckt.

Thomas Pierce sah auf sie hinunter. Isabellas Augen

waren jetzt wie blinde Spiegel, und ihr schöner Mund stand ein wenig offen. Ihre Haut fühlte sich immer noch samtweich an. Sie war jetzt völlig hilflos, aber sie konnte sehen, was geschah. Isabella war sich ihrer Verbrechen und der Strafe, die ihr bevorstand, bewußt.

»Ich weiß nicht, was ich tue«, sagte er schließlich. »Es ist, als stände ich neben mir und schaute zu. Und doch ... Ich kann dir nicht sagen, wie lebendig ich mich gerade jetzt fühle.«

Jede Zeitung, alle Nachrichtenmagazine, das Fernsehen und der Hörfunk meldeten in allen grausigen Einzelheiten, was geschehen war, doch kein Wort davon ließ sich mit dem vergleichen, was wirklich in jenem Schlafzimmer geschah, als er Isabella in die Augen schaute und sie ermordete.

Er schnitt Isabella das Herz heraus.

Er hielt ihr noch schlagendes Herz in seinen Händen und beobachtete, wie es starb. Dann durchstach er es mit einer Harpune aus seiner Taucherausrüstung. Er durchbohrte ihr Herz. Das war der Anhaltspunkt, den er hinterließ.

Er hatte den Eindruck, daß er tatsächlich beobachten konnte, wie Isabellas Geist ihren Körper verließ. Dann war ihm, als spüre er das Hinscheiden der eigenen Seele. In jener Nacht war auch er gestorben.

Und in jener Nacht in Cambridge wurde aus dem Tod Smith geboren.

Thomas Pierce war Mr. Smith.

102.

»Thomas Pierce ist Mr. Smith«, sagte ich zu den in Quantico versammelten Agenten. »Falls einige von Ihnen daran noch zweifeln sollten: Unterlassen Sie es lieber, es könnte für Sie und alle anderen im Team gefährlich werden. Pierce ist Smith, und er hat bis jetzt neunzehn Menschen bestialisch getötet. Und er wird wieder morden.«

Ich hatte lange gesprochen, jetzt schwieg ich. Es gab Fragen seitens der Männer, viele Fragen. Ich konnte es ihnen nicht verübeln, ich hatte selbst noch einige offene Fragen zu klären.

»Darf ich kurz auf etwas anderes zurückkommen? Ist Ihre Familie tatsächlich überfallen worden?« fragte ein junger Agent mit Bürstenhaarschnitt. »Haben Sie wirklich Verletzungen erlitten?«

»In meinem Haus hat tatsächlich ein Überfall stattgefunden. Aus Gründen, die wir noch nicht verstehen, ist der Eindringling jedoch vor Mord zurückgeschreckt. Meiner Familie geht es gut. Glauben Sie mir, ich will diesen Überfall mehr als jeder andere aufklären, wir werden den Mistkerl fassen.«

Ich hob die Hand mit dem Verband hoch, damit ihn alle sehen konnten.

»Eine Kugel ist in mein Handgelenk eingedrungen. Eine zweite verletzte meinen Unterleib, ist aber wieder ausgetreten. Im Gegensatz zu den Meldungen wurde die Leberarterie nicht getroffen. Ich befand mich tatsächlich in einem sehr schlechten Zustand, aber mein EKG hat nie ›nachlassende Aktivität‹ gezeigt. Das war allein für Pierce gedacht. Kyle, möchtest du weitere Löcher in dieser Geschichte stopfen, an deren Entstehen du beteiligt warst?«

Kyle Craig berichtete den Agenten von seinem meisterhaften Plan.

»Alex hat recht in bezug auf Pierce. Er ist ein kaltblütiger Mörder, und was wir heute nacht vorhaben, ist äußerst gefährlich. Es ist zudem ungewöhnlich, aber die besondere Situation erfordert dieses Vorgehen. In den letzten Wochen haben Interpol und FBI versucht, dem cleveren Mr. Smith eine unausweichliche Falle zu stellen. Wir sind sicher, daß es Thomas Pierce ist«, wiederholte Kyle, »wir konnten ihn leider nur nicht bei irgendeiner Sache erwischen, die ein eindeutiger Beweis wäre, deshalb wollen wir nichts tun, was ihn aufscheuchen und zur Flucht bewegen könnte.«

»Der Mistkerl ist unheimlich und absolut zum Fürchten, das kann ich Ihnen sagen«, meldete sich John Sampson neben mir zu Wort. Ich merkte, daß er sich zurückhielt, sich seinen Zorn nicht anmerken lassen wollte.

»Und er ist sehr vorsichtig. Ich habe ihn während meiner Zusammenarbeit mit ihm nie bei etwas ertappt, was einem Ausrutscher auch nur nahegekommen wäre. Pierce spielt seine Rolle perfekt.«

»Sie Ihre aber auch, John«, lobte ihn Kyle. »Detective Sampson ist ebenfalls eingeweiht gewesen«, erklärte er.

Vor ein paar Stunden war Sampson noch mit Pierce in New Jersey gewesen. Er kannte ihn besser als ich, wenn auch nicht so gut wie Kyle oder Sondra Greenberg von Interpol, die das allererste Täterprofil über Pierce erstellt hatte und jetzt bei uns in Quantico war.

»Was können Sie über ihn sagen, Sondra?« fragte Kyle sie. »Was halten Sie für wichtig?«

Die Inspektorin von Interpol war eine große, eindrucksvolle Frau, die fast zwei Jahre lang in Europa an dem Fall gearbeitet hatte. »Thomas Pierce ist ein arroganter Scheißkerl. Glauben Sie mir, er macht sich über uns alle lustig. Er ist sich seiner selbst hundertprozentig sicher und außerdem extrem vorsichtig. Manchmal glaube ich sogar, daß er zu keinerlei menschlichen Regungen fähig ist. Ich nehme jedoch an, daß er bald explodieren wird. Der Druck, den wir ausüben, wirkt immer besser.«

»Das ist offensichtlich«, nahm Kyle den Faden auf. »Pierce wirkte anfangs sehr gelassen. Er hatte alle hereingelegt, er war einer der professionellsten Agenten, die wir je hatten. Anfangs hat niemand bei der Polizei von Cambridge geglaubt, daß er Isabella Calais ermordet hatte. Er hat zu keiner Zeit einen Fehler gemacht, und seine Trauer über ihren Tod war beeindruckend.«

»Man muß ihn sehr ernst nehmen«, ergriff Sampson wieder das Wort. »Er ist höllisch schlau und außerdem ein ziemlich guter Ermittler. Seine Instinkte sind sehr ausgeprägt, und er ist diszipliniert. Er hat seine Hausaufgaben gemacht, und die brachten ihn direkt zu Simon Conklin. Ich glaube, daß er mit Alex konkurriert.«

»Das glaube ich auch«, bestätigte Kyle und nickte Sampson zu. »Er ist sehr vielschichtig. Vermutlich wissen wir noch nicht einmal die Hälfte. Und genau das macht mir Sorgen.«

Kyle hatte sich das erste Mal wegen Mr. Smith an mich gewandt, noch bevor Sonejis mörderische Rage ihren Anfang nahm. Wir hatten erneut miteinander gesprochen, als ich Rosie zur Untersuchung nach Quantico gebracht hatte. Ich arbeitete seitdem auf inoffizieller Basis mit ihm zusammen, erstellte gemeinsam mit

Sondra Greenberg das Täterprofil von Thomas Pierce. Als in meinem Haus auf mich geschossen worden war, war Kyle sofort nach Washington geeilt. Aber die Folgen des Anschlags waren nicht annähernd so schlimm gewesen, wie alle glaubten, wie wir sie glauben machten.

Es war Kyle, der beschlossen hatte, ein Risiko einzugehen. Bis jetzt war Pierce auf freiem Fuß. Kyle wollte ihn auf meinen Fall ansetzen. Es war eine Möglichkeit, ihn zu beobachten und Druck auf ihn auszuüben. Kyle glaubte, Pierce mit seinem ungeheuren Selbstbewußtsein werde dem Auftrag nicht widerstehen können. Kyle hatte recht.

»Pierce wird bald explodieren«, sagte Sondra Greenberg noch einmal, »glauben Sie mir. Ich kenne zwar nicht alles, was in seinem Kopf vor sich geht, aber ich denke, er ist knapp am Limit.«

Ich pflichtete ihr bei.

»Folgendes könnte als nächstes passieren: Seine beiden Rollen werden sich langsam vermischen. Mr. Smith und Thomas Pierce könnten schon bald miteinander verschmelzen. Genauer gesagt, scheint der Teil seiner Persönlichkeit, der Thomas Pierce ist, bereits schwächer zu werden. Ich glaube, es ist möglich, daß er Mr. Smith dazu benutzen wird, Simon Conklin aus dem Weg zu räumen.«

Sampson beugte sich zu mir und flüsterte: »Und ich glaube, es wird Zeit, daß du Mr. Pierce *und* Mr. Smith kennenlernst.«

103.

Das war das Ende. So sollte es sein.

Alles, was Beine hatte, war an jenem Abend um sieben Uhr in Princeton an Ort und Stelle. Thomas Pierce hatte in der Vergangenheit mehrfach bewiesen, daß er schwer zu fassen war, fast wie ein Illusionskünstler. Auf rätselhafte Weise schlüpfte er immer wieder in seine Rolle als »Mr. Smith« und wieder aus ihr heraus. Niemand wußte, wie er seine »schwarze Magie« einsetzte. Es hatte keine Zeugen gegeben, niemand war am Leben geblieben.

Kyle Craig befürchtete, daß wir Pierce nie auf frischer Tat ertappen könnten, nie in der Lage sein würden, ihn länger als achtundvierzig Stunden festzuhalten. Er war davon überzeugt, Pierce sei schlauer als Gary Soneji und raffinierter als wir alle.

Kyle war anfangs dagegen gewesen, Thomas Pierce auf den Fall Mr. Smith anzusetzen, war aber überstimmt worden. Er hatte Pierce dann genau beobachtet, ihm zugehört und war schließlich immer mehr davon überzeugt gewesen, daß Pierce etwas mit dem Fall zu tun hatte – zumindest mit dem Tod von Isabella Calais.

Pierce schien jedoch nie einen Fehler zu machen, er verwischte alle seine Spuren. Doch dann passierte etwas. Pierce wurde am selben Tag in Frankfurt gesehen, als dort ein Opfer verschwand. Angeblich war er jedoch in Rom.

Für Kyle reichte das aus, eine Durchsuchung von Pierces Wohnung in Cambridge zu veranlassen, doch es wurde nichts gefunden. Kyle zog Computerexperten hinzu. Er hatte den Verdacht, Pierce schicke sich selbst die Nachrichten, die angeblich von Smith kamen, aber auch für diese Annahme fand sich kein Beweis. Dann wurde Pierce an dem Tag, an dem Dr. Abel Sante verschwand, in Paris gesehen. In seinem Dienstprotokoll behauptete er aber, er habe sich den ganzen Tag in London aufgehalten. Es war nur ein Indiz, aber Kyle wußte, daß er den Mörder gefunden hatte. Ich war voll und ganz seiner Meinung, jetzt brauchten wir einen konkreten Beweis.

Fast fünfzig FBI-Agenten hielten sich in der Gegend von Princeton auf, das wirkte wie der verlassenste Ort der Welt. An dem jedoch ein schrecklicher Mord geschehen konnte, an dem vielleicht aber auch eine berüchtigte Mordserie zu Ende gehen würde.

Sampson und ich warteten in einer dunklen Limousine, die in einer unauffällig aussehenden Straße geparkt war. Wir gehörten nicht zum eigentlichen Überwachungsteam, blieben aber in der Nähe.

Gegen Abend wurde Sampson unruhig und gereizt. Die Sache zwischen ihm und Pierce war auf quälende Weise persönlich geworden. Auch ich hatte einen sehr persönlichen Grund, in Princeton zu sein. Ich wollte mir Simon Conklin vorknöpfen, leider war mir Pierce jetzt zuvorgekommen. Wir standen ein paar Blocks vom Marriott entfernt, wo Pierce wohnte.

»Ein toller Plan«, murmelte Sampson, während wir dasaßen und warteten.

»Das FBI hat alles andere bereits versucht. Kyle glaubt, daß das hier funktionieren könnte. Er hat das Gefühl, daß Pierce der Aufklärung des Überfalls nicht widerstehen kann. Für ihn bedeutet das die größte Konkurrenz.«

Sampson kniff die Augen zusammen. Ich kannte diesen Blick, er war scharf und durchdringend.

»Und du hast mit dem hirnrissigen Plan natürlich überhaupt nichts zu tun gehabt?«

»Nun ja, möglicherweise habe ich einen Vorschlag gemacht, warum Thomas Pierce diese Sache reizen könnte. Oder warum er sich vielleicht so überheblich verhält, daß wir ihn fassen können.«

Sampson verdrehte die Augen nach hinten, wie er es hin und wieder tut, seit wir beide etwa zehn Jahre alt waren.

»Ja, möglicherweise hast du so was vorgeschlagen. Übrigens ist er als Partner eine noch größere Katastrophe als du.«

Wir warteten auf der Nebenstraße in Princeton, während sich die Nacht über die Universitätsstadt legte. Es war ein Déjà vu, alles wie gehabt. John Sampson und Alex Cross sind dienstlich auf der Jagd, liegen auf der Lauer.

»Du liebst mich immer noch«, sagte Sampson und grinste. Er wird nicht allzuoft flapsig, aber wenn er es wird, dann heißt es aufgepaßt. »Du liebst mich doch noch, Süßer?«

Ich legte meine Hand auf seinen Schenkel.

»Aber natürlich, du Kraftprotz.«

Er boxte mich heftig auf den Oberarm. Mein Arm wurde taub, und meine Finger kribbelten. Der Mann konnte wirklich zuschlagen.

»Ich will Thomas Pierce an den Kragen! Ich gehe Pierce an den Kragen!« rief er.

»Gehen wir Thomas Pierce an den Kragen«, fiel ich ein, »und Mr. Smith auch!«

»Gehen wir Mr. Smith und Mr. Pierce an den Kragen«, sangen wir einstimmig und parodierten dabei den Film *Bad Boys*.

Es war wieder wie früher. Genauso, wie es immer gewesen war.

104.

Thomas Pierce hatte das Gefühl, unbesiegbar zu sein, nichts konnte ihn aufhalten.

Er wartete in der Dunkelheit, fast wie in Trance, ohne sich zu rühren. Er dachte an Isabella, sah ihr schönes Gesicht und ihr Lächeln vor sich, hörte ihre Stimme. Er saß regungslos da, bis das Wohnzimmerlicht eingeschaltet wurde und Simon Conklin vor ihm stand.

»Eindringling im Haus«, sagte Pierce leise. »Kommt Ihnen das bekannt vor? Klingelt's bei Ihnen, Conklin?«

Er zielte mit einer 357er Magnum direkt auf Conklins Stirn. Er konnte ihn einfach wegpusten, durch die Haustür und die Verandatreppe hinunter.

»Was zum ...?«

Conklin mußte im hellen Licht blinzeln. Dann wurden seine dunklen Augen plötzlich wachsam und hart.

»Das ist Hausfriedensbruch!« schrie er. »Sie haben kein Recht, einfach in mein Haus einzudringen. Scheren Sie sich raus!«

Pierce konnte ein Lächeln nicht unterdrücken. Er hatte eindeutig Sinn für Humor, aber manchmal einfach nicht genug Vergnügen an spaßigen Situationen. Er stand vom Stuhl auf, hielt dabei den Revolver völlig ruhig.

Man hatte nicht viel Bewegungsspielraum im Wohnzimmer, das mit Zeitungen, Büchern, Zeitungsausschnitten und Zeitschriften vollgestopft war, alles fein säuberlich nach Datum und Thema geordnet. Pierce war sich ziemlich sicher, daß Simon zwanghaft verhaltensgestört war.

»Nach unten. Wir gehen in Ihr Untergeschoß«, befahl er, »nach unten in den Keller.«

Unten war das Licht bereits eingeschaltet, Thomas Pierce hatte alles vorbereitet. Mitten im vollgestopften Keller stand ein altes Feldbett. Er hatte stapelweise Bücher über Überlebenstheorien und Science-fiction-Romane wegräumen müssen, um Platz für das Feldbett zu schaffen.

Er war sich nicht hundertprozentig sicher, aber er nahm an, daß Conklins Besessenheit etwas mit dem Aussterben der menschlichen Rasse zu tun hatte. Er hortete ausschließlich Bücher, Zeitschriften und Zeitungsartikel, die seine pathologische Wahnvorstellung stützten. An der Kellerwand klebte das Titelblatt einer wissenschaftlichen Fachzeitschrift mit dem Aufmacher: »Geschlechtsumwandlungen bei Fischen – eine Studie über Zwitterbildungen.«

»Was zum Teufel soll das?« schrie Simon Conklin, als er von der Treppe aus sah, was Pierce gemacht hatte.

»Das fragen sie alle«, sagte Thomas Pierce und stieß ihn weiter vorwärts. Conklin stolperte zwei Stufen hinunter.

»Glauben Sie, ich habe Angst vor Ihnen?« Conklin fuhr herum und fauchte ihn an. »Ich habe keine Angst vor Ihnen.«

Pierce nickte einmal und zog dann eine Augenbraue noch.

»Ich habe Sie verstanden und werde darauf gleich noch mal eingehen.«

Er stieß Conklin abermals heftig und schaute zu, wie dieser die restlichen Stufen hinunterfiel. Pierce ging langsam hinter ihm her.

»Fangen Sie jetzt an, Angst vor mir zu haben?«

Er schlug Conklin mit dem Kolben des Revolvers und betrachtete interessiert, wie Simon Conklin am Kopf blutete.

»Fangen Sie jetzt an, Angst zu haben?«

Er bückte sich und näherte seinen Mund Conklins behaartem Ohr.

»Sie wissen nicht sehr viel über Schmerz, darüber bin ich mir im klaren«, flüsterte er. »Sie haben auch nicht besonders viel Mumm. Sie waren der Attentäter im Haus Alex Cross, aber Sie konnten Alex Cross nicht umbringen, nicht wahr? Sie konnten seine Familie nicht töten. Sie haben sich in seinem Haus in die Hosen gemacht. Sie haben es verpfuscht. Soviel weiß ich schon.«

Thomas Pierce genoß die Konfrontation, es war eine Befriedigung für ihn. Er war neugierig darauf, was in Simon Conklin vorging. Er wollte Conklin »studieren«, seine Form der »Menschlichkeit« verstehen. Wenn er Simon Conklin verstand, erfuhr er auch etwas über sich selbst.

Er ließ Conklins Gesicht nicht aus den Augen.

»Als erstes will ich, daß Sie mir sagen, daß Sie derjenige waren, der sich in Alex Cross' Haus eingeschlichen hat. Sie waren es! Geben Sie einfach zu, daß Sie es waren. Was Sie hier sagen, wird nicht gegen Sie verwendet, nicht vor einem Gericht zur Sprache gebracht werden. Es ist eine Sache nur zwischen uns beiden.«

Simon Conklin sah ihn an, als sei er total irre. Wie scharfsinnig.

»Sie sind verrückt. Das können Sie nicht machen. Das zählt vor Gericht nicht«, jaulte Conklin.

Pierce machte große, ungläubige Augen. Er sah Conklin an, als ob dieser der Irre wäre.

»Habe ich eben nicht genau das gesagt? Haben Sie etwa nicht zugehört? Spreche ich hier mit mir selbst? Nein, vor einem echten Gericht zählt es natürlich nicht als Beweis. Das hier ist *mein* Gericht. Bis jetzt steht es schlecht um Sie, Sie Einfaltspinsel. Sie sind jedoch schlau, und ich bin mir sicher, daß Sie im Verlauf der nächsten Stunden noch sehr viel besser abschneiden können.«

Simon Conklin zog scharf die Luft ein. Ein glänzendes Skalpell aus rostfreiem Edelstahl war auf seine Brust gerichtet.

105.

Schauen Sie mich an! Könnten Sie sich bitte auf das konzentrieren, was ich sage, Simon? Ich bin nicht nur irgendeine graue Maus vom FBI, ich habe wichtige Fragen zu stellen. Ich will, daß Sie wahrheitsgemäß antworten. Sie waren der Attentäter in Cross' Haus! Sie haben Cross überfallen. Fangen wir zunächst einmal damit an.«

Mit einer schnellen Bewegung zog Pierce Conklin derb vom Kellerboden hoch. Seine körperliche Kraft schockierte Conklin. Pierce legte das Skalpell zur Seite, fesselte ihn mit einem Seil auf das Feldbett und beugte sich dann dicht über sein Opfer, sobald dieses gefesselt und hilflos war.

»Achtung, eine Kurzmeldung: Mir gefällt Ihre überhebliche Art nicht! Glauben Sie mir, Sie sind nichts Besonderes. Irgendwie, und das erstaunt mich, habe ich mich wohl noch nicht ganz klar ausgedrückt. Sie sind ein ganz gewöhnliches Exemplar Ihrer Gattung, Simon. Ich möchte Ihnen etwas Schauriges zeigen.«

»Nein!« schrie Conklin.

Er konnte jedoch nicht verhindern, daß Pierce ihm

plötzlich in die obere Brusthälfte schnitt, er konnte nicht fassen, was mit ihm geschah. Simon Conklin schrie.

»Können Sie sich jetzt besser konzentrieren, Simon? Sehen Sie, was hier auf dem Tisch steht? Das ist Ihr Kassettenrecorder. Ich will nur, daß Sie gestehen. Sagen Sie mir einfach, was sich im Haus von Dr. Cross abgespielt hat. Ich will alles hören.«

»Lassen Sie mich in Ruhe«, flüsterte Conklin schwach.

»Nein! Dazu wird es nicht kommen. Sie werden nie wieder Ruhe finden. Also gut, dann vergessen Sie das Skalpell und den Kassettenrecorder. Ich möchte, daß Sie sich auf das hier konzentrieren: eine gewöhnliche Dose Coca-Cola, ihre eigene Cola, Simon.«

Er schüttelte die knallrote Dose kräftig. Dann packte er eine Strähne von Conklins langem, fettigem Haar und zog seinen Kopf nach hinten. Er riß die harmlos aussehende Dose auf und stieß sie unter Conklins Nasenlöcher. Die Limonade explodierte, ein Gemisch aus Kohlensäure, Bläschen und zuckrigem braunem Wasser. Sie schoß in Simons Nase und stieg Richtung Gehirn hoch. Dieses Vorgehen war ein alter Verhörtrick der Armee, es war quälend schmerzhaft und funktionierte immer. Simon Conklin würgte fürchterlich. Er konnte nicht aufhören zu husten und nach Luft zu ringen.

»Ich hoffe, Sie wissen meinen Erfindungsreichtum zu schätzen. Ich kann mit allem arbeiten, was in einem Haushalt vorrätig ist. Sind Sie bereit zu gestehen? Oder möchten Sie lieber noch etwas Cola?«

Simon Conklin riß die Augen weit auf.

»Ich sage alles, was Sie wollen, aber hören Sie bitte damit auf!«

Thomas Pierce nickte bedächtig.

»Ich will nur die Wahrheit hören, die Fakten. Ich will

wissen, daß ich den Fall aufgeklärt habe, den Alex Cross nicht aufklären konnte.«

Er schaltete den Kassettenrecorder ein und hielt ihn unter Conklins bärtiges Kinn.

»Sagen Sie mir, was geschehen ist.«

»Ich habe Cross und seine Familie überfallen. Ja, ich war's«, sagte Conklin mit erstickter Stimme, die jedem Wort noch mehr Gewicht verlieh. »Gary hat mich dazu gezwungen. Er hat gesagt, wenn ich es nicht mache, hetzt er mir jemanden auf den Hals. Jemanden, der mich foltert und umbringt. Jemanden, den er aus dem Gefängnis gekannt hat. Das ist die Wahrheit, ich schwöre es. Gary war der Anführer, nicht ich!«

Thomas Pierce sprach plötzlich fast liebevoll, mit weicher, beruhigender Stimme.

»Das weiß ich doch, Simon. Ich bin nicht blöd. Ich weiß, daß Gary Sie dazu gezwungen hat. Aber als Sie in Cross' Haus waren, konnten Sie ihn nicht umbringen, nicht wahr? In Ihrer Phantasie hatten Sie es sich vorgestellt, aber dann konnten Sie es nicht tun.«

Simon Conklin nickte. Er war erschöpft und verängstigt, und er fragte sich, ob Gary diesen Irren geschickt haben mochte. Es war alles möglich. Pierce bedeutete ihm durch einen Wink mit der Coladose weiterzusprechen, wobei er einen Schwall Cola abbekam.

»Weiter, Simon. Erzählen Sie mir alles über Sie und Gary.«

Conklin weinte, schluckte wie ein Kind, doch gleichzeitig redete er. »Als wir Kinder waren, sind wir beide oft verprügelt worden. Wir waren unzertrennlich. Ich war auch dabei, als Gary sein Elternhaus niedergebrannt hat. Seine Stiefmutter war drin mit ihren beiden Kindern und auch sein Vater. Ich habe auf die zwei Kinder aufgepaßt, die er in D.C. entführt hat. Und ich war in Cross' Haus. Sie hatten recht, es hätte genausogut Gary selbst sein können. Er hat alles geplant.«

Pierce schaltete schließlich den Kassettenrecorder aus.

»So war es gut, Simon. Ich glaube Ihnen.«

Was Simon Conklin soeben erzählt hatte, war der entscheidende Durchbruch. Die Ermittlung war fast vorbei. Er hatte bewiesen, daß er besser war als Alex Cross.

»Ich will Ihnen etwas sagen, etwas Erstaunliches, Simon. Ich glaube, Sie werden es zu schätzen wissen.«

Er hob das Skalpell, und Simon Conklin versuchte krampfhaft, sich wegzudrehen. Er wußte, was kam.

»Gary Soneji war im Vergleich mit mir ein Kätzchen«, sagte Thomas Pierce. »Ich bin Mr. Smith.«

106.

Sampson und ich rasten durch Princeton, verstießen dabei gegen so gut wie jede Geschwindigkeitsbeschränkung. Die Agenten, die Thomas Pierce beschatteten, hatten ihn vorübergehend aus den Augen verloren. Pierce, vielmehr Mr. Smith, war auf freiem Fuß. Nun glaubten sie, seine Spur in der Nähe von Simon Conklins Haus wiedergefunden zu haben. Es war das reine Chaos.

Wir waren gerade eingetroffen, als Kyle das Signal gab, das Haus zu stürmen. Sampson und ich sollten nur Beobachter sein. Sondra Greenberg war ebenfalls dort, auch sie war nur eine Beobachterin.

Ein halbes Dutzend FBI-Agenten, Sampson, Sondra

und ich rannten durch den Garten. Wir verteilten uns. Einige drangen von vorn, andere von der Rückseite aus in das baufällige Haus ein. Wir bewegten uns schnell und effektiv, waren alle mit schußbereiten Pistolen, Revolvern und Gewehren ausgerüstet. Alle trugen Anoraks mit dem Aufdruck »FBI« auf dem Rücken.

»Ich glaube, er ist hier«, sagte ich zu Sampson. »Ich glaube, wir werden gleich Mr. Smith kennenlernen!«

Das Wohnzimmer wirkte noch finsterer und unfreundlicher, als ich es von meinem früheren Besuch in Erinnerung hatte. Wir entdeckten dort niemanden, weder Pierce noch Simon Conklin oder Mr. Smith. Das Haus sah aus, als sei es durchsucht worden, und der Gestank war unerträglich.

Kyle gab ein Handzeichen, und wir schwärmten aus, rannten in verschiedene Räume. Die Atmosphäre war angespannt und beunruhigend.

»Man hört und sieht nichts Böses«, murmelte Sampson neben mir, »aber es ist trotzdem da.«

Ich wollte Pierce zur Strecke bringen, aber ich war eigentlich noch schärfer auf Simon Conklin. Es war Conklin gewesen, der meine Familie überfallen hatte. Ich wollte fünf Minuten mit ihm allein sein, eine Art Therapiezeit – für mich. Vielleicht konnten wir über Gary Soneji reden, über die »Größen«, wie sie sich nannten.

»Der Keller! Hier unten! Schnell!« rief ein Agent plötzlich laut.

Ich war außer Atem und hatte starke Schmerzen. Meine rechte Seite brannte höllisch. Ich folgte den anderen die schmale, gewundene Treppe hinunter.

»Gott im Himmel«, hörte ich Kyle ganz vorn sagen.

Simon Conklin lag ausgestreckt auf einer alten, blaugestreiften Matratze auf dem Boden. Der Mann, der mich und meine Familie überfallen hatte, war völlig verstümmelt worden. Dank zahlloser Anatomieseminare an der John Hopkins University war ich besser auf den grausigen Anblick vorbereitet als die anderen. Simon Conklins Brust, Bauch und Beckenbereich waren aufgeschnitten worden, als hätte ein brillanter Gerichtsmediziner eine Autopsie am Tatort durchgeführt.

»Er ist regelrecht ausgeweidet worden«, murmelte ein FBI-Agent und wandte sich von der Leiche ab. »Warum, in Gottes Namen?«

Simon Conklin hatte außerdem kein Gesicht mehr. In seine Schädeldecke war ein tiefer Einschnitt gemacht worden. Der Schnitt ging durch die Kopfhaut bis auf den Knochen. Dann war die Kopfhaut nach vorn über das Gesicht gezogen worden. Conklins langes schwarzes Haar hing nun an der Stelle, wo das Kinn hätte sein sollen. Es sah aus wie ein Bart. Ich hatte den Verdacht, daß das für Pierce eine Bedeutung hatte. Was bedeutete es für ihn, ein Gesicht auszulöschen – falls es für ihn überhaupt etwas bedeutete.

Im Keller gab es eine ungestrichene Holztür, einen Hinterausgang, aber keiner der draußen postierten Agenten hatte Pierce flüchten sehen. Mehrere Agenten machten sich dennoch auf die Jagd nach ihm. Ich blieb bei der verstümmelten Leiche im Keller. Ich hätte in meinem Zustand nicht einmal mehr Nana Mama einholen können. Zum ersten Mal in meinem Leben begriff ich, was es bedeutete, körperlich alt zu sein.

»Hat er das wirklich in dieser kurzen Zeit getan?« fragte Kyle Craig. »Alex, ist es möglich, daß er so schnell arbeiten kann?«

»Wenn er so wahnsinnig ist, wie ich glaube, ja. Vergiß nicht, daß er so etwas während seines Medizinstudiums öfter gemacht hat, von seinen anderen Opfern ganz zu schweigen. Er muß unglaublich stark sein, Kyle. Er hatte keine Sezierwerkzeuge, keine elektrische Säge. Er hat lediglich ein Messer und seine Hände benutzt.«

Ich stand nahe an der Matratze und schaute hinunter auf das, was von Simon Conklin übrig war. Ich dachte an seinen feigen Überfall auf mich und meine Familie. Ich hatte gewollt, daß wir ihn kriegen, aber nicht so. Niemand hat so etwas verdient. Nur bei Dante wurden den Verdammten derart grausame Strafen auferlegt. Ich beugte mich noch näher heran und untersuchte die Überreste des Mannes genauer. Warum war Thomas Pierce so wütend auf Conklin? Warum hatte er ihn derart bestraft?

Im Keller des Hauses war es gespenstisch still. Sondra Greenberg sah bleich aus und lehnte an der Kellerwand. Ich hätte gedacht, sie sei an den Anblick von Mordopfern gewöhnt, aber vielleicht schaffen es manche Menschen nie, sich an so etwas zu gewöhnen. Ich mußte mich räuspern, bevor ich wieder sprechen konnte. »Er hat den Vorderquadranten des Schädels abgetrennt«, sagte ich. »Er hat eine Frontalkraniotomie durchgeführt. Es sieht aus, als würde Thomas Pierce wieder als Mediziner arbeiten.«

107.

Ich kannte Kyle Craig seit zehn Jahren und war fast ebenso lange mit ihm befreundet. Ich hatte ihn nie zuvor wegen eines Falles derart besorgt und aufgeregt erlebt, ganz gleich, wie schwierig oder grauenhaft er war.

Die Ermittlung gegen Thomas Pierce hatte seine Karriere ruiniert, jedenfalls glaubte er das. Und vielleicht hatte er recht.

»Wie zum Teufel kann er uns nur immer wieder entwischen?« fragte ich.

Es war der nächste Morgen, und wir waren immer noch in Princeton, frühstückten in PJ's Pancake House. Das Essen war ausgezeichnet, aber ich hatte keinen richtigen Hunger.

»Das ist das Schlimmste daran, er weiß immer genau, was wir vorhaben. Er sieht unsere Aktionen und Vorgehensweisen voraus, schließlich war er einer von uns.«

»Anscheinend ist er doch ein Außerirdischer«, sagte ich zu Kyle.

Er nickte müde und aß schweigend die Reste seiner fast noch flüssigen Eier, wobei er das Gesicht tief über den Teller beugte. Ihm war nicht bewußt, wie komisch sein deprimiertes Aussehen wirkte. Nichts war zu hören außer Kyles Gabel, die über den Teller kratzte. Schließlich brach ich das Schweigen.

»Diese Eier müssen ja wirklich gut sein.«

Er sah mit seiner üblichen unbewegten Miene zu mir auf. »Diesmal habe ich wirklich Mist gebaut, Alex. Ich hätte Pierce festnehmen müssen, als ich die Chance dazu hatte. Wir haben in Quantico ja darüber gesprochen.«

»Und dann hättest du ihn wieder laufenlassen müssen, ihn nach ein paar Stunden freilassen müssen. Was hättest du dann gemacht? Wir hätten Pierce nicht ewig überwachen können.«

»Direktor Burns wollte Pierce betreffend eine finale Aktion durchsetzen, ihn töten lassen, aber ich habe heftig widersprochen. Ich habe geglaubt, ich könne ihn kriegen. Ich habe Burns gesagt, daß ich Pierce überführen würde.«

Ich schüttelte fassungslos den Kopf. Ich konnte nicht glauben, was ich gerade gehört hatte.

»Der Direktor des FBI hätte solch eine Sanktion gegen Pierce gebilligt? Herrje.«

Kyle fuhr sich mit der Zunge über die Zähne.

»Ja, und daran war nicht nur Burns beteiligt. Die ganze Sache ist bis ins Justizministerium vorgedrungen, Gott weiß, wohin sonst noch. Ich hatte sie davon überzeugt, daß Pierce Mr. Smith ist. Irgendwie hat ihnen die Vorstellung, daß ein FBI-Agent im Außeneinsatz gleichzeitig ein Serienmörder ist, überhaupt nicht gefallen. Ich glaube, jetzt werden wir ihn nie mehr fassen. Es ist einfach kein richtiges Muster zu erkennen, Alex, jedenfalls keins, dem wir nachgehen könnten. Es ist ausgeschlossen, ihn aufzuspüren. Er macht sich über uns lustig.«

»Ja, vermutlich tut er das«, pflichtete ich ihm bei. »Auf einer gewissen Ebene ist er eindeutig von Konkurrenzdenken geprägt, er fühlt sich gern anderen überlegen. Das ist jedoch bei weitem nicht alles.«

Ich hatte, seit ich zum ersten Mal von dem komplizierten Fall erfahren hatte, an die Möglichkeit eines abstrakten oder künstlerischen Musters gedacht. Mir war die FBI-Theorie, daß jeder der Morde verschieden sei und – was noch schlimmer war – das Ganze einem willkürlichen Muster folge, durchaus bekannt. Durch diese Umstände wurde es fast unmöglich, Pierce zu fassen. Je mehr ich jedoch über die Mordserie nachdachte und vor allem über Thomas Pierces Vorgeschichte, desto stärker wurde mein Verdacht, daß es doch ein Muster geben müsse, eine Mission hinter dem Ganzen steckte. Dem FBI war das bisher nur entgangen. Und mir auch.

»Was wirst du tun, Alex?« fragte Kyle schließlich. »Ich verstehe es vollkommen, wenn du nicht mehr an diesem Fall arbeiten willst, wenn du keine Lust dazu hast.«

Ich dachte an meine Familie, an Christine und die Dinge, die wir miteinander besprochen hatten, aber ich sah keine Möglichkeit, mich jetzt von diesem furchtbaren Fall zurückzuziehen. Ich hatte außerdem Angst vor einem Vergeltungsschlag von Pierce. Jetzt ließ sich nicht mehr vorhersagen, wie er reagieren würde.

»Ich bleibe ein paar Tage lang gemeinsam mit dir an dem Fall dran. Ein paar Tage, Kyle. Ich mache keine Versprechungen darüber hinaus. O Gott, warum habe ich das bloß gesagt? Verdammt noch mal!«

Ich schlug auf den Tisch, und die Teller und das Besteck wackelten. Zum ersten Mal an jenem Morgen ließ Kyle ein halbes Lächeln sehen.

»Hast du einen Plan? Sag mir, was du vorhast.«

Ich nickte langsam. Eigentlich konnte ich noch immer nicht fassen, was ich da tat.

»Mein Plan ist folgender: Zuerst fahre ich nach Hause nach Washington, und das ist unumstößlich. Morgen oder übermorgen fliege ich dann nach Boston, weil ich Pierces Wohnung sehen will. Er wollte mein Haus doch auch sehen. Dann schauen wir weiter, Kyle. Bitte, leg deine Ermittler an die Leine, bis ich in seiner Wohnung war. Sie dürfen sie anschauen und Fotos machen, aber sie sollen nichts verändern. Mr. Smith ist sehr ordentlich. Ich will sehen, wie Pierces Wohnung aussieht, was er für uns hinterlassen hat.«

Kyles Miene war wieder unbewegt und todernst, so, wie ich ihn kannte.

»Wir werden ihn trotzdem nicht kriegen, Alex. Er ist gewarnt, von jetzt an wird er vorsichtiger sein. Vielleicht verschwindet er auch ganz, wie es manche Mörder tun, taucht einfach ab.«

»Das wäre schön«, sagte ich, »aber ich glaube nicht, daß es dazu kommt. Es gibt ein Muster, Kyle. Wir haben es nur noch nicht erkannt.«

108.

Wie es im Wilden Westen heißt, muß man sofort wieder auf das Pferd steigen, das einen abgeworfen hat. Ich verbrachte zwei Tage zu Hause in Washington, aber sie kamen mir eher wie zwei Stunden vor. Alle waren böse auf mich, weil ich mich doch wieder an der Jagd beteiligen wollte: Nana, die Kinder, Christine. Es war nicht zu ändern.

Am dritten Tag nahm ich den ersten Flug nach Boston und war um neun Uhr morgens in Thomas Pierces Wohnung in Cambridge. Der Drachentöter war trotz aller Bedenken erneut in Aktion.

Kyle Craigs ursprünglicher Plan, mit dessen Hilfe er Pierce festnehmen wollte, war für das im allgemeinen konservative FBI besonders tollkühn gewesen, aber er hatte keine andere Wahl gehabt. Die Frage lautete jetzt: War es Thomas Pierce gelungen, aus der Gegend von Princeton zu entkommen? Oder hielt er sich noch immer dort auf? War er auf Umwegen nach Boston zurückgekehrt? Oder war er vielleicht wieder nach Europa geflogen? Niemand wußte es genau. Es war außerdem gut möglich, daß wir sehr lange nichts mehr von Pierce alias Mr. Smith hören würden.

Es gab ein Muster! Wir mußten es nur erkennen.

Pierce und Isabella Calais hatten drei Jahre in einer Wohnung im ersten Stock eines Gebäudes in Cambridge zusammengelebt. Durch die Eingangstür gelangte man direkt in eine Diele und eine daneben liegende Küche. Ein langer Korridor wie in einem Zug schloß sich an. Die Wohnung war eine Offenbarung. Überall fanden sich Erinnerungen und Andenken an Isabella Calais. Es war seltsam und überwältigend – als wohne sie immer noch hier und könne plötzlich aus einem der Zimmer auftauchen. In jedem Zimmer standen Fotos von ihr. Ich zählte beim ersten schnellen Rundgang über zwanzig Bilder von Isabella.

Wie konnte Pierce es ertragen, daß das Gesicht dieser Frau überall präsent war, ihn ansah, schweigend anschaute, ihn eines unaussprechlich grausamen Mordes beschuldigte?

Auf den Bildern war zu sehen, daß Isabella Calais wunderschönes, kastanienbraunes langes Haar hatte, sie trug es offen und perfekt frisiert. Sie hatte außerdem ein bezauberndes Gesicht und ein hinreißendes, natürliches Lächeln. Es war leicht zu verstehen, daß er sie geliebt hatte. Aber auf manchen Bildern hatten ihre Augen einen abwesenden Ausdruck, als sei sie in Gedanken woanders.

Alles an ihrer gemeinsamen Wohnung brachte die Gedanken in meinem Kopf in Aufruhr, und auch mein Inneres war aufgewühlt. Wollte Pierce uns oder vielleicht sogar sich selbst einreden, er empfinde absolut nichts – kein Schuldgefühl, keine Traurigkeit, keine Liebe?

Während ich darüber nachdachte, überwältigten mich

meine Gefühle. Ich konnte mir die Qual vorstellen, die jeden Tag seines Lebens bestimmen mußte, niemals echte Liebe oder tiefe Gefühle empfinden zu können. Glaubte Pierce in seinem Wahn womöglich, daß er, indem er jedes seiner Opfer sezierte, irgendwann die Lösung für seine eigenen Probleme finden würde?

Vielleicht war das Gegenteil richtig: War es möglich, daß Pierce Isabellas Präsenz spüren mußte, alles so intensiv wie nur irgend vorstellbar empfinden wollte? Hatte Thomas Pierce Isabella Calais mehr geliebt, als er jemals geglaubt hatte, jemanden lieben zu können? Hatte Pierce ihrer beider Liebe als Erlösung empfunden? Hatte sie ihn durch ihr Verhalten zum Wahnsinn getrieben und zum unvorstellbarsten Akt überhaupt – dem Mord an dem einzigen Menschen, den er je geliebt hatte –, als er von ihrem Verhältnis mit Martin Straw erfuhr? Warum hingen ihre Bilder immer noch überall in der Wohnung? Warum hatte sich Thomas Pierce mit der ständigen Erinnerung gequält?

Isabella Calais schien mich zu beobachten, während ich durch die Zimmer der Wohnung wanderte. Was wollte sie mir sagen?

»Wer ist er, Isabella?« flüsterte ich. »Was hat er vor?«

109.

Ich machte mich an eine detaillierte Durchsuchung der Wohnung. Ich nahm nicht nur Isabellas Sachen sorgfältig unter die Lupe, sondern auch die von Pierce. Weil beide Studenten gewesen waren, überraschte es mich nicht, daß jede Menge Lehrbücher und akademische Schriften in den Regalen standen.

Ich fand ein Teströhrchengestell mit zugestöpselten Sandfläschchen. Jedes Röhrchen war mit dem Namen eines anderen Strandes etikettiert: Laguna, Montauk, Normandie, Parma, Virgin Gorda, Oahu. Ich dachte über die seltsame Tatsache nach, daß Pierce etwas derart Unzählbares, Unendliches und Beliebiges in Fläschchen gefüllt hatte, um es zu ordnen und zu katalogisieren. Wie sah sein Ordnungsprinzip für die Morde von Mr. Smith aus? Was könnte sie erklären?

In der Wohnung befanden sich zwei GT-Zaskar-Mountainbikes und zwei GT-Machete-Helme. Isabella und Thomas waren gemeinsam in New Hampshire und durch Vermont geradelt. Ich wurde mir immer sicherer, daß er sie innig geliebt hatte. Doch dann hatte sich seine Liebe in Haß verwandelt, der so stark war, daß man ihn sich kaum vorstellen konnte.

Ich erinnerte mich daran, daß die ersten Berichte der Polizei von Cambridge Pierces Trauer am Tatort als »eindeutig nicht geheuchelt« beschrieben hatten. Ein Detective hatte damals geschrieben: *Er ist schockiert, überrascht, völlig untröstlich. Thomas Pierce wird zum gegenwärtigen Zeitpunkt nicht als Verdächtiger eingestuft.*

Was sonst? Es mußte hier einen Anhaltspunkt geben, es mußte ein Muster geben.

Im Flur hing ein gerahmtes Zitat. *Ohne Gott sind wir zur Freiheit verurteilt.* War das von Sartre? Ich nahm es an, doch ich fragte mich, wessen Denkweise es tatsächlich widerspiegelte. War es für Pierce von Bedeutung, oder hing es nur zufällig da? *Verurteilt* war ein Wort, das interessant war. War Thomas Pierce ein Verurteilter?

Im Schlafzimmer stand in einem Bücherregal ganz oben eine sehr guterhaltene dreibändige Ausgabe von H.L. Menckens *Die amerikanische Sprache.* Offensichtlich war sie ein hochgeschätzter Besitz. Vielleicht war sie ein Geschenk gewesen? Ich erinnerte mich daran, daß Pierce als Studienanfänger zwei Hauptfächer belegt hatte: Biologie und Philosophie. Überall in der Wohnung waren philosophische Schriften zu finden. Ich las die Namen auf den Buchrücken: Jacques Derrida, Foucault, Jean Baudrillard, Heidegger, Habermas, Sartre.

Außerdem fanden sich mehrere Wörterbücher: Französisch, Deutsch, Englisch, Italienisch und Spanisch. Eine kompakte zweibändige Ausgabe des *Oxford English Dictionary* – so klein gedruckt, daß sie mit einer Leselupe geliefert worden war.

Direkt über Pierces Schreibtisch hing ein gerahmtes Diagramm des menschlichen Stimmapparats. Und wieder ein Zitat: *Sprache bedeutet mehr als nur das Sprechen.*

Auf Pierces Schreibtisch lagen mehrere Bücher des Linguisten Noam Chomsky. Ich hatte über Chomsky lediglich in Erinnerung, daß er die These einer vielschichtigen biologischen Komponente beim Spracherwerb vertreten hatte. Für ihn war der Verstand eine Zusammensetzung von Geistesorganen. Das war alles, was ich über Chomsky wußte.

Ich fragte mich, was Noam Chomsky oder das Diagramm des menschlichen Stimmapparats mit Smith oder dem Tod von Isabella Calais zu tun haben konnten. Ich war noch in Gedanken versunken, als mich ein lautes Surren aufscheuchte. Es kam aus der Küche am anderen Ende des Flurs.

Ich hatte angenommen, ich sei allein in der Wohnung,

deshalb schreckte mich das Surren auf. Ich nahm meine Glock aus dem Schulterhalfter und trat vorsichtig in den langen, schmalen Flur. Dann stürmte ich los. Ich stürzte mit schußbereiter Pistole in die Küche und begriff in diesem Moment, was das Surren zu bedeuten hatte. Ich hatte den Laptop mitgebracht und eingesteckt, den Pierce in seinem Hotelzimmer in Princeton zurückgelassen hatte. Mit Absicht zurückgelassen? Als weiteren Anhaltspunkt? Jedenfalls verursachte das Gerät das Geräusch.

Schickte Pierce uns eine Nachricht? Ein Fax oder eine Mail? Oder schickte vielleicht jemand Pierce eine Nachricht? Falls ja, wer konnte das sein?

Ich überprüfte zuerst die voice-mail. Es war Pierce.

Seine Stimme klang kräftig, fest und fast beruhigend – die Stimme eines Menschen, der sich und die Lage im Griff hat. Sie allein in dieser Wohnung zu hören war unter den gegebenen Umständen gespenstisch.

Dr. Cross – jedenfalls habe ich den Verdacht, daß Sie es sind, den ich erreiche. Nachrichten wie diese habe ich bekommen, als ich Smith verfolgte.

Natürlich habe ich die Nachrichten zur Irreführung benutzt, sie selbst geschickt. Ich wollte die Polizei und das FBI verwirren. Wer weiß, vielleicht tue ich das immer noch.

Wie auch immer, hier ist die allererste Nachricht für Sie persönlich: Anthony Bruno, Brielle, New Jersey.

Warum kommen Sie nicht an die Küste und gehen mit mir zum Schwimmen? Sind Sie schon zu irgendwelchen Schlußfolgerungen über Isabella gekommen? Sie ist wichtig für das Ganze. Es ist gut, daß Sie in Cambridge sind.

Smith/Pierce

110.

Das FBI stellte mir auf dem Logan International Airport einen Hubschrauber zur Verfügung, der mich nach Brielle, New Jersey, flog. Ich konnte jetzt nicht mehr zurück.

Während des Fluges kreisten meine Gedanken ständig um Pierce, seine Wohnung, Isabella Calais, ihre *gemeinsame* Wohnung, seine Studien in Biologie und moderner Philosophie und Noam Chomsky. Ich hätte es nie für möglich gehalten, nicht einmal im Traum, aber Pierce stellte schon jetzt Gary Soneji und Simon Conklin in den Schatten. Ich verabscheute ihn über alle Maßen. Der Anblick der Bilder von Isabella Calais hatte dieses Empfinden ausgelöst.

Außerirdischer? schrieb ich auf den Notizblock auf meinem Schoß. Er identifiziert sich mit der Beschreibung.

Entfremdet? Wovon entfremdet? Idyllische Kindheit in Kalifornien. Er paßte einfach nicht in eines der psychopathischen Profile, die wir bisher erstellt hatten. Er ist ein Original. Und insgeheim genießt er das.

Es war kein erkennbares Mordmuster zu erkennen, das die Verbindung zu einem psychologischen Motiv sein konnte. Die Morde wirkten beliebig und willkürlich! Er hatte einen Riesenspaß an seiner Originalität: Dr. Sante, Simon Conklin, jetzt Anthony Bruno. Warum sie? Und zählte Conklin überhaupt dazu? Es schien unmöglich, Thomas Pierces nächste Tat vorherzusagen. Seinen nächsten Mord.

Warum bewegte er sich nach Süden, an die Küste von New Jersey? Mir war durch den Kopf gegangen, daß er aus einer Küstenstadt stammte, er war in der Nähe von Laguna Beach in Südkalifornien aufgewachsen. Kehrte er gewissermaßen nach Hause zurück? War die Küste von New Jersey seinem Zuhause so nahe wie möglich, so nahe, wie er sich traute heranzukommen?

Ich besaß inzwischen reichlich Informationen über seine Jahre in Kalifornien, die Zeit, bevor er in den Osten gekommen war. Er hatte auf einer Farm gelebt, nicht weit von der berühmten Irvine Ranch entfernt. Es gab bereits drei Generationen von Ärzten in der Familie, alles gute, schwer arbeitende Menschen. Seine Geschwister hatten es alle zu etwas gebracht und glaubten allesamt nicht, daß Thomas fähig sei, derart brutale Morde zu begehen, wie sie ihm zur Last gelegt wurden.

Das FBI behauptete, Mr. Smith sei schlecht organisiert, chaotisch und unberechenbar, kritzelte ich auf meinen Block. Was war, wenn das FBI sich irrte? Für viele FBI-Daten über Smith war Pierce zuständig. Pierce hatte erst Mr. Smith geschaffen und dann sein Profil erstellt.

In Gedanken kehrte ich immer wieder in seine gemeinsame Wohnung mit Isabella zurück. Dort war alles so ordentlich und gut organisiert, die Wohnung wurde von einem eindeutigen Ordnungsprinzip beherrscht. Es kreiste um Isabella: ihre Bilder, ihre Kleider, sogar ihre Parfümflaschen, alles war noch an Ort und Stelle. Der Duft von L'Air du Temps erfüllte nach wie vor das gemeinsame Schlafzimmer.

Thomas Pierce hatte sie geliebt. Pierce hatte geliebt. Pierce hatte Leidenschaft und Emotionen empfunden. Das war ein weiterer Punkt, in dem sich das FBI irrte. Er hatte sie getötet, weil er geglaubt hatte, sie zu verlieren, und das konnte er nicht ertragen. War Isabella der einzige Mensch, den Pierce je geliebt hatte?

Plötzlich fügte sich ein weiteres kleines Puzzleteil ins Bild ein. Es traf mich mit einer Wucht, daß ich es im Hubschrauber laut aussprach. »Ihr durchstoßenes Herz!« Er hatte ihr Herz »gepierct«! Verdammt noch mal! Er hatte den allerersten Mord schon damals gestanden! Er hatte einen Anhaltspunkt hinterlassen, aber der Polizei war er entgangen. Was hatte er jetzt vor? Wofür stand in seinem Bewußtsein »Mr. Smith«? Besaß für ihn alles eine Stellvertreterfunktion? Eine symbolische? Oder künstlerische? Entwickelte er vielleicht eine Sprache, die wir verstehen sollten? Oder war es noch einfacher? Er hatte ihr Herz »gepierct«. Pierce wollte gefaßt werden, festgenommen und bestraft.

Schuld und Sühne. Warum konnten wir ihn nicht fassen?

Ich landete gegen fünf Uhr nachmittags in New Jersey. Kyle Craig wartete auf mich, er saß auf der Kühlerhaube eines dunkelblauen Town Car und trank Samuel-Adams-Bier aus der Flasche.

»Habt ihr Anthony Bruno schon gefunden?« rief ich, als ich auf ihn zuging. »Habt ihr die Leiche entdeckt?«

111.

Mr. Smith reist an die Küste. Das klang wie der Titel eines einfallslosen Kinderbuchs.

Im hellen Mondlicht fand Thomas Pierce den Weg entlang des langen weißen Sandstreifens am Point Pleasant Beach ohne Mühe. Er schleppte eine Leiche, das heißt das, was von ihr übrig war. Er hatte sich Anthony Bruno auf den Rücken gehievt. Er ging etwas südlich an der beliebten Jenkinson's Pier und dem viel neueren Seeaquarium vorbei. Die mit Brettern vernagelten Arkadenläden des Vergnügungsparks reihten sich einer am anderen den Strand entlang. Die kleinen, grauen Gebäude sahen im geschlossenen Zustand trostlos und stumm aus.

Wie üblich hörte er in seinem Kopf Musik – erst Elvis Costellos »Clubland«, dann Beethovens Klaviersonate Nr. 21, dann »Mother Mother« von Tracy Bonham. Das wilde Tier in ihm war nicht zur Ruhe gekommen, nicht einmal annähernd, aber wenigstens spürte er noch den Rhythmus der Musik.

Es war Viertel vor vier Uhr morgens, und selbst die Fischer waren noch nicht ausgelaufen. Er hatte bis jetzt nur einen einzigen Streifenwagen gesehen. Die Polizeibesetzung in der winzigen Küstenstadt war sowieso ein Witz.

Mr. Smith gegen die Cops von Keystone.

Diese ganze beknackte Küstenregion erinnerte ihn an Laguna Beach, jedenfalls an seine Touristengegenden. Er sah die Surfläden vor sich, die bei ihm zu Hause den Pacific Coast Highway sprenkelten, vollgestopft mit südkalifornischen Artefakten: Flogosandalen, Stussy-T-Shirts, Neoprenhandschuhen und Taucheranzügen, Strandstiefeln, er konnte beinahe den unverkennbaren Geruch von Wasserskiwachs riechen.

Er war körperlich stark und trug Anthony Bruno ohne viel Mühe über einer Schulter. Er hatte ihm alle lebenswichtigen Organe herausoperiert, deshalb war nicht mehr viel von Anthony übrig. Anthony war nur noch eine leere Hülle: ohne Herz, ohne Leber, ohne Eingeweide, ohne Lungen und ohne Gehirn.

Thomas Pierce dachte an die sich fortsetzende Suchaktion des FBI. Seine sagenhaften »Menschenjagden« wurden überschätzt, wahrscheinlich ein Überbleibsel aus der glorreichen Zeit von John Dillinger und Bonnie und Clyde. Nach all den Jahren, in denen er aus nächster Nähe beobachten konnte, wie das FBI Mr. Smith verfolgte, wußte er, daß es so war. Sie hätten Smith niemals gefaßt, nicht in hundert Jahren. Das FBI hielt nur an den falschen Orten nach ihm Ausschau. Es hatte bestimmt Heerscharen von Agenten auf ihn angesetzt, jede Menge Leute, eine Vorgehensweise, für die das FBI bekannt war. Auf den Flughäfen würde es von Agenten wimmeln, weil sie vermutlich damit rechneten, daß er nach Europa zurückkehrte. Und was war mit den unbekannten Größen bei der Suchaktion, mit Leuten wie Alex Cross? Cross war ihm unter die Haut gegangen, daran gab es keinen Zweifel. Vielleicht war Cross besser, als es schien. Wie auch immer, Pierce genoß den Gedanken, daß Dr. Cross ebenfalls an der Jagd beteiligt war. Ihm gefiel die ansprechende Konkurrenz.

Das leblose Gewicht auf seinem Rücken und seiner Schulter wurde allmählich schwer. Es war fast Morgen, kurz vor Tagesanbruch. Es durfte nicht passieren, daß er dabei ertappt wurde, wie er einen ausgeweideten Leichnam am Point Pleasant Beach entlangschleppte.

Er trug Anthony Bruno noch ungefähr fünfzig Meter weiter zu einem schimmernden weißen Hochsitz für Rettungsschwimmer, stieg die knarrenden Leitersprossen hoch und packt die Leiche auf den Sitz. Die Überbleibsel des menschlichen Körpers waren nackt und entblößt, damit alle Welt sie sehen konnte. Welch ein Anblick! Auch Anthony war ein Schlüssel, falls jemand im Suchtrupp seinen Verstand auch nur halb beisammenhatte und ihn endlich richtig einsetzte.

»Ich bin kein Außerirdischer. Kapiert das denn keiner von euch?« rief Pierce über das stetige Tosen des Ozeans hinweg. »Ich bin menschlich. Ich bin völlig normal. Ich bin genau wie ihr.«

112.

Das Ganze war ein Psychospielchen: Pierce gegen uns alle.

Während ich in seiner Wohnung in Cambridge gewesen war, war ein Team von FBI-Agenten nach Südkalifornien gereist und hatte Thomas Pierces Familie besucht. Die Eltern wohnten immer noch auf derselben Farm zwischen Laguna und El Toro, dort, wo Thomas Pierce aufgewachsen war.

Sein Vater Henry Pierce praktizierte als Arzt, überwiegend für die bedürftigen Farmarbeiter der Gegend. Sein Lebensstil war bescheiden, der Ruf seiner Familie makellos. Pierce hatte einen älteren Bruder und eine ältere Schwester, beide waren Ärzte in Nordkalifornien, die ebenfalls sehr angesehen waren und vorrangig ärmere Leute behandelten.

Kein einziger Mensch, mit dem die Profilexperten sprachen, konnte sich Thomas Pierce als Mörder vorstellen. Er war immer ein guter Sohn und Bruder gewesen, ein begabter Student, der einige enge Freunde und keine Feinde zu haben schien.

»Makellos« war das Wort, das mir aus den Berichten der Profilexperten vom FBI entgegensprang. Vielleicht wollte Pierce nicht länger makellos sein.

Ich las noch einmal die Artikel und Zeitungsausschnitte aus der Zeit des grausamen Mords an Isabella. Ich hielt die vielen verwirrenden Hinweise auf Karteikarten fest, und der Stapel wuchs schnell.

Laguna Beach war eine Geschäftsstadt an der Küste. Sie ähnelte in mancher Beziehung Point Pleasant und Bay Head. Hatte Pierce schon einmal in Laguna gemordet? Hatte sich die Seuche jetzt in den Nordosten ausgebreitet?

Pierces Vater war Arzt. Pierce hatte es nicht geschafft, Dr. Pierce zu werden, aber er hatte als Medizinstudent Autopsien durchgeführt. Suchte er nach seiner Menschlichkeit, wenn er mordete? Studierte er Menschen, weil er befürchtete, selbst keine menschlichen Eigenschaften zu besitzen?

Er hatte als Studienanfänger zwei Hauptfächer belegt: Biologie und Philosophie. Er war ein Verehrer des Linguisten Noam Chomsky. Oder waren es Chomskys politische Schriften, die Pierce anregten? Er benutzte seinen Laptop für Wort- und Rechenspiele.

Was war uns allen bisher entgangen?

Was war *mir* entgangen?

Warum brachte Thomas Pierce alle diese Menschen um?

Er war doch »makellos«.

113.

Pierce stahl in der teuren, schrulligen, aber eigentlich recht hübschen Küstenstadt Bay Head, New Jersey, ein waldgrünes BMW-Cabrio. An der Kreuzung von East Avenue und Harris Street, einer Spitzenlage, schloß er das Auto kurz und ließ es so reibungslos mitgehen wie ein Taschendieb unten am Point Pleasant Beach eine Brieftasche. Er konnte das gut, war genaugenommen überqualifiziert für diese Drecksarbeit.

Er fuhr mit mäßiger Geschwindigkeit durch Brick Town nach Westen zum Garden State Parkway und ließ während der ganzen Fahrt Musik laufen: Talking Heads, Alanis Morissette, Melissa Etheridge, Blind Faith. Musik half ihm dabei, Gefühle zu entwickeln. So war es immer gewesen, schon seit er ein Kind war. Eineinviertel Stunden später erreichte er Atlantic City. Er seufzte vor Vergnügen. Er liebte die Stadt sofort, ihre schamlose Protzigkeit, die Schäbigkeit, die lumpige Verdorbenheit, die Seelenlosigkeit des Ortes. Er hatte das Gefühl, »zu Hause« zu sein, und er fragte sich, ob die Genies vom FBI die Küste von Jersey schon mit Laguna Beach in Verbindung gebracht haben mochten.

Als er nach Atlantic City hineinfuhr, rechnete er fast damit, eine wunderschön gepflegte Rasenfläche zu sehen, die zum Ozean hinunter abfiel, Surfer mit wasserstoffblondem, zottigem Haar, rund um die Uhr aktive Volleyballspieler.

Aber nein, er befand sich ja in New Jersey. Südkalifornien, seine eigentliche Heimat, war Tausende von Kilometern weit weg. Er durfte jetzt nichts durcheinanderbringen.

Er checkte im Bally's Park Place ein. Von seinem Zimmer aus fing er sofort an zu telefonieren. Er wollte sich »zum Dienst melden«. Dann stand er an einem Panoramafenster und beobachtete, wie die gewaltigen Atlantikwellen immer wieder an den Strand krachten. Weiter unten am Strand konnte er das Trump Plaza sehen. Die bombastischen, lächerlichen Penthauswohnungen hockten auf dem Hauptgebäude wie zum Abheben bereite Raumfähren.

Ja, meine Damen und Herren, natürlich gibt es ein Muster. Warum nur konnte es niemand entdecken? Warum mußte er immer mißverstanden werden?

Um zwei Uhr morgens schickte Thomas Pierce den Verfolgern eine weitere Nachricht per voice-mail: Inez in Atlantic City.

114.

Der Teufel sollte ihn holen! Nur einen halben Tag nachdem wir die Leiche von Anthony Bruno geborgen hatten, bekamen wir die nächste Nachricht von Pierce. Er hatte schon wieder ein Opfer in seine Gewalt gebracht.

Wir machten uns sofort auf den Weg. Zwei Dutzend Agenten rasten nach Atlantic City und beteten, daß er noch dort war, daß die Frau namens Inez noch nicht von Mr. Smith niedergemetzelt, »studiert« und wie Müll weggeworfen worden war.

Riesige, knallige Werbetafeln säumten den ganzen Atlantic City Expressway. Caesars Atlantic City, Harrah's,

Merv Griffin's Resorts Casino Hotel, Trump's Castle, Trump Taj Mahal. Call 1-800-GAMBLER. Das war wenigstens komisch.

Inez, Atlantic City, hörte ich ständig in meinem Kopf. Klang fast wie Isabella.

Wir richteten uns im FBI-Büro ein, das nur ein paar Blocks von der alten Steel Pier und dem sogenannten »Great Wooden Way« entfernt lag. Normalerweise saßen nur vier Agenten in dem kleinen Büro. Ihr Fachgebiet waren das organisierte Verbrechen und das Glücksspiel, sie galten beim FBI nicht gerade als große Leuchten. Vor allem waren sie nicht vorbereitet auf einen brutalen, unberechenbaren Killer, der früher ein sehr guter Agent gewesen war.

Jemand hatte einen Packen Zeitungen gekauft, die sich jetzt auf dem Konferenztisch stapelten. Für die Schlagzeilenschreiber aus New York, Philadelphia und Jersey war der Fall ein gefundenes Fressen:

AUSSERIRDISCHER KILLER SUCHT JERSEYKÜSTE HEIM

FBI-ASSE IN ATLANTIC CITY

JAGD AUF MR. SMITH: Hunderte von FBI-Agenten an der Küste von New Jersey

MONSTER IN NEW JERSEY AUF FREIEM FUSS!

Auch Sampson war von Washington aus an die Küste gekommen. Er war so versessen darauf, Pierce das Handwerk zu legen, wie wir alle. Kyle, er und ich arbeiteten zusammen, zerbrachen uns den Kopf darüber, was Pierce/Mr. Smith als nächstes tun würde. Auch Sondra Greenberg war wieder dabei. Sie hatte einen gewaltigen Jetlag und Ringe unter den Augen, aber sie kannte Pierce gut und hatte die meisten Mordschauplätze in Europa gesehen.

»Er hat doch nicht etwa eine gespaltene Persönlichkeit?« fragte Sampson. »Smith und Pierce?«

Ich schüttelte den Kopf.

»Er scheint seine Fähigkeiten völlig unter Kontrolle zu haben. Nein, er hat ›Smith‹ zu einem anderen Zweck geschaffen.«

»Ich bin Alex' Meinung«, bestätigte Sondra Greenberg von der anderen Seite des Tisches aus, »aber worin besteht der verdammte Zweck?«

»Worin auch immer, es hat funktioniert«, warf Kyle ein. »Er hat uns dazu gebracht, Mr. Smith um die halbe Welt zu verfolgen. Und wir verfolgen ihn immer noch. Niemand hat je das FBI so hinters Licht geführt.«

»Nicht einmal der große J. Edgar Hoover?« fragte Sondra und zwinkerte.

»Na ja«, milderte Kyle seine Aussage ab, »als reiner Psychopath war Hoover eine Klasse für sich.«

Ich war aufgestanden und lief im Raum auf und ab. Meine Seite schmerzte, aber ich wollte nicht, daß jemand das bemerkte. Sie hätten versucht, mich nach Hause zu schicken, mich gezwungen, das Spektakel zu verpassen. Ich redete einfach drauflos, manchmal kommt dabei was heraus.

»Er versucht, uns etwas zu sagen. Er kommuniziert allerdings auf seltsame Weise. Inez? Der Name erinnert an Isabella. Er ist besessen von Isabella, sie sollten mal die Wohnung in Cambridge sehen. Ist Inez ein Ersatz für Isabella? Ist Atlantic City ein Ersatz für Laguna Beach? Hat er Isabella sozusagen nach Hause gebracht? Aber *warum* sollte er Isabella nach Hause bringen?«

So ging es stundenlang weiter: wilde Vermutungen, freie Assoziationen, Unsicherheit, Angst, unerträgliche Frustration. Soweit ich es beurteilen konnte, wurde den ganzen Tag lang bis spät in die Nacht hinein nichts Nützliches gesagt, aber wer war schon in der Lage, das zu beurteilen.

Pierce versuchte nicht mehr, Kontakt mit uns aufzunehmen, schickte uns keine Nachrichten mehr. Das überraschte uns etwas. Kyle befürchtete, er sei weitergefahren und werde immer wieder weiterreisen, bis er uns völlig um den Verstand gebracht hätte. Sechs von uns blieben während der Nacht bis zum frühen Morgen im Einsatzbüro. Sie schliefen in ihren Kleidern, auf Stühlen, Tischen und auf dem Boden. Ich ging im Büro auf und ab, machte gelegentlich auch ein paar Schritte draußen auf dem glitzernden, vom Nebel eingehüllten Plankenweg. Als letzte verzweifelte Aktion kaufte ich mir eine Tüte Fralinger's Salzwassertoffee, wovon mir übel wurde.

Welchem logischen System folgten seine bizarren Handlungen? Mr. Smith war sein Geschöpf, sein Mr. Hyde. Was für eine Mission hatte Smith? Warum ist er hier? fragte ich mich. Hin und wieder sprach ich laut mit mir selbst, während ich über den fast menschenleeren Plankenweg schlenderte.

Ist Inez Isabella? So einfach konnte es nicht sein, Pierce hätte es uns nicht so einfach gemacht. Inez ist nicht Isabella, denn es gab nur eine Isabella. Weshalb also mordete Pierce immer weiter?

Ich kam zur Kreuzung zwischen Park Place und dem Boardwalk, und das brachte mich schließlich zum Lächeln. Monopoly. Eine andere Art von Spiel? War es das? Ich wanderte zurück zum FBI-Einsatzbüro und schlief ein bißchen, jedoch bei weitem nicht genug. Es waren nur einige Stunden.

Pierce war schließlich hier. Und Mr. Smith auch.

115.

Eine flache, immer noch sandige, immer noch auenhafte Region ... ein grandioser Streifen Ozeanstrand, meilen- und abermeilenweit. Die strahlende Sonne, das glitzernde Wasser, die Schaumkronen der Wellen, die Aussicht, hier und dort in der Ferne ein Segel. Das hatte Walt Whitman vor hundert Jahren über Atlantic City geschrieben. Jetzt standen seine Worte an der Wand eines Pizza- und Hot-Dog-Standes. Es hätte Whitman sicherlich weh getan, die Worte auf einem solchen Hintergrund zu sehen.

Ich machte gegen zehn einen weiteren einsamen Spaziergang auf dem Plankenweg von Atlantic City. Es war Samstag, heiß und sonnig, so daß sich an dem unterspülten Strand schon viele Schwimmer und Sonnenbadende tummelten.

Wir hatten Inez noch immer nicht gefunden. Wir hatten keinen einzigen Anhaltspunkt, wir wußten nicht einmal, wer sie war.

Ich hatte das unbehagliche Gefühl, daß Thomas Pierce uns beobachtete, daß ich vielleicht in der dichten, in der Sonne schmorenden Menge plötzlich auf ihn stoßen würde. Ich hatte meinen Pieper dabei, für den Fall, daß er versuchte, im Einsatzbüro Kontakt mit uns aufzunehmen. Sonst gab es im Moment wenig zu tun. Pierce/Mr. Smith hatte die Kontrolle über die Lage und unser Leben. Ein Wahnsinniger hatte die Macht über den Planeten, jedenfalls wirkte es fast so. Ich blieb in der Nähe des Steeplechase Piers und des Resorts Casino Hotels stehen. Menschen spielten in der Gluthitze in der hohen, wogenden Brandung. Sie schienen sich zu amüsieren und völlig sorglos zu sein.

Eine erstrebenswerte Situation, die mich an Jannie und Damon, meine Familie und Christine erinnerte. Sie wünschten sich, daß ich diese Art von Arbeit aufgab, und ich konnte es ihnen nicht verübeln. Ich wußte jedoch nicht, ob ich mich so einfach von der Polizeiarbeit verabschieden konnte, und fragte mich, warum das wohl so war. Arzt, hilf dir selbst! Vielleicht würde ich es bald einmal tun.

Während ich weiter den Plankenweg entlangging, versuchte ich, mir einzureden, daß alles menschenmögliche getan werde, um Pierce zu fassen. Ich kam an einem Laden von Fralinger's, einem von James Candy und an dem alten Peanut Shop vorbei, wo ein kostümierter Mr. Peanut in der mörderischen Hitze herumwankte.

Der Pieper, der an meiner Hüfte vibrierte, riß mich aus meinen Gedanken. Ich lief zu einer nahen Telefonzelle und meldete mich im Büro. Pierce hatte eine weitere Nachricht hinterlassen. Kyle und Sampson waren bereits auf dem Plankenweg unterwegs. Pierce war angeblich in der Nähe des Steel Piers. Er behauptete, Inez sei bei ihm. Er gab zu verstehen, daß wir sie beide noch retten konnten.

Pierce hatte ausdrücklich von ihnen *beiden* gesprochen.

Ich hätte nicht so rennen dürfen. Meine Seite pulsierte und tat höllisch weh. Ich war noch nie so außer Form gewesen, mein Leben lang nicht, und das gefiel mir überhaupt nicht. Ich hatte mich nie zuvor so verletzlich und vergleichsweise hilflos gefühlt. Plötzlich wurde mir eines klar: Ich hatte tatsächlich Angst vor Pierce und Mr. Smith.

Als ich in die Nähe des Piers kam, war meine Kleidung klatschnaß, und ich atmete schwer. Ich zog mein

Sporthemd aus und lief mit bloßem Oberkörper durch die Menge. Ich schob mich an altmodischen Pendelbussen, verschiedenen moderneren Vehikeln, Tandemfahrrädern und Joggern vorbei. Ich war immer noch verpflastert und bandagiert und muß wie ein Flüchtling aus der hiesigen Notaufnahme ausgesehen haben. Trotzdem war es schwer, an einem Strand wie dem von Atlantic City aufzufallen. Ein Eisverkäufer, der eine Kiste auf der Schulter schleppte, rief laut: »Gönnen Sie Ihrer Zunge eine Schlittenfahrt! Lecker, lecker, was für Schlecker!«

Ob Thomas Pierce uns beobachtete und sich über uns lustig machte? Er konnte der Eisverkäufer sein oder sonst irgend jemand in der aufgewühlten Menge. Ich schirmte meine Augen mit den Händen ab und sah den Strand entlang. Ich entdeckte einige Polizisten und FBI-Agenten, die sich durch die Menge schoben. Am Strand befanden sich mindestens fünfzigtausend Sonnenanbeter. Aus einem der nahen Hotels war schwach das elektronische Klingeln von Spielautomaten zu hören.

Inez. Atlantic City. Verdammt noch mal!

In der Nähe des berühmten Steel Piers war ein Wahnsinniger auf freiem Fuß. Ich hielt Ausschau nach Sampson oder Kyle, aber ich sah sie nicht. Ich suchte angestrengt nach Pierce, nach Inez und nach Mr. Smith. Plötzlich hörte ich eine laute Stimme und blieb unvermittelt stehen. »Hier spricht das FBI.«

116.

Die Stimme dröhnte durch einen Lautsprecher. Vermutlich von einem Hotel aus, vielleicht aber auch über Polizeifunk.

»Hier spricht das FBI«, verkündete Kyle Craig ein zweites Mal. »Etliche unserer Agenten befinden sich gerade am Strand. Bitte unterstützen Sie sie und die Polizei von Atlantic City. Tun Sie alles, worum Sie gebeten werden. Es gibt keinen Grund zur Sorge. Bitte, halten Sie sich an die Anweisungen der Polizei!«

In der riesigen Menge wurde es merkwürdig still. Alle sahen sich um, hielten Ausschau nach dem FBI. Nein, es gab keinen Grund zur Sorge, solange wir Pierce nicht gefunden hatten. Solange wir nicht entdeckten, daß Mr. Smith inmitten all dieser Leute am Strand jemanden operierte. Ich bahnte mir den Weg zu dem bekannten Vergnügungspier, wo ich als Junge das berühmte tauchende Pferd gesehen hatte. Die Menschen standen in der flachen Brandung und schauten zum Strand. Die Szene erinnerte mich an den Film *Der weiße Hai.*

Thomas Pierce hatte hier die Macht.

Ein schwarzer Bell Jet Ranger schwebte keine siebzig Meter über der Küste. Ein zweiter Hubschrauber kam von Nordosten her in Sicht. Er flog nahe an den ersten heran und drehte dann ab in Richtung des Taj-Mahal-Hotelkomplexes. In den Hubschraubern konnte ich Scharfschützen ausmachen. Auch Pierce würde sie sehen können und auch die Menschen am Strand. Mir war klar, daß in den nahen Hotels FBI-Schützen postiert waren. Auch Pierce würde das bewußt sein. Pierce war vom FBI, er kannte jeden unserer Schritte. Das war sein Vorteil, und er machte ihn sich gegen uns zunutze. Er würde gewinnen.

In der Nähe des Piers war Unruhe entstanden. Menschen schoben sich nach vorn, um etwas zu sehen, während andere panikartig davonliefen. Ich setzte mich in Bewegung. Der Lärm der Menge am Strand schwoll langsam wieder an. Ein Kassettenrecorder spielte En Vogue. Ein Geruch nach Zuckerwatte, Bier und Hot Dogs hing in der Luft. Ich rannte auf den Steel Pier zu, mußte dabei wieder an das tauchende Pferd und die Elefantin Lucy aus Margate denken – aus besseren Zeiten, die lange zurücklagen.

Vor mir entdeckte ich Sampson und Kyle, die sich über etwas beugten. O Gott, nein! Inez, Atlantic City! Mein Puls raste unkontrolliert. Das sah nicht gut aus.

Ein dunkelhaariger weiblicher Teenager schluchzte an der Brust eines älteren Mannes. Andere gafften die Leiche an, die linkisch in Strandlaken eingewickelt worden war. Ich konnte mir nicht vorstellen, wie sie hierhergekommen war, aber sie lag dort.

Inez, Atlantic City. Es mußte Inez sein.

Die ermordete Frau hatte langes, blondiertes Haar und sah aus, als sei sie Anfang Zwanzig. Es war nur noch schwer zu beurteilen, denn ihre Haut war lila und wächsern, die Augen waren eingefallen, weil sie an Flüssigkeit verloren hatten, und ihre Lippen und Nagelbetten waren blaß. Pierce hatte auch Inez operiert: Die Rippen und die Knorpel fehlten, so daß ihre Lungen, ihre Speise- und Luftröhre und ihr Herz bloßlagen.

Inez klang fast wie Isabella. Er hatte Inez zwar nicht das Herz herausgeschnitten, doch ihre Eierstöcke und Eileiter waren sauber neben der Leiche arrangiert. Sie erinnerten an ein Paar Ohrringe und ein Halsband.

Plötzlich deuteten einige der Strandbesucher aufgeregt auf den Himmel über dem Ozean. Ich drehte mich um, um nach oben zu sehen, und hielt mir zum Schutz gegen die Sonne eine Hand vor die Augen. Ein Propellerflugzeug flog träge von Norden her an der Küste entlang. Es war eines von diesen Flugzeugen, die für Werbesprüche gemietet werden konnten. Die meisten Sprüche auf den zwölf Meter langen Transparenten warben für Hotels, Bars, Restaurants und Casinos in der Gegend. Hinter dem brummenden Flugzeug, das jetzt immer näher kam, flatterte ein Transparent. Ich konnte nicht fassen, was ich las. Es war die nächste Nachricht:

Für diesmal ist Mr. Smith verschwunden. Winkt mir zum Abschied.

117.

Früh am nächsten Morgen reiste ich wieder nach Hause. Ich mußte die Kinder sehen, im eigenen Bett schlafen, weit weg sein von Thomas Pierce und seinem monströsen Geschöpf Mr. Smith.

Es hatte sich herausgestellt, daß Inez Hosteß bei einem örtlichen Begleitservice gewesen war. Pierce hatte sie auf sein Zimmer im Bally's Park Place bestellt. Ich glaubte allmählich, daß Pierce nur noch seinen Opfern gegenüber Intimität empfinden konnte. Doch was trieb ihn dazu, diese grausigen Morde zu begehen? Warum Inez? Warum an der Küste von Jersey?

Ich mußte für ein paar Tage entkommen, wenigstens für einige Stunden, wenn sich nicht mehr herausschlagen ließ. Immerhin war uns kein neuer Name genannt worden, kein neuer Ort, an den wir eilen mußten.

Ich hatte Christine noch von Atlantic City aus angerufen und gefragt, ob sie an diesem Abend mit mir und meiner Familie essen wolle. Sie sagte zu und meinte dann noch, sie würde schon mal die Freudenglocken läuten. Das klang unglaublich gut in meinen Ohren. Die beste Arznei, die ich mir vorstellen konnte – gegen alle meine Beschwerden gleichzeitig. Ich hatte den Klang ihrer Stimme auf dem ganzen Heimweg nach Washington im Kopf.

Damon, Jannie und ich verbrachten einen hektischen Vormittag mit der Vorbereitung des Festessens, kauften im Citronella und im Giant ein.

Ich hatte Pierce/Mr. Smith fast aus meinem Kopf verdrängt, aber ich hatte beim Einkaufen trotzdem meine Glock in einem Halfter um den Knöchel geschnallt. Im Giant flitzte Damon voraus, um Cola und Tortillachips zu holen. So hatten Jannie und ich Gelegenheit zum Reden. Ich wußte, daß sie auf einen Schwatz brannte, ich spüre das. Diesmal konnte ich es kaum erwarten zu hören, was sie auf dem Herzen hatte.

Jannie war dafür zuständig, den Einkaufswagen zu schieben. Der Metallgriff des Wagens befand sich etwa auf ihrer Augenhöhe. Sie betrachtete konzentriert die ungeheure Vielfalt von Frühstücksflocken, sah sich nach den günstigsten Angeboten um. Nana Mama hatte sie in der hohen Kunst des Einkaufens unterrichtet, und sie kann bereits das meiste im Kopf ausrechnen und vergleichen.

»Sprich mit mir«, eröffnete ich das Match. »Meine Zeit gehört dir, Daddy ist zu Hause.«

»Ja, *heute* mal.«

Sie ließ den Ball direkt an meinem Ohr vorbeisausen, stieß mich mit einem hohen, harten Wurf von der Ausgangsbase zurück.

»Es ist nicht einfach, grün zu sein«, sagte ich.

Es war ein alter Lieblingsspruch von uns, den wir dem Frosch Kermit zu verdanken hatten. Heute tat sie ihn achselzuckend ab, es gab keinerlei Entgegenkommen. Sie wollte es mir nicht leichtmachen.

»Du und Damon – seid ihr böse auf mich?« fragte ich, so sanft ich konnte. »Sag mir die Wahrheit, meine Kleine.«

Sie wurde ein bißchen zugänglicher.

»Oh, eigentlich nicht, Daddy. Du tust ja dein Bestes«, sagte sie und schaute endlich in meine Richtung. »Du gibst dir Mühe. Es ist bloß so schwer, wenn du nicht zu Hause bist, dann vermisse ich dich. Es ist nicht schön, wenn du weg bist.«

Ich schüttelte den Kopf, lächelte und wunderte mich darüber, was alles in ihrem Kopf herumging.

»Findest du meinen Plan für heute abend okay?« fragte ich vorsichtig.

»Oh, absolut.« Plötzlich strahlte sie. »Das ist überhaupt kein Problem. Ich finde es toll, wenn wir zum Abendessen Besuch bekommen.«

»Und Damon? Was sagt er dazu, daß Christine heute abend kommt?« fragte ich meine engste Vertraute.

»Er hat ein bißchen Angst, weil sie die Rektorin unserer Schule ist. Aber er ist auch cool. Du kennst ja Damon, ein echter Mann.«

Ich nickte.

»Er ist wirklich cool.«

»Mußt du ihn noch weiter verfolgen, diesen scheußlichen Mr. Smith?« fragte Jannie mich schließlich. »Ja, ich glaube, du mußt es«, beantwortete sie die Frage selbst.

Ich wiederholte ihren Satz von vorhin.

»Ich tue mein Bestes.«

Jannie stellte sich auf die Zehenspitzen. Ich beugte mich zu ihr hinunter, und sie küßte mich auf die Wange, gab mir einen dicken Schmatz, wie sie ihre Küsse nannte.

»Du bist mein Honigkuchenpferd«, sagte sie.

Es war ein Lieblingsausdruck von Nana, den sie übernommen hatte.

»Buh!« Damon schaute um die Ecke des Ganges. Sein Kopf war von einer Menge roter, weißer und blauer Pepsiflaschen und Coladosen umrahmt. Ich zog Damon an mich und küßte auch ihn auf die Wange, küßte ihn auf den Kopf, hielt ihn so in den Armen, wie ich mir vor langer Zeit gewünscht hatte, von meinem Vater umarmt zu werden. Wir boten ein tolles Schauspiel in dem Gang des Supermarkts. Ein wirklich gigantisches Schauspiel.

Ich liebte die beiden, und das war der Grund für ein ständiges Dilemma. Die Glock an meinem Knöchel wog eine Tonne und fühlte sich so heiß an wie Feuer. In diesem Moment wollte ich sie am liebsten abschnallen und nie wieder tragen. Ich wußte jedoch, daß ich es nicht tun würde. Thomas Pierce war immer noch irgendwo dort draußen und Mr. Smith und einige andere auch. Aus irgendeinem Grund hatte ich das Gefühl, es sei meine Aufgabe, sie alle zu verscheuchen, die Welt etwas sicherer zu machen.

»Erde an Daddy«, sagte Jannie. Sie runzelte leicht die Stirn. »Siehst du? Du warst in Gedanken schon wieder weit weg. Du warst bei Mr. Smith, nicht wahr?«

118.

Christine kann dich retten. Falls es *irgend jemand* kann, falls es überhaupt möglich ist, daß du an diesem Punkt deines Lebens gerettet wirst.

Gegen halb sieben an jenem Abend fuhr ich zu ihrer Wohnung. Ich hatte ihr gesagt, daß ich sie in Mitchellville abholen würde. Meine verletzte Seite schmerzte wieder, und ich fühlte mich wie ein Stück schadhafte Ware, aber diese Fahrt wollte ich mir um keinen Preis entgehen lassen.

Sie kam in einem mandarinengelben Sommerkleid und Espandrilles mit Keilabsatz an die Wohnungstür und sah sogar noch eine Spur besser als großartig aus. Sie trug eine Haarspange mit winzigen Silberglöckchen, Christine läutete wirklich die Freudenglocken.

»Glocken.«

Ich lächelte.

»Siehst du! Du hast geglaubt, ich mache Witze.«

Ich nahm sie auf der Vordertreppe in die Arme, umgeben von blühenden roten und weißen Oleandern und Kletterrosen. Ich preßte Christine eng an mich, und wir küßten uns. Ich verging in diesem Kuß ihres schönen, weichen Mundes, in ihren Armen. Meine Hände wanderten zu ihrem Gesicht, strichen leicht über ihre Wangenknochen, ihre Nase, ihre Lider.

Die plötzliche Intimität war überwältigend. So gut und so schön. Das hatte mir seit langer Zeit gefehlt. Ich machte die Augen auf und sah, daß sie mich anschaute. »Ich liebe es, wie du mich in den Armen hältst, Alex«, flüsterte sie, aber ihre Augen sagten viel mehr. »Ich liebe deine Berührung.«

Wir gingen ins Haus, küßten uns wieder.

»Haben wir noch Zeit?«

Sie lachte.

»Pst. Nur Verrückte hätten keine Zeit. Und wir sind nicht verrückt.«

»Natürlich sind wir das.«

Das mandarinengelbe Sommerkleid fiel zu Boden. Ich mag, wie Shantung sich anfühlt, aber Christines nackte Haut fühlte sich noch besser an. Sie hatte sich mit Shalimar parfümiert, und auch das gefiel mir.

Sie half mir beim Öffnen ihres Spitzen-BHs, und wir ließen auch das passende Höschen nach unten gleiten, zwei Händepaare gemeinsam bei der Arbeit. Schließlich waren wir beide nackt, Christine trug nur noch das schöne Band mit einem Feueropal um ihren Hals. Mir kam ein Gedicht in den Sinn, etwas Zauberhaftes über die Nacktheit von Liebenden mit einem Hauch von Schmuck zur Betonung. Baudelaire? Ich biß sanft in ihre Schulter, und sie erwiderte den Biß. Ich war so hart, daß es weh tat, aber der Schmerz war köstlich, er hatte eine eigene, pure Kraft. Ich liebte diese Frau so sehr, und sie erregte mich mit jedem Zentimeter ihres Körpers.

»Weißt du«, flüsterte ich, »du machst mich ein bißchen verrückt.«

»Oh. Nur ein bißchen?«

Ich ließ meine Lippen nach unten wandern, über ihre Brüste, ihren Bauch. Ich küßte sie zwischen den Beinen, und sie rief leise meinen Namen. Ich drang in sie ein, während wir an der cremefarbenen Wohnzimmerwand standen, während sich unsere Körper an die Wand preßten.

»Ich liebe dich«, flüsterte ich.

»Ich liebe dich auch, Alex.«

Sie war stark, sanft und anmutig, alles auf einmal. Wir tanzten, aber nicht im metaphorischen Sinn. Wir tanzten wirklich. Ich liebte den Klang ihrer Stimme, den leisen Ruf, das Lied, das sie sang, wenn sie so bei mir war. Dann sang ich auch. Ich hatte die Stimme wiedergefunden, zum ersten Mal seit vielen Jahren. Ich weiß nicht, wie lange wir so verharrten. Die Zeit hatte keine Bedeutung in diesem Moment. Etwas daran war unendlich, und gleichzeitig war es real und ganz und gar gegenwärtig.

Christine und ich waren schweißnaß. Der wilde Ritt am Anfang hatte sich in einen langsameren Rhythmus verwandelt, der noch intensiver war. Ich wußte, daß das Leben ohne diese Art von Leidenschaft kein richtiges Leben war. Ich bewegte mich kaum in ihr. Sie wurde fester um mich herum, und ich hatte das Gefühl, ich könnte jeden Zentimeter ihres Körpers spüren. Ich tauchte tiefer ein und fühlte Christine überall um mich herum. Wir schoben uns ineinander, versuchten, uns noch näherzukommen, erschauerten, kamen uns immer noch näher.

Christine kam zum Höhepunkt, dann kamen wir noch einmal beide gemeinsam. Wir tanzten und sangen. Ich fühlte, wie ich in Christine schmolz, und wir flüsterten beide: »Ja, ja, ja!« Hier konnte uns niemand etwas anhaben, nicht einmal Thomas Pierce, niemand.

»Hey, habe ich dir schon gesagt, daß ich dich liebe?«

»Ja, aber sag's mir noch mal.«

119.

Kinder sind so verdammt viel schlauer, als wir es ihnen normalerweise zutrauen. Kinder wissen über fast alles Bescheid, und oft wissen sie es sogar vor uns.

»Ihr kommt zu spät! Habt ihr eine Reifenpanne gehabt, oder habt ihr bloß geknutscht?« wollte Jannie wissen, als wir zur Haustür hereinkamen.

Sie kann unerhörte Sachen sagen und kommt immer damit durch. Sie weiß das und treibt es bei jeder Gelegenheit, die sie bekommt, auf die Spitze.

»Wir haben geknutscht«, sagte ich. »Zufrieden?«

»Ja.« Jannie lächelte. »Ehrlich gesagt, ihr kommt nicht mal zu spät. Ihr seid pünktlich, perfektes Timing!«

Das Abendessen mit Nana und den Kindern war absolut kein Abstieg. Es war schön und lustig, es bedeutete für mich, zu Hause zu sein. Wir faßten alle mit an, deckten den Tisch, trugen das Essen auf und aßen dann mit großem Appetit Schwertfischsteaks, Pariser Kartoffeln, Sommererbsen und Buttermilchkekse. Alles kam heiß auf den Tisch, fachgerecht zubereitet von Nana, Jannie und Damon. Als Dessert tischte Nana ihre weltberühmte Zitronensahnetorte auf. Sie hatte sie eigens für Christine gebacken. Ich glaube, das einfache und doch so bedeutende Wort, nach dem ich für die Beschreibung dieser Szene suche, lautet »Freude«.

Sie war rings um den Eßtisch spürbar. Ich konnte sie in den strahlenden und lebhaften Augen von Nana, Damon und Jannie entdecken. Ich sah sie in Christines Augen. Ich beobachtete sie beim Abendessen, und mir kam der Gedanke, daß sie bestimmt in Washington eine Berühmtheit hätte werden können. Aber sie hatte sich entschieden, Lehrerin zu werden, und das liebte ich an ihr.

Wir tischten Geschichten auf, die seit Jahren in der Familie kursieren und bei solchen Gelegenheiten immer wieder erzählt werden. Nana war den ganzen Abend lang lebhaft und witzig und gab uns einen guten Rat für das Alter: »Wenn du dich an etwas nicht erinnern kannst, vergiß es.«

Später spielte ich Klavier und sang Rhythm-and-Blues-Songs. Jannie tanzte den Cakewalk zu einer verjazzten Version von »Blueberry Hill«. Sogar Nana tanzte Jitterbug.

»Ich kann wirklich nicht tanzen, hab's nie gekonnt«, protestierte sie zwar, doch es ging bestens.

Ein kurzer Moment, ein Bild ragt in meiner Erinnerung an jenen Abend heraus, und ich bin mir sicher, daß es mir im Bewußtsein bleiben wird, bis ich sterbe. Es war, kurz nachdem wir zu Ende gegessen hatten und in der Küche saubermachten. Ich spülte das Geschirr, doch als ich nach einem neuen Teller griff, hielt ich in der Bewegung kurz inne und erstarrte für einen Augenblick. Jannie und Christine umarmten sich, und die beiden waren zusammen einfach ein wunderschöner Anblick. Ich hatte keine Ahnung, wie es dazu gekommen war, aber sie lachten, und es war natürlich und real. Mit seltener Klarheit begriff ich, wie sehr Jannie und Damon die Mutter fehlte.

Freude – das ist das Wort. So einfach auszusprechen und im Leben manchmal so schwer zu finden.

Am nächsten Morgen mußte ich wieder an die Arbeit. Ich war schließlich immer noch der Drachentöter.

120.

Ich zog mich zum Nachdenken zurück, damit ich in aller Ruhe meiner Besessenheit von Thomas Pierce und Mr. Smith frönen konnte.

Später sprach ich mit Kyle Craig über meine Ideen mögliche Schachzüge von Pierce betreffend und über Vorsichtsmaßnahmen, die gegebenenfalls ergriffen werden sollten. Agenten wurden beauftragt, Pierces Wohnung in Cambridge zu beobachten. Andere Agenten hatten ihren Stützpunkt vor dem Haus seiner Eltern außerhalb von Laguna Beach und einige sogar am Grab von Isabella Calais.

Pierce hatte Isabella Calais leidenschaftlich geliebt, sie war für ihn die Einzige gewesen. Isabella und Thomas Pierce. Das war der Schlüssel, Pierces besessene Liebe zu ihr. Er litt unter unerträglichen Schuldgefühlen. Falls meine Hypothese richtig war, welche Anhaltspunkte für ein Muster fehlten uns dann?

In Quantico versuchte ein Team aus Profilerstellern des FBI, das Problem auf dem Papier zu lösen. Sie alle hatten in der Einheit für Verhaltenswissenschaft eng mit Pierce zusammengearbeitet. Absolut nichts aus Pierces Vergangenheit stimmte überein mit den Persönlichkeitsstrukturen der psychopathischen Mörder, mit denen sie sich bisher befaßt hatten. Pierce war nie mißhandelt worden, weder körperlich noch sexuell, in seiner Vergangenheit hatte es keinerlei Gewalt gegeben, jedenfalls nicht, soweit wir wußten. Es hatte keine Vorwarnung gegeben, keinen Hinweis auf Wahnsinn, keinerlei Anzeichen – bis er explodierte wie eine Rakete. Er war ein Original. Es hatte bisher kein Ungeheuer gegeben, das ihm auch nur annähernd ähnlich war, es gab keine Präzedenzfälle.

Thomas Pierce hat tiefe Liebe empfunden. Ich liebte auch. Was würde es bedeuten, den einzigen Menschen auf der Welt zu ermorden, den man liebte?

121.

Ich brachte keinerlei Mitgefühl für Pierce auf, nicht einmal ein Quentchen an klinischer Empathie. Ich verabscheute ihn und seine grausamen, kaltblütigen Morde mehr als alle anderen Killer, die ich zur Strecke gebracht hatte, sogar noch mehr als Soneji. Kyle Craig und Sampson empfanden genauso, und das galt fast für das ganze FBI, besonders für die Leute in der Einheit für Verhaltenswissenschaft. Jetzt gerieten *wir* langsam in einen Zustand der Wut, wir waren besessen davon, Pierce das Handwerk zu legen. Würde er sich das zunutze machen, um uns um den Verstand zu bringen?

Am folgenden Tag arbeitete ich wieder zu Hause. Ich schloß mich mit meinem Computer, mehreren Büchern und meinen Tatortnotizblöcken ein. Ich unterbrach die Arbeit nur, um Damon und Jannie zu Fuß zur Schule zu begleiten und dann kurz mit Nana zu frühstücken. Ich hatte den Mund voll mit pochierten Eiern und Toast, als sie sich über den Küchentisch beugte und eine ihrer berühmten Attacken aus dem Hinterhalt auf mich eröffnete.

»Gehe ich recht in der Annahme, daß du über deinen Mordfall nicht mit mir sprechen willst?« fragte sie.

»Ich würde lieber über das Wetter reden oder irgend etwas anderes. Dein Garten ist wunderschön, und deine Frisur ist super.«

»Wir mögen Christine alle sehr gern, Alex. Sie hat uns schwer beeindruckt. Falls du das wissen willst und nur vergessen hast, danach zu fragen. Sie ist das Beste, was dir seit Maria widerfahren ist. Was willst du unternehmen? Was hast du für Pläne?«

Ich verdrehte die Augen, aber ich mußte über Nanas Angriff lächeln.

»Als erstes werde ich das köstliche Frühstück aufessen, das du zubereitet hast. Dann habe ich oben noch eine heikle Arbeit zu erledigen. Wie klingt das?«

»Du darfst sie nicht verlieren, Alex. Laß das nicht zu.« Nanas Rat war gleichzeitig eine Warnung. »Aber du hörst ja sowieso nicht auf eine klapprige alte Frau. Was weiß ich schon? Ich koche hier nur und mache sauber.«

»Und du redest«, sagte ich mit vollem Mund. »Vergiß das Reden nicht, alte Frau.«

»Das ist nicht bloß Gerede, Sonnyboy. Hin und wieder ist es eine ziemlich vernünftige psychologische Analyse, manchmal eine nötige Aufmunterung und fachliche Beratung.«

»Ich habe einen Plan«, sagte ich und ließ es dabei bewenden.

»Dann sorg auch dafür, daß es ein Plan ist, der gelingt.« Nana hatte wie immer das letzte Wort. »Alex, wenn du sie verlierst, wirst du nie darüber hinwegkommen.«

Der Spaziergang mit den Kindern und das Gespräch mit Nana hatten mich wiederbelebt. Ich fühlte mich fit und hellwach, während ich den Rest des Vormittags an meinem alten Schreibtisch arbeitete. Ich hatte damit begonnen, Notizen und Ergebnisse an den Schlafzimmerwänden aufzuhängen, dazu die ersten neuen Theorien über Thomas Pierce. Die Zettel hatten die Macht übernommen. Das Zimmer sah aus, als wüßte ich, was ich tat, aber im Gegensatz zur allgemeinen Meinung ist der äußere Anschein fast immer trügerisch. Ich hatte Hunderte von Anhaltspunkten und dennoch keinen einzigen schlüssigen Ansatz.

Ich erinnerte mich an etwas, das Mr. Smith in einer seiner Nachrichten an Pierce geschrieben hatte, die von Pierce dann an das FBI weitergereicht worden waren. *Der Gott in uns macht die Gesetze und kann die Gesetze ändern. Und Gott ist in uns.*

Die Worte waren mir bekannt vorgekommen, und schließlich spürte ich die Quelle auf. Das Zitat stammte von Joseph Campbell, dem amerikanischen Mythologen und Brauchtumsforscher, der in Harvard gelehrt hatte, als Pierce dort Student gewesen war. Ich versuchte, aus verschiedenen Blickwinkeln auf das Puzzle zu schauen. Zwei Punkte interessierten mich besonders.

Erstens war Pierce neugierig auf Sprache. Er hatte anfangs in Harvard Linguistik studiert und bewunderte Noam Chomsky. Was bedeuteten ihm also Sprache und Wörter?

Zweitens war Pierce extrem gut organisiert. Er hatte jedoch den falschen Eindruck verbreitet, Mr. Smith sei schlecht organisiert. Er hatte das FBI und Interpol absichtlich in die Irre geführt.

Pierce hatte von Anfang an Anhaltspunkte hinterlassen, einige waren eindeutig. Er wollte gefaßt werden. Warum hörte er also nicht auf?

Mord. Strafe. Bestrafte Thomas Pierce sich selbst oder alle anderen? Im Moment stand nur fest, daß er *mich* höllisch bestrafte, vielleicht hatte ich es ja verdient.

Gegen drei machte ich einen Spaziergang und holte Damon und Jannie in der Sojourner-Truth-Schule ab, nicht etwa weil sie jemanden gebraucht hätten, der sie nach Hause brachte. Sie fehlten mir nur furchtbar. Ich mußte sie sehen, je eher, desto besser. Außerdem tat mir der Kopf weh, und ich wollte aus dem Haus, weg von all meinen Problemen. Auf dem Schulhof sah ich Christine. Sie war umringt von kleinen Kindern. Sie sah glücklich aus, und ich merkte, daß die Kinder liebend gern in ihrer Nähe waren. Welcher Mensch, der alle seine Sinne beisammenhatte, wäre nicht gern in ihrer Nähe gewesen? Es sah völlig natürlich aus, wie sie in einem marineblauen klassischen Kostüm ein Springseil schwang. Sie lächelte, als sie mich über den Schulhof näher kommen sah, und mir wurde warm ums Herz, und nicht nur ums Herz.

»Schaut mal, wer da durch die frische Luft spaziert kommt«, sagte sie.

»Als ich in der High School war«, sagte ich zu ihr, während sie weiter das rosa Springseil schwang, »hatte ich eine Freundin an der John Carroll. Während der ganzen ersten Jahre.«

»Hmmm. Nettes katholisches Mädchen? Weiße Bluse, karierter Rock, zweifarbige Lederschuhe?«

»Sie war sehr nett. Übrigens ist sie jetzt Botanikerin. Ich bin immer den ganzen Weg zur South Carolina Avenue gegangen, bloß für den Fall, daß ich Jeanne nach der Schule kurz zu sehen bekomme. Sie war meine Flamme.«

»Das muß an den zweifarbigen Lederschuhen gelegen haben. Willst du mir übrigens damit sagen, daß du wieder eine Flamme hast?«

Christine lachte. Die Kinder konnten uns zwar nicht richtig verstehen, aber sie lachten trotzdem mit.

»Mehr als das. Ich stehe in Flammen.«

»Das ist gut«, sagte sie, schwang das Seil und lächelte die Kinder an, »denn ich stehe auch in Flammen. Und wenn dieser Fall vorbei ist, Alex ...«

»Alles, was du willst. Du mußt es nur sagen.«

Ihre Augen strahlten.

»Ein Wochenende weit weg von allem. Vielleicht in einem Landgasthof, aber mir ist alles recht, was weit weg ist.«

Ich wollte Christine gern in die Arme nehmen, wollte sie küssen, aber auf dem überfüllten Schulhof kam das nicht in Frage.

»Abgemacht«, sagte ich. »Versprochen.«

»Ich nehme dich beim Wort. Gut, daß du in Flammen stehst. Wir werden es an unserem Wochenende testen.«

122.

Als ich wieder zu Hause war, arbeitete ich bis zum Abendessen weiter am Fall Pierce. Ich aß mit Nana und den Kindern schnell einen Hamburger mit Sommerkürbis und wurde wieder einmal heftig ausgeschimpft, weil ich unheilbar arbeitssüchtig sei und keinerlei Reue zeige. Nana schnitt mir noch ein Stück Torte ab, dann zog ich mich wieder in mein Zimmer zurück, satt, aber zutiefst unbefriedigt.

Ich konnte nicht anders, ich machte mir große Sorgen. Vielleicht hatte Pierce bereits das nächste Opfer in seine Gewalt gebracht. Möglicherweise führte er heute nacht abermals eine »Autopsie« durch, es konnte jederzeit eine Nachricht von ihm kommen.

Ich las nochmals die Notizen, die ich an die Schlafzimmerwand gepinnt hatte. Ich hatte das Gefühl, die Antwort liege direkt hier vor mir, und das trieb mich zum Wahnsinn. Menschenleben waren in Gefahr.

Er hatte das Herz von Isabella Calais »gepierct«.

Seine Wohnung in Cambridge war ein zwanghafter Schrein zu ihrem Gedächtnis.

Er war »nach Hause« zurückgekehrt, als er nach Point Pleasant Beach fuhr. Die Chance, ihn zu kriegen, war vorhanden – wenn wir schlau genug waren, wenn wir so gut waren wie er.

Was war uns entgangen, dem FBI und mir?

Ich jonglierte weiter mit den diversen Anhaltspunkten.

Er »piercte« seine Opfer immer. Ich fragte mich, ob er impotent war oder es geworden war, seit er keine sexuelle Beziehung mehr zu Isabella haben konnte.

Mr. Smith operierte wie ein Arzt – Pierce wäre fast Arzt geworden. Sein Vater und auch seine Geschwister waren Ärzte. *Er* hatte es nicht geschafft.

Ich ging zeitig zu Bett, gegen elf, konnte aber nicht schlafen. Zumindest hatte ich versucht abzuschalten. Schließlich rief ich Christine an, und wir redeten etwa eine Stunde lang miteinander. Doch selbst während ich ihrer Stimme lauschte, mußte ich wider Willen an Pierce und Isabella Calais denken. Pierce hatte sie geliebt. Was würde geschehen, wenn ich Christine jetzt verlöre? Was war Pierce nach dem Mord widerfahren? Hatte er den Verstand verloren?

Sobald ich aufgelegt hatte, machte ich mich doch wieder an die Arbeit. Ich überlegte, ob sein Muster etwas mit Homers *Odyssee* zu tun haben könnte. Er kehrte nach einer Reihe von Tragödien und Mißgeschicken heim? Nein, das war es nicht. Was zum Teufel war der Schlüssel zu seinem Code? Wenn er uns alle zum Wahnsinn treiben wollte, so gelang ihm das prächtig.

Ich spielte mit den Namen der Opfer, begann mit Isabella und hörte mit Inez auf. Schloß sich der Kreis vom I zum I? Kreis? Kreise? Ich schaute auf die Schreibtischuhr, es war fast halb zwei Uhr morgens, aber ich blieb dran.

Ich schrieb *I.*

I. Gab das etwas her? Es konnte ein Anfang sein. *I* für ich? Ich versuchte ein paar Kombinationen mit den Buchstaben der Namen.

I-S-U ...

C-A-D ...

I-A-D ...

Nach den nächsten drei Buchstaben hielt ich inne: *IMU.* Ich starrte wie gebannt darauf, erinnerte mich an »gepierct«, die Eindeutigkeit seines ersten Hinweises. Ein ganz simples Wortspiel.

Isabella, Michaela, Ursula. Das waren die Namen der ersten drei Opfer der Reihe nach. Herrgott noch mal!

Ich betrachtete die Namen aller Opfer in der Reihenfolge der Morde, den ersten und zweiten Vornamen und den Nachnamen. Ich begann, die Namen zu verschieben. Mein Herz hämmerte. Irgend etwas Bedeutsames war daran. Pierce hatte uns noch einen Anhaltspunkt hinterlassen, genauer gesagt, eine Reihe von Anhaltspunkten. Wir hatten es die ganze Zeit vor Augen gehabt. Niemand hatte es begriffen, weil Smiths Verbrechen kein Muster zu haben schienen. Aber diese Theorie hatte schließlich Pierce aufgestellt.

Ich schrieb weiter, notierte entweder den ersten Vornamen, den zweiten oder den Nachnamen der Opfer. Es fing mit IMU an. Dann *R* für Robert, *D* für Dwyer. Gab es ein verstecktes Muster für die Namenswahl? Es konnte eine arithmetische Reihe sein.

Pierce/Smith hatte also doch ein Muster. Seine Mission hatte in der allerersten Nacht in Cambridge, Massachusetts, begonnen. Er war geisteskrank, aber ich hatte sein Muster schließlich doch noch entdeckt. Es hing mit seiner Liebe zu Wortspielen zusammen.

Anfangs wollte Thomas Pierce gefaßt werden! Aber dann hatte sich irgend etwas verändert, und er war sich hinsichtlich seiner Festnahme nicht mehr so sicher gewesen. Warum? Ich schaute mir an, was ich zusammengestellt hatte. »Scheißkerl«, murmelte ich. »Das ist ja unglaublich, es ist ein Ritual!«

I Isabella Calais
M Stephanie Michaela Apt
U Ursula Davies
R Robert Michael Neel
D Brigid Dwyer
E Mary Ellen Klauk
R Robin Anne Schwarz
E Clark Daniel Ebel
D David Hale
I Isadore Morris
S Theresa Anne Secrest
A Elizabeth Allison Gragnano
B Barbara Maddalena
E Edwin Mueller
L Laurie Garnier
L Lewis Lavine
A Andrew Klauk
C Inspector Drew Cabot
A Dr. Abel Sante
L Simon Lewis Conklin

A Anthony Bruno
I Inez Marquez
S ?

I murdered Isabella Calais. Ich habe Isabella Calais ermordet.

Er hatte es uns so einfach gemacht, hatte uns von Anfang an verhöhnt. Pierce wollte zur Strecke gebracht, wollte erwischt werden. Warum zum Teufel hatte er also nicht einfach aufgehört? Warum war die Kette brutaler Morde nicht abgerissen?

I murdered Isabella Calais.

Die Morde waren sein Geständnis, und vermutlich war Pierce fast am Ende. Was würde dann geschehen? Und wer war *S?*

War es Smith selbst? Stand *S* für Smith? Würde er Smith vielleicht symbolisch ermorden? Und würde Mr. Smith dann für immer verschwinden?

Ich rief erst Kyle Craig und dann Sampson an und erzählte ihnen, was ich herausgefunden hatte. Es war kurz nach zwei Uhr morgens, und beide freuten sich nicht übermäßig, meine Stimme zu hören. Sie wußten nicht, was sie mit dem Wortspiel anfangen sollten.

»Ich bin mir nicht sicher, was wir damit in der Hand haben«, sagte Kyle, »was es beweist, Alex.«

»Ich weiß es auch nicht. Noch nicht. Es sagt uns aber zumindest, daß er jemanden umbringen wird, dessen Name mit S beginnt.«

»George Steinbrenner«, murmelte Kyle, »Strom Thormond, Sting.«

»Geh wieder schlafen«, antwortete ich.

In meinem Kopf drehte sich alles. An Schlaf war nicht mehr zu denken. Ich rechnete fast damit, eine weitere Nachricht von Pierce zu bekommen, vielleicht schon heute nacht. Er verspottete uns, das hatte er von Anfang an getan. Ich wollte ihm eine Nachricht zukommen lassen. Vielleicht sollte ich mit Hilfe der Presse oder des Fernsehens Kontakt mit Pierce aufnehmen? Wir mußten aus der Defensive heraus und statt dessen angreifen.

Ich lag in der Dunkelheit meines Schlafzimmers. Stand das S tatsächlich für Mr. Smith? Mein Kopf schmerzte, und ich war mehr als erschöpft. Schließlich geriet ich in eine Art Dämmerzustand, der langsam in Schlaf überging – und dann wurde ich plötzlich wieder herausgerissen.

Ich setzte mich mit einem Ruck im Bett auf und war mit einem Schlag hellwach.

»*S* steht nicht für Smith!«

Ich wußte, wer das S war.

123.

Thomas Pierce war in Concord, Massachusetts. Auch Mr. Smith war dort. Und ich verstand endlich sein Denken und Handeln.

Sampson und ich standen in einer hübschen, idyllischen Nebenstraße in der Nähe des Hauses von Dr. Martin Straw, der Mann, der Isabellas Liebhaber gewesen war. Martin Straw war das S in dem Puzzle. Das FBI hatte Pierce im Haus eine Falle gestellt. Dieses Mal wurde keine riesige Agententruppe eingesetzt, denn sie befürchteten, Pierce dadurch einen Hinweis zu geben. Kyle Craig wollte auch möglichst keine Schußwaffen sehen, und er hatte allen Grund dazu. Vielleicht wurde hier auch noch etwas ganz anderes gespielt.

Wir warteten fast den ganzen Morgen und den frühen Nachmittag. Concord war eine selbständige, etwas enge Stadt, die in Würde zu altern schien. Irgendwo in der Nähe standen die Häuser von Thoreau und Louisa May Alcott. Jedes zweite Haus war mit einer Plakette mit einem historisch relevanten Datum darauf versehen.

Wir warteten auf Pierce, warteten Stunde um Stunde. Die Zeit schleppte sich so endlos hin wie in *Zwölf Uhr mittags*. Vielleicht hatte ich mich geirrt, was das S betraf.

Schließlich hörten wir eine Stimme aus dem Funkgerät in unserem Auto. Es war Kyle.

»Wir haben Pierce gesehen. Er ist hier. Aber irgend etwas stimmt nicht, er fährt zurück zur Route Two«, sagte Kyle, »nicht zu Dr. Straw. Er hat etwas gesehen, das ihm nicht gefallen hat.«

Sampson sah mich an.

»Ich habe dir ja gesagt, daß er vorsichtig ist, er hat gute Instinkte. Er *ist* ein gottverfluchter Marsmensch, Alex.«

»Er hat etwas gemerkt«, sagte ich. »Er ist tatsächlich so gut, wie Kyle immer behauptet hat. Er weiß, wie das FBI arbeitet, und er hat etwas entdeckt.«

Kyle und sein Team hatten gewollt, daß Pierce in Straws Haus eindrang, bevor sie ihn zur Strecke brachten. Dr. Straw, seine Frau und seine Kinder waren zuvor weggebracht worden. Wir brauchten solide Beweise gegen Pierce, und zwar so viele, wie wir nur bekommen konnten. Ohne handfeste Beweise gegen Thomas Pierce würden wir womöglich vor Gericht verlieren. Und wir konnten eindeutig noch verlieren.

Eine Nachricht kam knackend über die Kurzwelle.

»Er fährt weiter Richtung Route Two. Irgend etwas war ihm nicht geheuer. Er ist auf der Flucht!«

»Er hat einen Kurzwellensender! Er hört uns ab!« Ich

packte das Mikrophon und warnte Kyle. »Keine Gespräche mehr über Funk. Pierce hört mit, so hat er uns bemerkt.«

Ich ließ den Motor an und brachte die Limousine auf Touren, fuhr auf der stark belebten Lowell Road hundert. Wir waren der Route Two näher als die anderen, vielleicht konnten wir Pierce noch den Weg abschneiden. Ein glänzender silberner BMW fuhr aus der entgegengesetzten Richtung an uns vorüber. Die Fahrerin drückte auf die Hupe, als wir vorbeirasten, und ich konnte es ihr keineswegs verübeln. Hundert war auf dieser schmalen Kleinstadtstraße eine höchstgefährliche Geschwindigkeit. Durch die Laune eines Irren geriet wieder alles außer Kontrolle.

»Da ist er!« schrie Sampson.

Pierces Auto steuerte auf die Stadtmitte von Concord zu, dorthin, wo der Verkehr am dichtesten war. Auch er fuhr viel zu schnell. Wir rasten an im Kolonialstil gebauten Häusern vorbei, dann an einigen Nobelläden und näherten uns schließlich dem Monument Square. Ich erhaschte flüchtige Blicke auf das Rathaus, Concord Inn, die Masons Hall, dann auf einen Wegweiser zur Route 62 und auf einen weiteren zur Route Two. Unsere Limousine raste über die Kleinstadtstraßen an einem Auto nach dem anderen vorbei, um uns herum kreischten Bremsen. Einige Autofahrer hupten, mit Recht wütend und erschrocken angesichts der Autojagd.

Sampson und ich hielten den Atem an. Wir fuhren innerhalb des Stadtgebiets über hundertzehn.

Doch wir schafften es, heil aus der Innenstadt herauszukommen, fuhren über die Walden Street und die Main Street zurück auf die Lowell Road Richtung Highway. Ich bog scharf auf die Route Two ab und hätte fast die Kontrolle über das Auto verloren, hielt das Gaspedal jetzt ganz durchgedrückt. Dies war unsere beste Chance, Thomas Pierce zu erwischen, vielleicht unsere letzte. Und Pierce dort vor uns wußte das auch.

Ich fuhr jetzt auf der Route Two über hundertvierzig, überholte Autos, als ständen sie still. Pierces Thunderbird hatte um die hundertdreißig drauf. Er hatte uns schon zu Beginn der Verfolgungsjagd bemerkt.

»Jetzt kriegen wir den bescheuerten Scheißkerl!« brüllte Sampson. »Pierce ist dran!«

Wir gerieten in ein tiefes Schlagloch und kamen einen Moment lang von der Straße ab. Die Wunde in meiner Seite brannte höllisch, der Kopf tat mir weh, und Sampson brüllte weiter in mein Ohr, Pierce sei dran. Ich konnte seinen dunklen Thunderbird vor uns sehen, er schlingerte. Nur noch zwei Autolängen trennten uns voneinander.

Er ist ein Planer, warnte ich mich. Er hat gewußt, daß so etwas passieren kann.

Schließlich holte ich Pierce ein und brachte unseren Wagen an seine Seite, beide Autos fuhren etwa hundertvierzig. Pierce schaute kurz zu uns herüber. Ich war in einer seltsam gehobenen Stimmung, Adrenalin durchströmte meinen Körper. Vielleicht hatten wir ihn jetzt. Sekundenlang war ich so von Sinnen wie Pierce.

Pierce salutierte mit der rechten Hand.

»Dr. Cross«, schrie er durch das offene Fenster, »endlich lernen wir uns kennen!«

124.

Ich weiß Bescheid über die FBI-Sanktion!« schrie Pierce über das Pfeifen und Tosen des Fahrtwinds hinweg. Er sah gelassen und gefaßt aus, schien die Realität nicht mehr wahrzunehmen.

»Legen Sie los, Cross. Ich will, daß *Sie* es tun. Knallen Sie mich ab, Cross!«

»Es gibt keinen Hinrichtungsbefehl«, schrie ich zurück. »Fahren Sie an den Straßenrand! Niemand wird Sie erschießen.«

Pierce grinste, zeigte uns sein schönstes Killerlächeln. Sein blondes Haar war zu einem Pferdeschwanz zusammengebunden. Er trug einen schwarzen Rollkragenpullover und sah erfolgreich aus wie ein hiesiger Anwalt, Ladenbesitzer, Arzt. »Doc.«

»Warum ist wohl Ihrer Meinung nach das FBI mit einer so kleinen Truppe angerückt?« schrie er. »Lynchjustiz! Fragen Sie Ihren Freund Kyle Craig. Deshalb wollten sie, daß ich in Straws Haus gehe!«

Sprach ich mit Thomas Pierce? Oder war es Mr. Smith? Gab es überhaupt noch einen Unterschied?

Er warf den Kopf zurück und brüllte vor Lachen. Ich hatte selten so etwas Merkwürdiges und Verrücktes gesehen. Sein Gesichtsausdruck, seine Körpersprache, seine Ruhe. Er forderte uns auf, ihn bei einer Stundengeschwindigkeit von hundertvierzig auf der Route Two außerhalb von Concord, Massachusetts, zu erschießen. Er wollte mit einem Knall zur Hölle fahren.

Wir gelangten auf ein Highwaystück mit dichten Tannenwäldern auf beiden Seiten. Zwei Einsatzwagen des FBI holten uns ein, klebten am Heck von Thomas Pierces Auto, hetzten, verhöhnten ihn. War das FBI tatsächlich mit der Absicht hierhergekommen, Pierce umzubringen?

Falls sie ihn umlegen wollten, war das hier ein guter Ort: ein abgelegenes Straßenstück, keine Häuser ringsum und nur wenig Verkehr.

Genau der richtige Ort, um Thomas Pierce zu liquidieren. Es war an der Zeit.

»Du weißt, was wir zu tun haben«, sagte Sampson zu mir.

Soweit wir wissen, hat er über zwanzig Menschen ermordet, dachte ich und führte mir die Bedeutung dieser Tatsache vor Augen. Er wird niemals aufgeben.

»Halten Sie am Straßenrand!« rief ich Pierce nochmals zu.

»Ich habe Isabella Calais ermordet«, schrie er zurück. Sein Gesicht war scharlachrot. »Und jetzt kann ich nicht mehr aufhören. Ich will nicht mehr aufhören, denn es macht mir Spaß. Ich habe herausgefunden, daß es mir Spaß macht, Cross!«

»Verdammt noch mal, halten Sie an!« dröhnte Sampsons Stimme.

Er hatte schnell seine Glock gezogen und zielte auf Pierce.

»Du Schlächter! Du Scheißhaufen!«

»Ich habe Isabella Calais ermordet und kann mit dem Morden nicht aufhören! Verstehen Sie, was ich sage, Cross? Ich habe Isabella Calais ermordet und kann mit dem Morden nicht aufhören!«

Ich verstand die Nachricht, bei der mir das Blut in meinen Adern gefror. Ich hatte sie schon beim ersten Mal begriffen. Pierce fügte seiner Opferliste weitere Buchstaben hinzu, er erfand einen neuen, etwas längeren Code: *Ich habe Isabella Calais ermordet und kann mit dem Morden nicht aufhören.* Wenn er uns entkam, würde er immer wieder Menschen töten. Vielleicht war Thomas Pierce irgendwie doch nicht menschlich. Er hatte bereits durchblicken lassen, daß er sein eigener Gott sei.

Pierce hatte jetzt eine Automatik gezogen und schoß auf uns. Ich riß das Lenkrad heftig nach links, versuchte verzweifelt, uns aus der Schußlinie zu bringen. Unser Auto kippte schwer auf die linken Räder. Alles verschwand vor meinen Augen. Sampson packte das Lenkrad. Ein quälender Schmerz durchschoß mein Handgelenk, und ich glaubte, wir wären erledigt.

Pierces Thunderbird fuhr von der Route Two ab in eine Nebenstraße. Ich weiß nicht, wie er bei dieser Geschwindigkeit abbiegen konnte. Vielleicht war es ihm egal, ob er es schaffte.

Unsere Limousine setzte wieder auf allen vier Rädern auf. Die FBI-Agenten, die Pierce verfolgten, rasten an der Abbiegung vorbei. Niemand von uns konnte so schnell anhalten. Dann folgte eine Art Ballett aus schlingerndem Anhalten und Kehrtwendungen, dem Quietschen und Kreischen von Reifen und Bremsen. Wir hatten Pierce aus den Augen verloren.

Wir rasten zu der Abbiegung zurück, dann eine kurvige, enge Landstraße entlang. Schließlich fanden wir den dunklen Thunderbird, den er etwa drei Kilometer von der Route Two entfernt stehengelassen hatte. Mein Herz hämmerte laut in meiner Brust – Pierce war nicht mehr im Auto. Er hatte es verlassen.

Die dichten Wälder zu beiden Seiten der Straße boten eine Menge Deckung. Sampson und ich stiegen aus, wir rannten mit gezogenen Glocks in das Dickicht aus Tannen. Doch es war fast unmöglich, das Unterholz zu durchqueren. Nirgends ein Zeichen von Pierce.

Pierce war verschwunden.

125.

Thomas Pierce hatte sich wieder in Luft aufgelöst. Langsam war ich wirklich davon überzeugt, daß er in einer anderen Welt lebte, vielleicht war er tatsächlich ein Außerirdischer.

Sampson und ich waren unterwegs zum Logan International Airport. Wir wollten nach Hause, zurück nach Washington. Doch der Rush-hour-Verkehr in Boston war gegen uns. Wir befanden uns noch achthundert Meter vom Callahan Tunnel entfernt, steckten in einer Schlange fest, die sich kaum vorwärts bewegte. Hupende und dröhnende Autos und Lastwagen umringten uns. Boston machte unserem Fehlschlag eine lange Nase.

»Typisch für unseren Fall, für die ganze gottverfluchte Jagd auf Pierce«, kommentierte Sampson das Verkehrschaos und den Stau. Eine gute Eigenschaft von ihm ist, daß, wenn eine Situation wirklich unangenehm wird, er entweder stoisch oder witzig reagiert. Er weigert sich, in der Scheiße zu baden.

»Ich habe eine Idee«, warnte ich ihn vor.

»Und ich habe gewußt, daß du gedanklich mal wieder irgendwo in deinem Privatuniversum herumfliegst, daß du nicht wirklich hier bist, mit mir im Auto sitzt und zuhörst, was ich sage.«

»Wenn wir nichts unternehmen, bleiben wir lediglich hier im Tunnelstau stecken.«

Sampson nickte.

»Mhm. Wir sind jetzt noch in Boston. Ich habe keine Lust, morgen wieder herzukommen und dann einer deiner Vermutungen nachzugehen. Machen wir's lieber gleich. Jagen wir die Phantome, solange die Spur noch frisch ist.«

Ich scherte aus dem Verkehrsstau aus.

»Mir fällt nur ein Phantom ein, auf das wir Jagd machen könnten.«

»Hast du vor, mir zu sagen, wohin wir fahren? Muß ich die kugelsichere Weste wieder anziehen?«

»Hängt ganz davon ab, was du von meiner Idee hältst.«

Ich folgte den grünen Schildern Richtung Storrow Drive, fuhr auf derselben Straße aus Boston hinaus, auf der wir hineingefahren waren. Auch in dieser Richtung herrschte starker Verkehr. Wie überall waren auch hier zuviele Menschen, zuviel Gedrängel und zuviel Chaos.

»Zieh die Weste lieber wieder an«, sagte ich zu Sampson.

Er erhob keine Einwände, sondern langte auf den Rücksitz und angelte nach unseren Westen.

Ich schlängelte mich während des Fahrens in meine.

»Ich glaube, Thomas Pierce will das alles zum Ende bringen. Ich denke, er ist inzwischen dazu bereit. Ich habe es in seinen Augen gesehen.«

»Na und? Er hat in Concord seine Chance gehabt. ›Fahren Sie an den Straßenrand! Halten Sie an, Pierce!‹ Kannst du dich noch daran erinnern? Kommt dir das vielleicht bekannt vor, Alex?«

Ich warf Sampson einen raschen Blick zu.

»Er braucht es, daß er die Kontrolle hat. *S* stand für

Straw, aber S steht außerdem für Smith. Er hat es sich so ausgedacht, John. Er weiß, wie er es zu Ende bringen wird, er hat es schon immer gewußt. Es ist wichtig für ihn, daß *er* die Sache zu Ende bringt.«

Aus dem Augenwinkel sah ich, daß Sampson mich anstarrte. »Und jetzt? Was zum Teufel soll das heißen? Weißt *du,* wie es zu Ende geht?«

»Er muß mit einem *S* enden. Das hat etwas Magisches für ihn. So hat er es geplant, so muß es sein. Es ist sein Psychospiel, und er ist davon besessen, er kann nicht damit aufhören. Das hat er uns gesagt. Er spielt immer noch.«

Sampson hatte damit deutliche Schwierigkeiten. Vor einer Stunde waren wir knapp daran gescheitert, Pierce zu fassen. Und nun sollte Pierce sich noch einmal einem solchen Risiko aussetzen?

»Du glaubst, er ist so verrückt?«

»Ich bin mir sicher, daß er so verrückt ist, John. Ich bin mir dessen hundertprozentig sicher.«

126.

Ein halbes Dutzend Streifenwagen hatte sich in der Inman Street in Cambridge versammelt. Die blauweißen Polizeiautos standen vor dem Haus, in dem Thomas Pierce und Isabella Calais früher gewohnt hatten und in dem Isabella vor vier Jahren ermordet worden war.

Rettungswagen parkten neben der Vordertreppe aus grauem Stein, Sirenen blökten und heulten. Wenn wir nicht vor dem Callahan Tunnel kehrtgemacht hätten, wäre uns das entgangen. Sampson und ich zeigten unsere Polizeimarken und gingen eilig weiter. Niemand hielt uns auf, wir hätten uns auch nicht aufhalten lassen.

Pierce war oben. Mr. Smith ebenfalls. Der Kreis hatte sich geschlossen.

»Jemand hat anonym gemeldet, daß hier ein Mord geschehen soll«, teilte uns einer der Uniformierten aus Cambridge auf der Vordertreppe mit. »Ich habe gehört, daß sie den Kerl oben eingekesselt haben, der soll total bescheuert sein.«

»Wir kennen ihn«, sagte Sampson.

Sampson und ich machten uns auf den Weg zur Treppe in den ersten Stock.

»Glaubst du, daß Pierce diesen ganzen Rummel selbst ausgelöst hat?« fragte Sampson, als wir die Stufen hinaufrannten.

Ich war längst darüber hinaus, keine Luft mehr zu bekommen, war darüber hinaus, Gefühle wie Schmerz, Schock oder Überraschung zu empfinden. So wollte er es also zu Ende bringen.

Ich wurde nicht schlau aus Thomas Pierce. Er hatte mich betäubt, genau wie alle anderen auch. Ich wurde ständig zwischen Gedanken hin- und hergerissen. Es hatte noch nie einen Killer wie Pierce gegeben, nicht einmal annähernd. Er war das am wenigsten menschliche Wesen, dem ich je begegnet war. Doch er war keine fremde Lebensform, sondern *entfremdet*.

»Bist du noch da, Alex?«

Ich spürte, wie Sampsons Hand mich an der Schulter packte.

»Entschuldigung«, sagte ich. »Am Anfang habe ich geglaubt, Pierce könne nichts empfinden, sei ein weiterer Psychopath, wie wir sie zur Genüge kennen: kalte Wut, willkürliche Morde.«

»Und jetzt?«

Ich konnte jetzt denken wie Pierce.

»Jetzt frage ich mich, ob Pierce vielleicht *alles* empfindet. Ich glaube, daß ihn das zum Wahnsinn getrieben hat: Dieser Mörder kann fühlen.«

Überall im Flur standen Polizisten. Die hiesigen Cops wirkten überrascht und unsicher. Isabella starrte sie von den Fotos an. Sie war schön, wirkte fast königlich und tieftraurig.

»Willkommen in der wilden, durchgeknallten Welt von Thomas Pierce«, sagte Sampson.

Ein Detective aus Cambridge mit silberblondem Haar und einem alterslosen, scharf geschnittenen Gesicht erläuterte uns die Lage. Er sprach in leisem, vertraulichem Ton, fast flüsternd.

»Pierce ist im Schlafzimmer am Ende des Ganges. Er hat sich dort verbarrikadiert.«

»In Isabellas und seinem gemeinsamen Schlafzimmer«, sagte ich.

Der Detective nickte.

»Stimmt. Ich habe an dem allerersten Mordfall mitgearbeitet. Ich hasse das Arschloch. Ich habe gesehen, was er mit ihr gemacht hat.«

»Was tut er im Schlafzimmer?« fragte ich.

Der Detective zuckte die Achseln.

»Wir vermuten, daß er sich umbringen will. Er macht sich nicht die Mühe, uns kleinen Fischen etwas zu erklären. Er hat eine Schußwaffe. Die Verantwortlichen überlegen gerade, ob wir das Schlafzimmer stürmen sollen.«

»Hat er jemanden verletzt?« meldete sich Sampson zu Wort.

Der Detective aus Cambridge schüttelte den Kopf.

»Nein, nicht daß wir wüßten. Noch nicht.«

Sampson kniff die Augen zusammen.

»Dann sollten wir uns vielleicht lieber nicht einmischen.«

Wir traten in den schmalen Flur. Am anderen Ende standen mehrere Detectives, die miteinander sprachen. Zwei von ihnen diskutierten aufgeregt und gestikulierten heftig Richtung Schlafzimmer. So wollte er es haben. Er war immer noch am Drücker.

»Ich bin Alex Cross«, sagte ich zu dem Detective-Lieutenant vor Ort. Er wußte, wer ich war. »Was hat er bis jetzt gesagt?«

Der Lieutenant schwitzte. Er war ein Boxertyp, aber ungefähr dreißig Pfund schwerer als sein ideales Kampfgewicht.

»Er hat uns gesagt, daß er Isabella Calais umgebracht hat, hat den Mord gestanden. Ich glaube, daß wußten Sie schon. Er hat gesagt, er will sich umbringen.«

Er rieb sich mit der linken Hand das Kinn.

»Wir versuchen, uns darüber klarzuwerden, ob uns das interessiert. Das FBI ist unterwegs.«

Ich wandte mich abrupt von dem Lieutenant ab.

»Pierce!« rief ich den Gang entlang.

Das Gerede vor dem Schlafzimmer verstummte auf einen Schlag.

»Pierce! Ich bin's, Alex Cross«, rief ich wieder. »Ich möchte reinkommen, Pierce!«

Mir wurde eiskalt, es war zu still. Kein Geräusch war zu vernehmen. Doch dann hörte ich seine Stimme, sie klang müde und schwach. Vielleicht verstellte er sich jedoch nur. Wer wußte schon, was er als nächstes anstellen würde?

»Kommen Sie rein, wenn Sie wollen. Nur Sie, Cross.«

»Laß ihn«, zischte Sampson aufgeregt hinter mir. »Alex, bitte halt dich ausnahmsweise mal raus.«

Ich wandte mich ihm zu.

»Wenn ich das nur könnte.«

Ich schob mich durch die Gruppe von Polizisten am Ende des Flurs und sah wieder das Plakat, das dort hing: *Ohne Gott sind wir zur Freiheit verurteilt.* Ging es darum?

Ich zog meine Pistole und machte langsam die Schlafzimmertür auf. Aber ich war nicht vorbereitet auf das, was ich sah.

Thomas Pierce lag ausgestreckt auf dem großen Bett, das er einst mit Isabella Calais geteilt hatte. Er hielt ein schimmerndes, rasiermesserscharfes Skalpell in seiner Hand.

127.

Thomas Pierces Brust war aufgeschnitten. Er hatte sich selbst aufgeschlitzt, wie er es mit einer Leiche bei einer Autopsie getan hätte. Er war noch am Leben, aber er war kurz vor dem Ende. Es war unglaublich, daß er überhaupt bei Bewußtsein war.

Pierce sprach mit mir. Ich weiß nicht, wie es ihm gelang, aber er tat es.

»Haben Sie die Arbeitsweise von Mr. Smith noch nie gesehen?«

Ich schüttelte ungläubig den Kopf. Ich hatte noch nie dergleichen gesehen, in meinen ganzen Jahren in der Abteilung für Gewaltverbrechen und auch bei der Mordkommission nicht. Hautlappen hingen über Pierces Rippen, entblößten durchsichtige Muskeln und Sehnen. Ich hatte Angst, war abgestoßen, schockiert – alles gleichzeitig.

Thomas Pierce war das nächste Opfer von Mr. Smith. Sein letztes?

»Kommen Sie nicht näher. Bleiben Sie, wo Sie sind!« sagte er. Es war ein Befehl.

»Mit wem spreche ich? Mit Thomas Pierce oder mit Mr. Smith?«

»Treiben Sie keine Seelenklempner-Spielchen mit mir! Ich bin schlauer als Sie.«

Ich nickte. Wozu sollte ich Pierce – oder war es Mr. Smith? – noch widersprechen?

»Ich habe Isabella Calais ermordet«, sagte er langsam.

Seine Augen verschleierten sich. Er sah aus wie in Trance.

»Ich habe Isabella Calais ermordet.«

Er preßte das Skalpell an seine Brust, bereit, auf sich einzustechen, sich zu *piercen*. Ich wollte mich abwenden, konnte es aber nicht. Der Mann wollte sich das eigene Herz herausschneiden! Der Kreis hatte sich tatsächlich geschlossen. Mr. Smith war das *S*.

»Sie haben Isabellas Sachen nie weggeschafft«, sagte ich, »und Sie haben ihre Bilder hängenlassen.«

Pierce nickte.

»Ja, Dr. Cross. Ich habe um sie getrauert.«

»Das habe ich zunächst auch geglaubt, genau wie die Leute von der Einheit für Verhaltenswissenschaft in Quantico. Aber dann habe ich es schließlich begriffen.«

»Was haben Sie begriffen? Bitte erzählen Sie mir alles über mich.«

Pierce verspottete mich. Er war völlig klar im Kopf, sein Verstand arbeitete noch immer.

»Die anderen Morde – Sie wollten diese Menschen eigentlich gar nicht umbringen.«

Thomas Pierce funkelte mich böse an. Mit einer unheimlichen Willenskraft konzentrierte er seinen Blick auf mich. Seine Arroganz erinnerte mich an Soneji.

»Und warum habe ich es dann getan?«

»Sie haben sich bestraft. Jeder Mord war eine Neuauflage von Isabellas Tod. Sie haben das Ritual immer aufs neue wiederholt. Jedesmal, wenn Sie jemanden ermordeten, haben Sie ihren Tod erneut durchlitten.«

Thomas Pierce stöhnte.

»Ohhh, ich habe sie hier ermordet. In diesem Bett! Können Sie sich das vorstellen? Natürlich nicht, niemand kann das.«

Er hob das Skalpell über seinen Körper.

»Pierce, nein!«

Ich mußte etwas unternehmen. Ich stürzte mich auf ihn, warf mich auf ihn, und das Skalpell fuhr in meine rechte Handfläche. Ich schrie vor Schmerz auf, als Pierce es herauszog. Ich packte den zusammengefalteten gelb und weiß geblümten Bettüberwurf und preßte ihn gegen Pierces Brust. Er wehrte sich, schlug um sich, als hätte er einen Anfall.

»Alex, nein! Alex, paß auf!« hörte ich Sampson hinter mir rufen.

Ich konnte ihn aus dem Augenwinkel sehen. Er kam schnell auf das Bett zu.

»Alex, das Skalpell!« schrie er.

Pierce wehrte sich noch immer unter mir. Er schrie

Obszönitäten, und seine Kraft war fast unmenschlich. Ich wußte nicht, wo das Skalpell war, ob er es überhaupt noch hatte.

»Lassen Sie doch zu, daß Mr. Smith Pierce umbringt!« kreischte er schrill.

»Nein!« schrie ich zurück. »Ich will Sie lebendig!«

Dann das Unaussprechliche – wieder einmal mußte es geschehen. Sampson schoß aus nächster Nähe, und die Explosion in dem kleinen Schlafzimmer war ohrenbetäubend. Thomas Pierces Körper zuckte zusammen, beide Beine stießen hoch in die Luft. Er brüllte wie ein schwerverletztes Tier. Er klang unmenschlich – wie ein Außerirdischer.

Sampson schoß ein zweites Mal. Ein merkwürdiger, gutturaler Laut drang aus Pierces Kehle. Seine Augen verdrehten sich, und das Weiße wurde sichtbar. Das Skalpell fiel ihm aus der Hand.

Ich schüttelte heftig den Kopf.

»Hör auf, John, es reicht. Pierce ist tot. Mr. Smith ist auch tot. Möge er in der Hölle ruhen!«

Epilog

Wieder zu Hause. Zu Hause.

128.

Alle Gefühle in mir waren versiegt. Ich war nur leicht verletzt und wieder einmal bandagiert, aber wenigstens kam ich heil nach Hause und sogar rechtzeitig, um den Kindern gute Nacht zu sagen. Damon und Jannie hatten jetzt eigene Zimmer. Sie wollten es beide so. Nana Mama hatte Jannie ihr Zimmer im ersten Stock überlassen und war in das kleinere Schlafzimmer neben der Küche umgezogen, was ihr bestens paßte.

Ich war froh, hier zu sein, wieder zu Hause zu sein.

»Hier hat jemand umgeräumt«, sagte ich, als ich einen Blick in Jannies neue Behausung warf.

Sie war überrascht, daß ich aus dem Krieg nach Hause gekommen war, und ihr Gesicht hellte sich auf.

»Das habe ich selbst gemacht.«

Jannie spannte die Arme an und ließ für mich die Muskeln spielen.

»Nana hat mir aber geholfen, die neuen Vorhänge aufzuhängen. Wir haben sie auf der Maschine genäht. Gefällt's dir?«

»Es könnte nicht schöner sein. Und ich habe wieder mal den ganzen Spaß verpaßt«, sagte ich.

»Stimmt«, sagte Jannie und lachte. »Komm her«, fügte sie dann hinzu.

Ich ging hinüber zu meinem kleinen Mädchen, und sie bedachte mich mit der wahrscheinlich liebevollsten Umarmung in der langen Geschichte von Vätern und Töchtern. Ich fühlte mich in ihren Armen absolut sicher.

Dann ging ich in Damons Zimmer, und weil es über eine lange Zeit hinweg das gemeinsame Zimmer von

Damon und Jannie gewesen war, war ich angesichts der Veränderung überrascht. Damon hatte sich sportlich eingerichtet und außerdem Bilder aus Monster- und Comedyfilmen aufgehängt – männlich und doch gefühlvoll. Mir gefiel, was er aus seinem Zimmer gemacht hatte, es war typisch für Damon.

»Du mußt mir unbedingt bei *meinem* Zimmer helfen«, sagte ich zu ihm.

»Uns hat heute abend die Boxstunde gefehlt«, sagte er, nicht vorwurfsvoll, sondern rein der Statistik halber.

Wir begnügten uns damit, in seinem Bett einen kleinen Ringkampf zu veranstalten, aber ich mußte zusätzlich noch einer Doppel-Boxstunde im Keller am nächsten Abend zustimmen. Ehrlich gesagt konnte ich es kaum erwarten. Damon wurde zu schnell groß. Das galt auch für Jannie. Ich hätte mit beiden nicht glücklicher sein können.

Ich hatte Glück gehabt. Ich war wieder zu Hause.

129.

Ich wollte versuchen, mein Leben anders zu leben, aber es ist schwer, alte Gewohnheiten zu ändern. Ich erinnerte mich mal wieder an meinen Lieblingsspruch: Das Herz regiert den Verstand.

Auch daran arbeitete ich, besonders heute abend.

Christine wohnte immer noch draußen in Mitchellville, aber nicht mehr in ihrem alten Haus. Sie hatte beschlossen, daß es nach der Ermordung ihres Mannes zu schmerzlich für sie sei, dort wohnen zu bleiben. Sie war in eine Eigentumswohnung umgezogen und hatte sie sehr hübsch eingerichtet.

Ich bog vom John Hanson Highway ab, und nach ein paar Blocks sah ich schon ihr Verandalicht. Ich hielt an und blieb bei laufendem Motor in der Dunkelheit sitzen.

Das Verandalicht und eine Lampe im Wohnzimmer brannten, aber die restliche Wohnung war finster. Ich schaute auf meine Uhr, es war fast Viertel vor elf. Ich hätte vorher anrufen sollen.

Schließlich stieg ich aus meinem alten Porsche, ging zur Wohnungstür und klingelte. Ich fühlte mich im grellen Licht der Veranda sehr verletzlich.

Das Herz regiert den Verstand.

Christine brauchte lange, bis sie an die Tür kam, und ich fing bereits an, mir Sorgen zu machen. Das war eine der alten schlechten Gewohnheiten, der Drachentöter schläft nie. Ich hatte meine Glock dabei, weil ich nach dem Gesetz dazu verpflichtet bin. Die Nachtluft roch nach Blumen. Der Duft erinnerte mich an ein Parfüm, das Christine manchmal benutzte, Gardenia Passion, und das ich scherzhaft »Gardenia-Hinterhalt« nannte. Ich wollte gerade ein zweites Mal klingeln, als die Tür plötzlich aufging.

»Was für eine angenehme Überraschung!« sagte Christine und strahlte mich an. Ihre braunen Augen wanderten zu meinem Verband.

»Was ist mit deiner Hand passiert?«

Ich zuckte die Achseln.

»Gar nichts, wirklich, bloß ein kleiner Kratzer.«

»Würde nicht mal reichen, dich auch nur blinzeln zu lassen, stimmt's?«

Ich lachte.

»Das ist vermutlich wahr.«

Christine trug verschossene Jeans und ein schlichtes weißes T-Shirt, das sie in der Taille verknotet hatte, ihre Füße waren nackt. Ihr Anblick haute mich immer wieder um, und jedesmal, wenn ich sie sah, wurde mir ein bißchen schwindlig.

»Geht es dir wirklich gut, Alex? Ich war draußen im Garten. Mir ging gerade durch den Kopf, daß du womöglich aus Boston zurück bist. Jetzt habe ich auch schon Vorahnungen, genau wie du.«

Ich nahm Christine in die Arme, und plötzlich war alles gut. Ich fühlte mich wieder ganz, ich fühlte mich verbunden mit allen guten Dingen dieser Erde. Mir hatte dieses Gefühl in vielen Jahren meines Lebens gefehlt.

»Das hat auch zu meiner Vorahnung gehört«, flüsterte sie. »Ich habe dich mit meiner Willenskraft hierhergeholt, Alex. Ich habe dich mit Willenskraft in meine Arme geholt.«

Wir küßten uns, drängten uns aneinander, und es kam mir vor, als würden wir miteinander verschmelzen. Ich liebte es, wenn ihr Mund meinen berührte, liebte es, ihren Körper zu fühlen, fand es einfach unglaublich, wie gut wir zueinander paßten. Wir waren beide starke Charaktere und konnten doch sanft miteinander umgehen. Ich glaube leidenschaftlich an Seelenverwandtschaft, ich habe wohl immer daran geglaubt. Jemanden zu lieben ist das Beste, was es im Leben gibt. Es hatte mir gefehlt, und endlich war ich wieder dazu fähig.

»Dieses Mal hast du mir zu sehr gefehlt«, flüsterte ich an ihrer weichen Wange.

»Du hast mir auch gefehlt«, sagte sie, »deshalb konnte ich nicht schlafen. Ich habe gewußt, daß du kommst.«

Sie ist die Richtige, dachte ich. Ich hatte nicht den geringsten Zweifel daran.

Das Herz regiert den Verstand.

Ich nahm ihr Gesicht behutsam in meine Hände, sie war so kostbar für mich.

»Ich liebe dich mehr, als ich je etwas in meinem Leben geliebt habe. Ich liebe dich so sehr. Bitte heirate mich, Christine.«

"Seien Sie vorsichtig mit Ihren Wünschen. Sie könnten in Erfüllung gehen."

Die bildhübsche LuAnn lebt mit ihrem Töchterchen Lisa und ihrem nichtsnutzigen Lebensgefährten in einem heruntergekommenen Wohnwagen. Gefangen im Teufelskreis der Hoffnungslosigkeit, schlägt sie sich mit Gelegenheitsjobs durch – bis sie ein mysteriöses Angebot erhält: Ein Mann namens Jackson bietet ihr an, sie zur Hauptgewinnerin in der staatlichen Lotterie zu machen. Einzige Bedingung: Sie müsse genau das tun, was er ihr sage, und dürfe sich niemandem anvertrauen. LuAnn akzeptiert – und gewinnt. Aber dann erkennt sie, daß das Spiel mit dem Glück in Wirklichkeit tödlicher Ernst ist ...

"Vergessen Sie Grisham. Die neue Antwort auf Thriller-Fragen heißt Baldacci."

Frankfurter Rundschau

ISBN 3-404-14348-5

BASTEI
LÜBBE

Tagsüber verkauft Harper Cole von seiner abgelegenen Farm aus Waren via Internet. Nachts hingegen arbeitet er als System-Operator für den exklusiven E.R.O.S.-Online-Dienst, zu dessen Kunden sowohl Hollywood-Stars als auch New Yorker Intellektuelle zählen. Unter der Zusicherung absoluter Anonymität plaudern diese Online-Benutzer im Internet ihre geheimen Wünsche und Obsessionen aus. Nur ein kleiner Kreis von Informatikern, zu denen auch Cole gehört, ist befähigt, die einzelnen Bekenntnisse den jeweiligen Personen zuzuordnen.

Als plötzlich sechs weibliche E.R.O.S.-Kunden jeden Kontakt abbrechen, ahnt Cole, daß irgend etwas nicht in Ordnung sein kann. Und als schließlich eine berühmte Schriftstellerin und E.R.O.S.-Kundin enthauptet in ihrer Wohnung aufgefunden wird, bricht Cole seine Schweigepflicht und wendet sich an die Polizei. Die Ermittlungen ergeben, daß auch die anderen sechs Frauen auf brutale Weise ermordet worden sind. Cole, der für die Polizei zum Hauptverdächtigen wird, macht sich auf eigene Faust auf die Suche nach dem Serienmörder.

ISBN 3-404-14235-7

BASTEI
LÜBBE

»Thomas Giffords bestes Buch.« (DAILY NEWS)

1940: Hitlers Armeen überrennen Europa und Nordafrika. Der britische Premierminister Winston Churchill setzt alles auf eine Karte. Er startet ein geheimes Kommandounternehmen und erteilt den möglicherweise kriegsentscheidenden Auftrag, den deutschen Generalfeldmarschall Erwin Rommel zu töten.

Max Hood, Mitarbeiter des britischen Nachrichtendienstes, soll die gefährliche Mission leiten. Unterstützung erfährt er vor allem von seinem langjährigen Freund Rodger Godwin, einem amerikanischen Journalisten, für den der Auftrag die Story des Lebens bedeutet. Zwischen den beiden steht Priscilla DewBrittain – Hoods Frau und Godwins Geliebte. Für die drei wird das Unternehmen zu einer Tour de force ...

Thomas Gifford, Autor der Weltbestseller ASSASSINI und GOMORRHA, legt mit PROTECTOR einen Thriller vor, der Maßstäbe setzt.

ISBN 3-404-14249-7

BASTEI LÜBBE